Ein großer Philosoph hat einmal definiert, wie man feststellen kann, ob eine Information wichtig ist oder nicht. Wenn man sie in der Schule niemals zu hören bekäme, sei sie wahrscheinlich wichtig.

Deutschland-Quiz spielt mit Fragen, die in Schulen garantiert nie thematisiert werden: Ist Deutschland Ausgangspunkt einer geheimen Weltverschwörung? Gibt es ein Nazi-Gen? War Shakespeare besser als Goethe? Kommt die Weißwurst wirklich aus Bayern, oder machen uns die Bayern seit hundert Jahren was vor?

Die 66 ungewöhnlichen Fragen und Antworten überraschen als kleine, feine Mini-Reportagen – mal politisch brisant, mal skurril, stets jedoch verblüffend. Hansen hebelt typisch deutsche Klischees aus, enthüllt bizarre Geheimnisse und erschließt neue, aufregende Blickwinkel auf unsere exotische Heimat.

Eric T. Hansen, Jahrgang 1960, wuchs in Hawaii auf, wo er seine Leidenschaft für das Mittelalter und für europäische Kultur entdeckt. Er kommt dem Ziel seiner Träume näher, als er nach Deutschland geschickt wird – als Mormonenmissionar. Er entschließt sich zu bleiben, studiert Mediävistik in München, tritt aus der Kirche aus und zieht nach Berlin, wo er bis heute als Journalist arbeitet. 2004 veröffentlichte er ›Die Nibelungenreise. Mit dem VW-Bus durchs Mittelalter‹; 2006 erschien im Fischer Taschenbuch Verlag sein sehr erfolgreiches Buch ›Planet Germany‹ (Band 17324).

Unsere Adresse im Internet: www.fischerverlage.de
www.ethansen.de

DEUTSCHLAND-QUIZ

ALLES, WAS SIE ÜBER DIESES LAND WISSEN SOLLTEN UND NIE ZU FRAGEN WAGTEN

Unter Mitarbeit von
Astrid Ule

Originalausgabe
Veröffentlicht im Fischer Taschenbuch Verlag,
einem Unternehmen der S. Fischer Verlag GmbH,
Frankfurt am Main, Dezember 2007

Satz: Pinkuin Satz und Datentechnik, Berlin
Druck und Bindung: Clausen & Bosse, Leck
Printed in Germany
ISBN 978-3-596-17684-7

Für Harald Ule
1930–2007

Inhalt

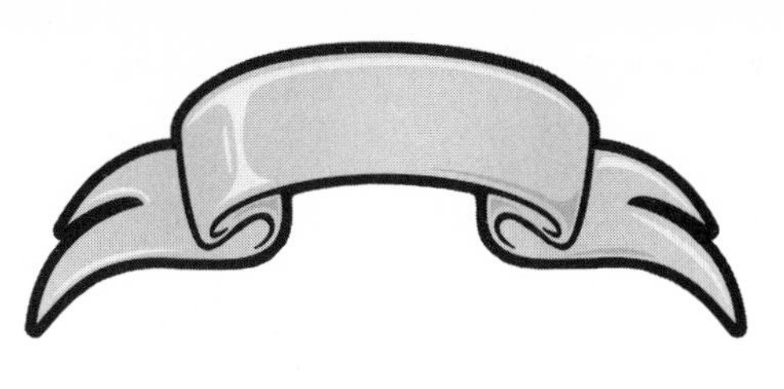

SPIELANLEITUNG

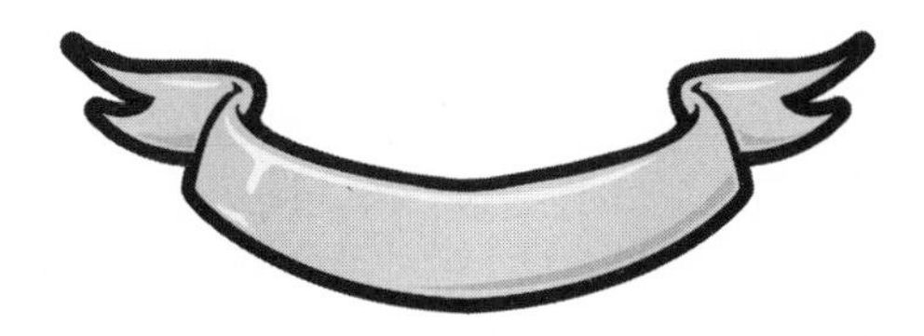

In meinen über 20 Jahren in Deutschland haben sich eine Menge seltsamer Fragen über dieses Land angesammelt, die kein anständiger Deutscher jemals stellen würde, obwohl sie ihn doch irgendwie brennend interessieren. Solche dummen Fragen kann nur ein naiver Amerikaner stellen. Bitte schön – hier sind sie!

Irgendwann fing ich nämlich an, sie aufzuschreiben – auf Bierdeckeln, Busfahrkarten, Zeitungsschnipseln – und dann habe ich zu jeder Frage den passenden Experten angerufen. Ihre Antworten sind in diesem Buch versammelt. Es besteht aus 66 Fragen, jede davon mit einer Auswahl möglicher Antworten (doch, doch – auch wenn es nicht immer so aussieht, eine davon ist jeweils richtig). Tippen Sie auf eine, und ob Sie richtig lagen, sehen Sie gleich auf den anschließenden Seiten.

Man erfährt interessante Dinge, wenn man ungewöhnliche Fragen stellt. Lange Zeit dachte ich, die Faszination der Deutschen für die Indianer stamme von den Karl-May-Büchern.

Das glauben auch die meisten Deutschen. Ich ging dem nach und erfuhr: Karl May war nicht der Beginn, sondern der Höhepunkt einer jahrhundertealten Liebe.

Man lernt auch, wie unterschiedlich Völker sich selbst sehen. Jeder Amerikaner weiß, was das Rot-Weiß-Blau seiner Fahne bedeutet. Ich musste aber wirklich suchen, bis ich einen Deutschen fand, der dasselbe über Schwarz-Rot-Gold wusste. Anfangs fragte ich mich: Warum ist das den Deutschen so egal? Heute frage ich mich: Warum ist es uns Amis so wichtig?

Über mein eigenes Volk habe ich auch etwas erfahren, und zwar als ich die Antwort auf die Frage suchte: »Hätte Hitler mit Hilfe der Juden den Krieg gewonnen?« Ich wusste, dass dieses Thema knifflig werden könnte, besonders für deutsche Historiker. Also rief ich lieber einen amerikanischen Historiker an, nämlich einen Kurator beim allwissenden *Smithsonian Institute* in Washington.

Seine Reaktion haute mich um: Wie ich nur daran denken könnte, solch eine unseriöse Frage zu stellen? Allein die Vorstellung, dass Hitler den Krieg hätte rational führen können, ist undenkbar. Klick.

Ich dachte schon, die Frage müsste ich streichen, aber etwas sagte mir: »Du solltest den deutschen Wissenschaftlern zumindest eine Chance geben.« Also rüstete ich mich innerlich und rief ein paar an. Welch Überraschung: Sie waren hilfsbereit, unvoreingenommen, selbstironisch. Alles typisch amerikanische Eigenschaften, angeblich!

So entstand dieses Buch. Es ist ein Quiz für einen Spieler – Sie. Lesen Sie einfach querbeet. Falls Sie es genau wissen wollen, notieren Sie in der Tabelle am Ende des Buches, bei welchen Fragen Sie richtig gelegen haben. Wenn Sie Ihre richtigen Antworten aufaddieren, können Sie vor der letzten Frage – Nr. 67 – auswerten, wie gut Sie waren.

Ich wünsche viel Spaß und ein herzliches Aloha,
Eric T. Hansen

GLOBALISIERUNG

A.Ur

Ist unsere Welt Opfer einer geheimen, perfiden deutschen Weltverschwörung?

Ⓐ Ja

Ⓑ Nein

Diese Frage ist eindeutig mit Ja zu beantworten. Darüber hinaus ist es ein Skandal, dass diese international operierende deutsche Weltverschwörung – eine der einflussreichsten und geheimsten Weltverschwörungen, die es je gegeben hat – bis heute von keinem Verschwörungstheoretiker aufgedeckt worden ist.

Sie fällt schlicht keinem auf – dazu sind die Deutschen viel zu clever. Sie agieren ohne Waffengewalt, ohne große Investitionen, ohne jede zentrale Steuerung, die von der Weltöffentlichkeit bemerkt werden könnte.

Während andere Länder wegen ihres internationalen Engagements öffentlich angeprangert werden (und wenn ich »andere Länder« sage, meine ich »Amerika«), platzieren die Deutschen ihre Agenten unter dem Deckmantel der Sorge um das Wohl der Welt still und leise überall, warten, bis die Zeit reif ist ... und zack! haben sie sich mal wieder unbemerkt irgendwo eingemischt.

Die internationale deutsche Weltverschwörung wird so geheim gehalten, dass sie sogar diejenigen überrascht, die daran beteiligt sind.

Ulrich Sacker vom Vorstand des Goethe-Instituts in Berlin gab freimütig zu, dass man die Deutschen überall findet: »Wann immer Sie eine NGO irgendwo auf der Welt sehen, sind Deutsche dabei«, sagte er. »Die Deutschen waren die Fleißigsten in den Kibbuzen. Während andere im Schatten Pause machten, arbeiteten sie weiter, bis die anderen sich über sie lustig machten. Wir helfen den Regenwald zu erhalten und haben romantische Ideen über Indianer, die vielleicht gar nicht stimmen. Und die Deutschen erklären den Bauern in der Toskana, wie sie ihre Felder zu bestellen haben.« Er erzählte von einer Freundin, die, einst zu Besuch in Italien, sich fürchterlich über eine Italienerin aufregte, weil diese ihren Kaffee nicht in einer Espresso-Kanne kochte, sondern in einer ganz normalen Kaffeemaschine. Doch eine Verschwörung stritt er rundheraus ab.

Nun, ich kann ihm und anderen Zweiflern nur raten, mal dieses simple Experiment zu machen:

Rufen Sie im Internet Wikipedia auf und tippen Sie ein x-beliebiges Land ein. Dann suchen Sie in dem Artikel nach dem Wort »deutsch«. Irgendwo im Text, oft nur als Nebensatz oder als weiterführender Link, so ganz beiläufig, erfahren Sie dann, wie die Deutschen auf subtile Art und Weise das hilflose, nichtsahnende Land beeinflussen.

Ich selber gehörte lange Zeit zu den Skeptikern, bis ich eben dieses Experiment durchführte. Ich begann mit meiner Heimat Amerika.

Allein die Geheimagenten, die aus Bayern nach Amerika entsandt wurden, könnten Bände füllen. Moment mal – sie füllen auch einen Band: »Good Bye Bayern«, den Katalog zur Ausstellung im Haus der Bayerischen Geschichte. Darin findet man Henry Villard, den transamerikanischen Eisenbahnkönig des 19. Jahrhunderts – aus Landau (Logistik ist für jede Art von Verschwörung unentbehrlich). Christian Barthelmess aus Klingenberg am Main hat sich in die US-Armee geschmuggelt, um Indianer in ihren Reservaten zu fotografieren (das wäre die Abteilung Informationsbeschaffung). Levi Strauss erfand die Jeans (Abteilung alltagstaugliche Tarnuniform). Zuweilen nahmen deutsche Sleeper in Amerika die seltsamsten Berufe an. Anfang des 20. Jahrhunderts waren es vorwiegend Wandermusikanten: kleine Kapellen, die im Sommer nach Amerika gingen und sich dort auf Hochzeiten und anderen Festen eine goldene Nase verdienten, bis sie im Winter zurückkehrten. Einer von ihnen hatte eine besonders gute Idee, wie er dem obersten Boss ganz nah kommen konnte: Georg Drumm komponierte das Lied »Hail to the Chief«, das zur Hymne des US-Präsidenten wurde und bei offiziellen Anlässen noch heute gespielt wird. Nur einer schaffte es noch näher ans Präsidentenamt: Außenminister Henry Kissinger aus Fürth. Doch gibt es eine perfidere Methode, die Moral eines Landes zu untergraben, als ihm Siegfried und Roy zu schicken?

Russland erging es ähnlich. Es war nicht nur eine unglaubliche Anzahl deutscher Einwanderer, die es zur Zeit Katharinas der Großen nach Russland zog, auch die deutsche Wissenschaft verspürte einen steten Drang nach Osten. Es gibt kaum eine Zeit, in der deutsche Wissenschaftler nicht eine wichtige Stellung in Russland innehatten – als Gelehrte an der Akademie der Wissenschaften in St. Petersburg, der Medizinischen Hochschule Odessas oder der Moskauer Universität. Deutsche Mediziner und Naturwissenschaftler haben im 18. und 19. Jahrhundert das akademische Leben Russlands nachhaltig geprägt. Das gilt noch heute: Im von Stalin errichteten Kernforschungszentrum in Dubna außerhalb Moskaus arbeiten deutsche und russische Physiker Seite an Seite. Seltsam ... während russische Forscher in den Westen abwandern, weil sie daheim so schlecht bezahlt werden, schickt Deutschland seine Wissenschaftler in die entgegengesetzte Richtung. Und finanziert das russische Computersystem auch noch mit. Wahrscheinlich sind sämtliche russischen Computersysteme schon jetzt von deutschen Viren infiziert, die, wenn uns Russland mal wieder die Pipeline abdreht, problemlos aktiviert werden können.

Aber vielleicht sehe ich das mit der Einflussnahme zu eng. Russland ist immerhin ein europäischer Nachbar – wie verhält es sich mit Ländern, die weiter entfernt sind?

Wenn Sie glauben, Deutschland interessiere sich erst für China, seit sich das Land zum wirtschaftlichen Monster entwickelt, irren Sie gewaltig. Schon im 17. Jahrhundert begann Deutschland, China auszuspionieren – und sein bester Spion hieß Gottfried Wilhelm Freiherr von Leibniz, einer der bedeutenden Philosophen seiner Zeit und ein glänzender Diplomat dazu. Er schaffte das, ohne auch nur sein Haus zu verlassen. Wie eine Spinne im Netz befehligte er seine ganz private CIA: ein Netzwerk von Jesuitenpriestern, die damals überall in China ausschwärmten. Diese fragte er nach ihrer Rückkehr über die Verhältnisse in China so hartnäckig aus, dass er am Ende mit einem 175 Seiten starken Bericht über China mit dem Titel *Novissima Sinica* aufwarten konnte, und zwar in einer Geheimsprache: Latein!

Kommen wir zu Japan: Was glauben Sie, welche Sprache nach Englisch und Chinesisch dort als Dritthäufigste an den Schulen unterrichtet wird? Klar, Deutsch. Unter dem Dach des Verbandes Deutsch-Japanischer Gesellschaften sammeln sich 50 Freundschaftsvereine, die das Ziel verfolgen, »... durch persönliche Begegnungen ... Japan und die Japaner, ihre Kultur, ihre Denkweise, ihr Land, seine Sitten und Gebräuche besser zu verstehen ...«, so der Verband. Ich frage mich: Was wollen sie mit all dem Wissen eigentlich anfangen? Vielleicht auf Japanisch über Michael Endes *Unendliche Geschichte* oder *Momo* diskutieren? Das gehört dort nämlich besonders beim weiblichen Geschlecht zur Allgemeinbildung.

In Saudi-Arabien, zu dem Deutschland trotz haarsträubender Menschenrechtsverletzungen glänzende Beziehungen unterhält, gibt es deutsche Schulen, auf deren Gelände deutsche Gesetze gelten.

In Malaysia leben so viele Deutsche, dass man für sie eine besondere Vereinigung eingerichtet hat, die sich mit einem polyglotten Decknamen tarnt, um nicht aufzufallen: die »German Speaking Society Kuala Lumpur«.

Und was Kenia angeht: Als die Geheimpolizei im Jahr 2006 Nairobis Tageszeitung »The Standard« und deren Fernsehsender KTN überfiel, benutzte sie deutsche G3-Gewehre.

Das war zu viel. Es konnte nicht sein, dass Deutschland mit perfider Gründlichkeit wirklich kein Land auslässt. Oder? Jetzt packte mich der Ehrgeiz. Es gibt schließlich 194 Länder auf der Welt. Irgendein Ort musste existieren, wo die Deutschen sich noch nicht eingemischt hatten. Alle Wikipedia-Einträge konnte ich nicht durchsuchen. Meine beste Chance, so einen Ort zu finden, war, die ganz kleinen Länder zu überprüfen.

Der fünftkleinste Staat der Welt ist mit 60 Quadratkilometern San Marino, das mitten in Italien liegt und von sich behauptet, die älteste bestehende Republik der Welt zu sein. Als ich »San Marino« auf der Website des deutschen Auswärtigen Amtes eintippte, erschien folgender mysteriöser Eintrag: »Eine besondere politische Bedeutung für Deutschland erlangt San Marino durch die wohlwollende Unterstützung, die es deutschen Kandidaten im Zusammenhang mit Wahlen zu den verschiedensten Gremien im Bereich der Vereinten Nationen gewährt.« Der Rest wird vornehm verschwiegen.

Kleinstaat Nummer vier ist Tuvalu in der Südsee mit neun Inseln und insgesamt 26 Quadratkilometern – sicher auch eine ganz kleine wirtschaftliche Nummer. Hauptprodukte sind Kokosnüsse, Taro und Bananen; Hauptexportgüter sind Kopra und Briefmarken. Und wer ist Tuvalus Hauptexportpartner? Deutschland natürlich. Es waren ja auch die Deutschen, die im 19. Jahrhundert als Erste Handelsbeziehungen mit Tuvalu aufnahmen, und zwar durch die Hamburger Firma Godeffroy & Sohn. Doch wenn Sie in Deutschland mal anständiges Kopra kaufen möchten, na dann viel Glück im nächsten Supermarkt. Kann doch keiner ahnen, dass man es hier nur unter dem Decknamen »Kokosraspeln« bekommt.

Der drittkleinste Staat der Welt ist die 21 Quadratkilometer große Insel Nauru im Pazifik, die gleichzeitig die kleinste Republik der Welt ist, bis vor kurzem einer der Hauptlieferanten für Vogelkot, Entschuldigung – Phosphat – war … und außerdem eine ehemalige deutsche Kolonie.

Der zweitkleinste Staat der Welt ist das Fürstentum Monaco mit knapp zwei Quadratkilometern. Unter den 33 000 Einwohnern leben rund 900 Deutsche, die sogar eine Zeitung ihr Eigen nennen. Mit dem Prinz von Hannover, der sich mit teutonischem Charme in die fürstliche Familie eingeschlichen hat, sind es 901.

Mit weniger als einem Quadratkilometer Fläche ist der kleinste Staat der Welt der Vatikanstaat. Selbst davon konnten die Deutschen die Finger nicht lassen.

Doch es geht noch winziger.

Das allerkleinste Land der Welt wird von den meisten Staaten gar nicht anerkannt und ist nicht mal ganzjährig bewohnt:

Sealand heißt das Land, das aus einer 0,000611 Quadratkilometer großen Plattform auf zwei Betonsäulen mitten in der Nordsee besteht.

Die Briten hatten die Plattform im Zweiten Weltkrieg errichtet und den öden Ort danach schnellstmöglich verlassen. 1967 besetzte Paddy Bates mit seiner Familie die Plattform mit ihren hohlen, bewohnbaren Säulen, rief das freie Fürstentum Principality of Sealand aus und ernannte sich selbst und seine Frau zu König und Königin. Seitdem kämpft die Familie vor internationalen Gerichten um Anerkennung, bisher allerdings mit mäßigem Erfolg. Die Bevölkerung variiert zwischen null und neun. Trotzdem konnten die Deutschen auch an diesem kleinsten aller Kleinstaaten nicht vorbeigehen.

1975 nahm der Deutsche Alexander Gottfried Achenbach Kontakt zu den Paddys auf, und bald war er Regierungschef auf Lebenszeit. Als Paddy dann einige Zeit in Salzburg weilte, rief Achenbach ein paar holländische Freunde zu Hilfe, nahm Paddys Sohn Michael gefangen und erklärte den Fürsten für abgesetzt. Ein Staatsstreich!

Da verstand Paddy keinen Spaß mehr. Er mietete seinerseits einen Hubschrauber, engagierte ein paar schwer bewaffnete Söldner und überfiel die Putschisten. Die Holländer ließ er frei, Achenbach aber besaß einen Sealand-Pass und wurde des Hochverrats angeklagt und zu einer lebenslangen Freiheitsstrafe verurteilt, zu verbüßen auf der Plattform.

Da hatte die deutsche Regierung keine andere Wahl mehr als einen Diplomaten zu entsenden, der zwar die Freilassung bewirkte, aber Sealand dadurch unfreiwillig auch als Staat anerkannte. Während ich diese Worte schreibe, steht Sealand gerade für rund 977 Millionen US-Dollar zum Verkauf. Achenbach bildete nach seiner Rückkehr umgehend eine sealändische Exilregierung und ist meines Wissens derzeit der Einzige in Deutschland lebende ausländische Exilpotentat.

Antwort:

A. Ja, die Welt ist einer internationalen deutschen Verschwörung anheimgefallen. Und ein Ende ist nicht abzusehen.

Wo außerhalb Deutschlands werden deutsche Stars verehrt?

Ordnen Sie die folgenden deutschen Stars den Ländern zu, in denen sie auch als Stars verehrt werden!

Ⓐ Poet und Popstar **Wolf Biermann**

Ⓑ Technobabe **Blümchen**

Ⓒ Frühdiscohelden **Boney M.**

Ⓓ Deprimierender Künstler **Anselm Kiefer**

Ⓔ Bernhard Heisig, Wolfgang Mattheuer und Heinze Zander von der **Leipziger Schule** (nicht zu verwechseln mit der Neuen Leipziger Schule)

Ⓕ **Peter Maffay** und sein Hit »Du bist alles, was ich habe«

Ⓖ Spätdiscohelden **Modern Talking**

Ⓗ Rock-Mama **Nena**

Ⓘ Neo Rauch, Tim Eitel, Martin Kolbe und Matthias Weischer von der **Neuen Leipziger Schule** (nicht zu verwechseln mit der Leipziger Schule)

Ⓙ Bad-Boy-Schrammler **Rammstein**

Ⓚ Fotograf und Bürgerkriegskämpfer **Walter Reuter**

Ⓛ Sagenumwobene Islamwissenschaftlerin **Annemarie Schimmel**

Ⓜ Gut gekleideter, aber nicht discotauglicher **Chor der Schornsteinfeger-Innung**

Ⓝ Romanautor und Nobelpreiskandidat **W. G. Sebald**

Ⓞ Exotische Fußballsendung ***Neues aus der Bundesliga***

Ⓟ Missverstandener und gefeierter Filmemacher und Kulturkritiker **Hans-Jürgen Syberberg**

Ⓠ Legendärer und niemals wirklich identifizierter Autor **B. Traven**

Ⓡ Bauhausarchitekt und »Weniger ist mehr«-Sprücheklopfer **Ludwig Mies van der Rohe**

Ⓢ Holocaustleugner und professioneller peinlicher Deutscher **Ernst Zündel**

Länder

① Bangladesch

② Brasilien

③ Brasilien

④ China

⑤ Ghana

⑥ Kanada

⑦ Kanada

⑧ Kanada & USA

⑨ Mexiko

⑩ Mexiko

⑪ Nirgends

⑫ Diverse Staaten des ehemaligen Ostblocks

⑬ Pakistan

⑭ Schweden

⑮ Überall

⑯ USA

⑰ USA

⑱ USA

⑲ Weißrussland

Antwort:

Ⓐ Wolf Biermann – ⑭ Schweden

Ⓑ Blümchen – ④ China

Ⓒ Boney M. – ② Brasilien

Ⓓ Anselm Kiefer – ⑯ USA

Ⓔ Leipziger Schule – ⑫ Diverse Staaten des ehemaligen Ostblocks

Ⓕ Peter Maffay – ① Bangladesch

Ⓖ Modern Talking – ⑲ Weißrussland

Ⓗ Nena – ③ Brasilien

Ⓘ Neue Leipziger Schule – ⑰ USA

Ⓙ Rammstein – ⑮ Überall

Ⓚ Walter Reuter – ⑨ Mexiko

Ⓛ Annemarie Schimmel – ⑬ Pakistan

Ⓜ Chor der Schornsteinfeger-Innung – ⑪ Nirgends

Ⓝ W. G. Sebald – ⑧ Kanada & USA

Ⓞ »Neues aus der Bundesliga« – ⑤ Ghana

Ⓟ Hans-Jürgen Syberberg – ⑥ Kanada

Ⓠ B. Traven – ⑩ Mexiko

Ⓡ Ludwig Mies van der Rohe – ⑱ USA

Ⓢ Ernst Zündel – ⑦ Kanada

Was denkt die Welt über die Deutschen?

Wie viele der folgenden Klischees über die Deutschen sind echt, und wie viele sind von mir frei erfunden?

Die Deutschen, das sind doch diese Typen, ...

Ⓐ ... die besonders clever sind, immer eine Lösung für alles finden und bestens informiert sind.

Ⓑ ... die besonders naiv sind und sich leichter als andere über den Tisch ziehen lassen.

Ⓒ ... die große Theorien über die Umwelt wälzen, aber nichts davon im Alltag umsetzen.

Ⓓ ... die seltsame Krankheiten wie Kreislaufbeschwerden kriegen, die woanders keiner kennt.

Ⓔ ... die so wahnsinnig gut jodeln können.

Ⓕ ... deren Männer ohne jede Moral um die halbe Welt jetten, um Sex zu haben, weil sie ihn zu Hause nicht kriegen.

Ⓖ ... deren Frauen ohne jede Moral um die halbe Welt jetten, um Sex zu haben, weil ihnen die Männer zu Hause nicht gefallen.

Ⓗ ... die so verdammt eigenartige Filme drehen.

Ⓘ ... die ihr Bier am liebsten warm trinken.

Ⓙ ... die uns die Jobs wegnehmen.

Ⓚ ... die eine Sauna nicht ohne Gebrauchsanleitung anfeuern können.

Ⓛ ... bei denen die Männer attraktiver sind als die Frauen.

Ⓜ ... die so unglaublich auf David Hasselhoff abfahren.

Ⓝ ... die stets ehrlich sind – im Gegensatz zu den Franzosen.

Ⓞ ... deren Männer so sentimental sind.

Antwort:

Echt: Nr. A–D und F–O.
Frei erfunden: E (»Alle Deutschen jodeln«)
Diese internationalen Klischees kamen bei meiner Umfrage bei rund 100 Goethe-Instituten in aller Welt zutage.
Wo die einzelnen Klischees herkommen? A: Australien und auch sonst überall, wo Einstein verehrt wird. B: Italien, was die Naivität von Touristen angeht, sowie Australien und alle Länder, wo die Sitcom *Ein Käfig voller Helden* beliebt ist. C: Finnland. D: Irland. E: Nirgends. F: Brasilien, Australien, Bangladesch und andere touristisch erfasste Länder Asiens. G: Brasilien, Australien, Bangladesch und andere touristisch erfasste Länder Asiens. H: Ukraine. I: USA. J: Schweiz. K: Finnland. L: Ukraine. M: England, Schottland. N: Togo. O: Weißrussland.

Was nervt die Finnen an den Deutschen?

Ⓐ Sie trinken nur schwedischen Wodka.

Ⓑ Sie haben kein Gespür für Tango.

Ⓒ Sie sagen immer, wenn sie ein Rentier sehen: »Oh, ein Elch!«

Ⓓ Sie stecken sich gerne mal Essen vom Buffet ein.

Jedes Jahr reist eine viertel Million Deutscher ins teure Finnland, um die rund 30 finnischen Vergnügungsparks, den Korkeasaari Zoo, die 50 berühmten Bäder, Nokia, wo die Handys herkommen, Rovaniemi, wo der Weihnachtsmann herkommt, die Uspenski-Kathedrale in Helsinki, das Schneeschloss in Kemi, zahllose Wälder, Seen und Mücken und natürlich die vielen Elfen und Trolle, die nachts über die Wiesen hüpfen, zu sehen.

Und alle wollen sie Geld sparen. In einem Maße, dass die finnischen Touristenführer, Gastwirte und Behörden dies mehr und mehr als Problem für die eigene Wirtschaft ansehen. Touristen sollen schließlich Geld ins Land bringen.

Während Hotels, Züge und sonstige touristische Einrichtungen in den meisten Ländern Schilder in mehreren Sprachen anbringen, auf denen ausländische Gäste gebeten werden, die Toilette so zu verlassen, wie sie sie vorgefunden haben, oder sich nicht aus dem Fenster des fahrenden Zuges zu lehnen, sehen sich finnische Behörden gezwungen – Wörterbuch in der Hand – ganz andere Schilder für die Deutschen zu malen und um die Buffets herum aufzustellen.

Auf diesen Schildern steht, dass das Essen vom Buffet nicht zum Mitnehmen gedacht ist.

Antwort:

D. »Über deutsche Touristen sagt man, dass sie keine Devisen ins Land bringen, da sie ihr eigenes Essen und Trinken immer mitbringen«, schrieb Bettina Senff, Leiterin des Goethe-Instituts in Helsinki, »und dass sie gern mal ›Andenken‹ aus Ferienhäuschen oder Hotelzimmern mitnehmen.«
Allerdings, das mit den »Andenken« ist inzwischen widerlegt worden. Das war eindeutig die Schuld der Elfen und Trolle.

Wer zum Teufel war
Nyanatiloka Mahathera?

Ⓐ Der Komponist der thailändischen Nationalhymne

Ⓑ Der Gärtner des Königs von Madagaskar

Ⓒ Der Übersetzer der hinduistischen *Veden*

Ⓓ Ein Musiker aus Wiesbaden

Antwort:

D. Nyanatiloka Mahathera war ein Musiker aus Wiesbaden und interessierte sich schon früh für den Buddhismus. Mit bürgerlichem Namen hieß er Anton Walther Florus Gueth. Als er 1902 ein Engagement als Violinist in der Türkei annahm, war dies der erste Schritt in seinem Plan, Indien näher zu kommen. Und tatsächlich: Nicht lange danach schaffte er es auch, nach Sri Lanka (damals Ceylon) zu gelangen, wo er der erste europäische buddhistische Mönch wurde und seinen eigenen Orden gründete. Im Ersten und Zweiten Weltkrieg wurde er jedes Mal aufgrund seiner Herkunft interniert und jahrzehntelang von seinem Orden getrennt, jedoch schaffte er es immer wieder, ihn neu aufzubauen. Als er 1957 starb, erhielt er ein offizielles Staatsbegräbnis und wurde in seinem Inselkloster beigesetzt.

Gueth war keineswegs der einzige Deutsche, der es im Ausland zu Ruhm brachte, ohne dass man in seiner Heimat Notiz davon nahm. Im Gegenteil: In jedem Land der Welt stößt man irgendwann auf irgendjemanden, der sagt: »Ach, Sie sind deutsch? Sie müssen doch Ludwig Leichhardt kennen. Wie? Sagen Sie bloß, Sie kennen ihn nicht – er war doch einer der wichtigsten Deutschen überhaupt. Wo sind Sie denn zur Schule gegangen?«

Damit Ihnen diese Peinlichkeit nicht so schnell widerfährt, hier eine kurze Auswahl der wichtigsten deutschen Namen im Ausland, die vermutlich nicht mal Ihr Lehrer in der Schule kannte:

Der Entdecker des Tals der Pyramiden

Nachdem der 1848 geborene Maschinenbauingenieur Hans-Heinrich Brüning zufällig sah, wie Einheimische in Peru goldene Artefakte einschmolzen, warf er seinen Job hin, machte sich auf die Suche nach den Kultstätten der antiken Lambayeque-Indianer und entdeckte in Tucume ein Tal mit 250 kolossalen, 900 Jahre alten Pyramiden. Heute ist er dort als Archäologe, Linguist, Ethnologe und Fotograf berühmt.

Der Erbauer der thailändischen Eisenbahn
Eingekeilt zwischen den konkurrierenden Kolonialmächten Großbritannien und Frankreich, entschied sich Thailand Anfang des 20. Jahrhunderts, seine Eisenbahn lieber von deutschen Ingenieuren bauen zu lassen. 1908 arbeiteten bereits 35 Deutsche und noch mehr deutsche Lokomotiven für die Bahn des Königs. Emil Eisenhofer, Karl Bethge und Louis Weiler fungierten als leitende Ingenieure; Eisenhofer baute zudem einen wichtigen Tunnel von 1,6 km Länge, an dessen Nordausgang er Jahre später beigesetzt wurde. Dafür sind die drei Männer dort berühmt.

Der Komponist der thailändischen Nationalhymne
Der Sohn eines Deutschen aus Trier, Peter Feith, sammelte im damaligen Siam der frühen 1900er unermüdlich traditionelle, mündlich überlieferte Melodien und hielt sie schriftlich fest, womit er sie vor dem Vergessen bewahrte. Er erhielt zahlreiche Ehrentitel und wurde Königlicher Musikmeister. Als 1939 aus Siam Thailand wurde, wurde die neue, von ihm komponierte Nationalhymne »Phleng Chat Thai« offiziell eingeführt.

Deutsch-australischer Ritter und Maler
Die Familie des gebürtigen Hamburgers Sir Hans Heysen wanderte 1884 nach Australien aus, als er sechs Jahre alt war. Er musste dort mit 14 die Schule verlassen, um für einen Hungerlohn im Eisenwarenladen zu jobben. Er war Freizeitkünstler, bis er einen wichtigen Wettbewerb gewann und in Paris und Italien studieren konnte. Nach seiner Rückkehr wurde er ein berühmter Aquarell-Maler, der neunmal den begehrten Wynne-Preis gewann (ein bis heute gehaltener Rekord) und 1959 zum Ritter des British Empire geschlagen wurde.

Der Hofgärtner des Königs von Madagaskar

Am Hofe des Königs Radama I. erforschte, katalogisierte und benannte der Botaniker und Hofgärtner Karl Theodor Hilsenberg in den frühen 1800ern die verschiedensten endemischen Pflanzen, von denen viele noch heute seinen Namen tragen.

Der Erfinder der malaiischen Ansichtskarte

Der Fotograf August Kaulfuss, der zahlreiche Landschaftsaufnahmen der malaiischen Halbinsel machte und Hoffotograf des Sultans von Kedah war, eröffnete 1886 das erste Fotogeschäft der Hafenstadt Penang, dem »Tor nach Asien«, wo er gleich noch einer der weltweit Ersten war, der die Ansichtskarte erfand.

Geologe und Abenteurer im australischen Outback

Der Entdecker Ludwig Leichhardt aus Brandenburg erforschte ab 1842 weite Teile des Outbacks und entdeckte unter anderem dort das größte Kohlevorkommen der Nation. Von seiner zweiten Expedition kehrte er nicht zurück und wurde trotz mehrerer Suchaktionen nie gefunden. Ein Stadtteil Sydneys sowie andere Orte sind nach ihm benannt und in manchen Gegenden finden regelmäßig ihm gewidmete Jubiläen statt. Sein Leben inspirierte den australische Literaturnobelpreisträger Patrick White zu seinem Klassiker *Voss*.

Der Übersetzer der hinduistischen Veden

Der Sohn eines Liederdichters aus Dessau, Friedrich Max Müller, lehrte und publizierte erfolgreich als Sprachwissenschaftler in Oxford und wurde zum anerkannten Begründer der modernen Sanskrit-Forschung. Vor allem hat Müller ab 1844 als Erster die heiligen Bücher der Hindus, *Die Veden,* in eine verbindliche schriftliche Ausgabe gebracht und auch ins Englische übersetzt. Das war eine lutherische Leistung, denn bis dahin musste man die tote Sprache Sanskrit (meist bei einem Brahmanen) studieren, um die *Veden* lesen zu können.

Dank Müllers Arbeit gibt es heute viele Übersetzungen und Millionen von Indern können ihre heiligen Schriften selbst lesen. Er ist in Indien so beliebt, dass das Goethe-Institut dort den Namen des großen deutschen Dichters fallenließ und sich »Max Müller Bhavan (Haus)« nennt.

Der weiße Kameruner

Wenn es einen deutschen Kolonialisten gab, der die Gemüter bis heute spaltet, dann war es Gustav Nachtigal. Einerseits ließ er sich Ende des 19. Jahrhunderts gern von Bismarck vor den Karren spannen und erklärte Togo und Kamerun mit Hilfe falscher Verträge zu deutschen »Schutzgebieten«. Andererseits hatte er sich als junger Mann richtig in Afrika und seine Völker verliebt. Als Hobby-Ethnologe hatte er viele afrikanische Länder ausgiebig bereist, die Sahara durchquert, war Leibarzt des tunesischen Regenten und Botschafter im damaligen Nigeria gewesen. Auf seinen Reisen lernte er Sprachen, sammelte akribisch Daten und kritisierte heftig den Sklavenhandel. Er ist in Kamerun bestattet, gleich unter seinem Denkmal.

Der spanische Regentenkanzler

Als Maria Anna von Österreich nach 1665 als Kaiserin Regentin das habsburgische Heilige Römische Reich regierte (das damals in Spanien logierte), regierte sie eigentlich gar nicht. Das war vielmehr die Aufgabe ihres Kanzlers, des deutsch-österreichischen Jesuitenmönchs Johann Eberhard Nithard. Er hielt sich zwar nicht lange an der Macht, doch einige Historiker meinen, dass seine kurze Amtszeit ausreichte, die Grundlage für den späteren Absolutismus zu schaffen.

Der Erbauer der Brooklyn Bridge

Der innovative Architekt John A. Roebling aus Thüringen setzte für seine spektakulären Hängebrücken als Erster Drahtseile statt Ketten ein. Erst diese Technik ermöglichte wirklich große Hängebrücken. Seine wichtigste Leistung war die noch heute wegweisende Brooklyn Bridge, dessen Vollendung er aber nie sah. 1870 wurde sein Fuß bei einem Baustellenunfall zermalmt und zwei Wochen später starb er an Tetanus. Sein bettlägeriger Sohn und dessen Frau Emily führten die 13-jährige Arbeit weiter, und Emily war es dann auch, die als Erste die heute noch berühmte Brücke überquerte.

Der Vater der südamerikanischen Archäologie
Der Ethnologe am Museum für Völkerkunde in Berlin Max Uhle, ursprünglich aus Dresden, hatte eigentlich vor, nur zwei Jahre zu Forschungszwecken in Südamerika zu bleiben. Daraus wurden 40. Ab 1892 leitete er zahlreiche Ausgrabungen sowie Museen in Peru, Chile und Ecuador, die er teilweise selbst aufbaute. Aufgrund seiner Funde begründete er das noch heute verbindliche Modell der vorkolumbianischen Kulturabfolge Südamerikas, an dessen Ende die Inka-Kultur steht. An seiner wichtigsten Grabungsstätte Pachacámac steht ein ihm gewidmeter Gedenkstein.

Der Bürgerkriegsheld Finnlands
Der Preuße Rüdiger Graf von der Goltz, geboren 1865 in Züllichau, war ein deutscher General und militanter Freigeist, der die Weimarer Republik hasste, aber seit dem Ende des Kaiserreichs irgendwie keine geistige Heimat mehr fand. 1918 ging er nach Finnland und griff dort im finnischen Bürgerkrieg ein, besiegte die aufständischen Roten Garden und half, die finnische Armee aufzubauen. Dann zog es ihn weiter in das Baltikum, wo er ein Freicorps bildete und für die Letten gegen die russischen Bolschewiken kämpfte.

Der Unkrautimporteur von Australien
Ferdinand von Müller war ab 1853 der offizielle Botaniker der britischen Kolonie Victoria in Australien und fast 20 Jahre lang der gestrenge Direktor der Royal Botanic Gardens in Melbourne. In diesen Eigenschaften erforschte er die australische Vegetation, entdeckte rund 800 neue Spezies und

richtete das National Herbarium ein. Allerdings hat er mancherorts einen schlechten Ruf, weil er – sicher mit den besten Absichten – viele deutsche Pflanzen an seine neue Wirkungsstätte importierte, darunter angeblich auch Brombeeren. Brombeeren gelten in Australien inzwischen als besonders schlimmes Unkraut. Von Müller hat auch jahrelang nach seinem verschollenen Kollegen Ludwig Leichhardt gesucht.

Der Begründer der modernen japanischen Keramikindustrie
Der deutsche Keramiker und Professor in Tokio und Kyoto Gottfried Wagner brachte im 19. Jahrhundert das einzig wahre, typische Blau in die fernöstliche Keramik – nämlich veredeltes Kobalt statt des bis dahin üblichen natürlichen Minerals. Er führte neue Brenn-, Ofenbau- und Glasurtechniken ein, die die Keramikindustrie ästhetisch und ökonomisch revolutionierten und die hochwertige Herstellung im großen Stil erst ermöglichten. Auf seinen Rat hin präsentierte sich das Land 1873 zum ersten Mal auf einer Weltausstellung – natürlich mit Keramikkunst.

Wo auf der Welt hält man die Deutschen für witzig?

Ⓐ Holland

Ⓑ Polen

Ⓒ Schottland

Ⓓ Thailand

Holland hat Rudi Carrell gesandt, um die Deutschen zum Lachen zu bringen. Österreich überließ Arnold Schwarzenegger den USA mit den besten Grüßen. Irland schickte die Kelly Family auf den Kontinent.

All die Menschen standen oder stehen irgendwo in der Fremde auf einer Bühne, bringen die Menschen dort zum Lachen oder Weinen, und die Leute sagen: »Danke, Österreich, danke, Holland, danke, Irland, dass ihr ihn oder sie zu uns geschickt habt.«

Aber wer bedankt sich bei Deutschland? Wer zieht für das kleine Deutschland in die große Ferne und bringt dort die Leute zum Lachen?

Steffen Möller ist sein Name. Auch er hat im Ausland riesigen Erfolg, ist dort überall präsent – im Fernsehen, in Zeitschriften, auf den Bestsellerlisten, auf CD –, wird ständig auf der Straße angesprochen und gilt als der bekannteste Deutsche im Land. Ja, Steffen Möller aus Wuppertal ist für die meisten Menschen dort *der* Deutsche schlechthin. Mit dem kleinen Unterschied: Anstatt in Amerika Karriere zu machen, machte er sie in Polen.

»Es ist schon merkwürdig«, gab er zu. »Ich fahre häufig mit dem Zug von Warschau nach Berlin. Das ist eine Sechs-Stunden-Fahrt: fünf Stunden durch Polen, eine Stunde von der Grenze bis Berlin. Während der ganzen Polen-Strecke kommen Schaffner vorbei und wollen Autogramme. Dann erreichen wir die Grenze und da kommt die polnische und deutsche Grenzpolizei gemeinsam durch die Waggons. Der polnische Beamte erkennt mich sofort, winkt mir zu und sagt, ›Hallo Steffen‹. Er fragt nicht nach meinem Pass. Der deutsche Kontrollbeamte sieht das und wird sofort misstrauisch. Er glaubt, ich gehöre zur polnischen Mafia und der polnische Grenzbeamte steckt mit mir unter einer Decke. Er verlangt mit autoritärer Stimme meinen Pass, überprüft ihn gründlich und mustert mich dabei misstrauisch. Und ich denke: ›Welcome home‹.«

Möller kam in den 90ern nichtsahnend nach Polen, einfach, weil er den Osten sehen wollte, und lernte erst mal Polnisch, eine schrecklich schwere Sprache. Er hatte verschiedenste Jobs, die ein Deutscher in Polen so haben kann, zum Beispiel besprach er als Muttersprachler Kassetten für den polnischen Deutschunterricht. Bald trat er in Kabaretts auf. Auf der Bühne machte er sich lustig darüber, wie schwer es ist, Polnisch zu lernen. Im Grunde witzelte er über sich selbst als Deutscher im Ausland, und das kam an. 2002 schaffte er es in Krakau bei einem nationalen Kabarettwettbewerb bis zum zweiten Platz, und das Fernsehen klopfte an die Tür. Heute sagt er: »Ich bin von Beruf Deutscher«, und in der Tat, er spielt den lustigen Deutschen in einer populären Sitcom und tourt mit seiner Bühnenshow durch ganz Polen.

»Ich werde sofort mit Deutschland assoziiert und muss auch alles über Deutschland im Radio kommentieren, auch wenn es nichts mit mir zu tun hat, ob es um die Frage geht, ob die Deutschen sich schämen wie die Polen es tun, oder um die neuen Winterreifen.«

Ich mag seine Geschichte, weil sie, abgesehen von seinem Ruhm, eine ganz typische Ex-Pat-Geschichte ist. Ein »Ex-Patriot«, wie wir Amis das nennen, führt fern von seinem Vaterland eine ganz bestimmte Art von Leben. Sein Geld verdient er meist mit Sprachunterricht. Am leichtesten freundet er sich mit Leuten an, die sich auch fürs Ausland interessieren. (Seine Lebenspartnerin gibt es nicht zu, aber die Tatsache, dass er Ausländer ist, macht sie an.) Weil er sich für andere Länder interessiert und eine Fremdsprache gelernt hat, hatte er irgendwann im Leben was mit einer Universität zu tun und hat oft Freunde im akademischen Bereich. Meist hat er auch eine künstlerische Ader. Jeder Ex-Pat, den ich je kennengelernt habe, hatte irgendwo einen großen unfertigen Roman oder mindestens eine Gitarre herumliegen. Und dann gibt es die Aussteiger, die eigentlich nichts weiter wollen als irgendwo anders zu leben als zu Hause. Zu Hause würden sie mit den gleichen Kids rumhängen, die sie noch von der High School kennen. In der Fremde begegnen sie dauernd interessanten Leuten. Ich mache jede Wette, das beschreibt auch Steffen Möllers bisheriges Leben ganz gut.

Der Unterschied zwischen einem Ex-Pat und einem Immigrant ist der, dass der Ex-Pat sich einbildet, irgendwann wieder nach Hause zu gehen. Er gibt seine ursprüngliche Heimat nie auf, auch wenn er dort nie wieder wohnen sollte. Er will Amerikaner, Engländer, Deutscher sein, aber eben im Ausland.

»Ich will Deutscher bleiben«, sagte Möller. »So gefällt es mir im Ausland. Ich habe keinen polnischen Pass, ich muss nicht wählen, ich muss nicht über Politik reden, ich kann beobachten. Viele Deutsche kommen mit großem Enthusiasmus nach Polen und gehen nach zwei, drei Jahren wieder zurück. Nicht, weil sie Polen blöd finden, sondern, weil sie normal leben wollen. Sie wollen ohne Akzent sprechen, sie wollen die Kirchenlieder auswendig kennen. Viele Leute fragen mich, warum ich so viele Jahre im Ausland lebe, ob es mir in Deutschland nicht gefällt. Ich sage, ich bin ein Mensch, der gern zuguckt und kommentiert. Schon in der Schule war das so. Damals habe ich mit Kabarett angefangen. Das kam bei den anderen Schülern an, aber außerhalb des Kabaretts trauten sie mir nicht so recht. Wenn ich versucht habe, was Ernstes zu sagen, haben sie mich nicht für voll genommen. Ich hatte keine Chance, Klassensprecher zu sein.«

Wer ein Land so gut kennt, dass er darüber Witze machen kann, die die Einheimischen auch verstehen, ist im Grunde für Deutschland verdorben. In letzter Zeit ist er zwar verstärkt hierzulande aufgetreten, aber er muss das deutsche Publikum neu kennenlernen – und ganz andere Witze machen.

»Die meisten Gags, die ich in Polen mache, kann ich hier nicht machen«, erklärte er. »Die besten Witze dort sind Anspielungen, bei denen der Zuschauer sich den Rest dazu denken muss. Den Deutschen fehlt der Hintergrund, solche polnischen Witze zu verstehen.«

Na gut – das stimmt nicht immer. Folgenden polnischen Witz verstehen Sie bestimmt:

> In den 50er Jahren rollt ein Zug aus Berlin in Breslau ein. Der deutsche Schaffner ruft: »Wroclaw, früher Breslau.« Als der Zug einige Zeit später in Gleiwitz hält, ruft der Schaffner: »Gliwice, früher Gleiwitz.« Irgendwann kommt der Zug in Hindenburg an, der Schaffner ruft: »Zabrze, früher Hindenburg, alle aussteigen.« Da holt ein alter Pole seine beiden Köfferchen, geht zur Tür, und sagt zum Abschied zum Schaffner: »Auf Wiedersehen und alles Gute! Früher ›Heil Hitler‹!«

Es gab eigentlich nur einen Grund, warum ich ihn angerufen hatte. Ich wollte wissen, ob es Grenzen gibt, wenn er sich wieder mal zu einer Art »deutschem Clown« machen muss. An welchem Punkt sagt er: »Ich mach ja gerne Faxen hier, aber das geht zu weit.«

Ich war erstaunt zu hören, dass es keine Grenze gab.

»Ich mache mich nonstop zum Clown«, meinte er fröhlich. »Ich bin relativ tabulos. Kennen Sie den?«

> Ein deutscher Tourist kommt in ein Geschäft in Warschau, um ein Messer zu kaufen. Der Ladenbesitzer sagt, »Ah, Ihr Akzent – sind Sie vielleicht Deutscher?« Das gibt der Tourist zu. Der Ladenbesitzer darauf, »Nein, Messer haben wir nicht.« Der Tourist geht wieder, sieht aber, wie ein Pole in den Laden geht und ein Messer kauft. Da geht er wieder rein: »Haben Sie Pistolen?« – »Nein«, sagt der Ladenbesitzer, »führen wir nicht.« Der Deutsche geht raus, späht aber durch das Fenster und sieht, wie der Ladenbesitzer einem anderen Kunden eine Pistole zeigt. Da geht er nochmal rein. »Haben Sie Granaten?« – »Nein, haben wir nicht«, sagt

der Ladenbesitzer. »Hören Sie mal«, meint der Deutsche empört. »Haben Sie vielleicht was gegen Deutsche?« – »Ja«, sagt der Ladenbesitzer: »Messer, Pistolen und Granaten.«

Es hilft, sagte Möller, dass die Polen auch gern über sich selbst lachen. Sie haben da keine Hemmungen. Zum Beispiel gehen heutzutage viele Polen nach England und Irland zum Arbeiten, und ein Witz geht so:

Ein Kubaner, ein Schotte, ein Ire und ein Pole sitzen im Zug. Der Kubaner raucht eine dicke Havanna – und wirft sie nach zwei, drei Zügen aus dem Fenster. Die anderen sind aufgeschreckt. »Sind Sie verrückt? Wissen Sie nicht, wie teuer kubanische Zigarren sind?« Da sagt er ruhig, »Ach, in Kuba gibt es sie im Überfluss.« Da holt der Schotte eine Flasche feinsten Single Malt Whisky aus der Tasche, nimmt einen Schluck – und schmeißt sie aus dem Fenster. Die anderen sind schockiert: »Wissen Sie nicht, wie teuer guter Whisky ist?« »Ach was«, sagt der Schotte. »Bei uns gibt's Whisky im Überfluss.« Da nimmt der Ire den Polen und schmeißt ihn aus dem Fenster.

»Die Polen lachen über solche Witze«, sagte er.

»In Polen ist das Schöne, dass man hier sehr viel Sinn für Ironie hat. An der Schnittstelle der Kulturen – in der Spannung zwischen Ost und West – findet man immer den schönsten Humor. Hier in Polen können Sie am helllichten Tag einem völlig unbekannten Menschen irgendeinen Blödsinn erzählen, und er sagt, ›Ja, Sie haben recht, die Marsmenschen landen morgen.‹ Die Polen sehen, dass ich das selbstironisch meine. Das erwarten sie von mir, und das erwarte auch ich von ihnen. Wenn ich mich zum Affen mache, honorieren sie das.«

Das fand ich gut. Ich war zufrieden. Und wollte aufhängen, da hatte er doch noch was zu sagen:

»Allerdings muss ich zugeben«, fügte er hinzu: »Auf Bayernkostüme habe ich keine Lust mehr. In der Europa-Show, in der ich spiele – sie kommt einmal in der Woche – habe ich schon fünf- oder sechsmal im Bayern-Outfit gesteckt, beim Oktoberfest mit zwei Mädels im Dirndl neben mir. Das reicht.«

Antwort:

B. Polen. Das nächste Mal, wenn Sie einen interessanten Artikel über Arnold Schwarzenegger lesen, nehmen Sie sich eine Minute Zeit und googeln Sie mal nach Steffen Möller. Vielleicht ist er schon Bürgermeister von Warschau.

Was ist Goethes größter Erfolg
in Bosnien?

Ⓐ Die *Hasanaginica*, aber man liest sie nicht.

Ⓑ Der *Faust*, aber man sieht ihn lieber auf der Bühne.

Ⓒ Den *Zauberlehrling* können dort alle auswendig.

Ⓓ Der *West-Östliche Diwan*, aber man nennt ihn dort *Südwestlicher Diwan*.

Warum lieben die Deutschen Mark Twain?

Weil er lustige Bücher schrieb – wer von uns hat nicht den *Huck Finn* gelesen? Doch hierzulande verehrt man ihn auch für ein Werk, das wir Amerikaner kaum kennen: *Die schreckliche deutsche Sprache.* Die Deutschen lieben diesen Text so sehr, dass gleich mehrere Verlage ihn anbieten. In einer deutschen Buchhandlung findet man das Buch fast immer, in einer amerikanischen dagegen kaum.

(Warum der Text in Deutschland so gut ankommt, ist mir übrigens ein Rätsel. Er ist eine einzige Beleidigung. Schon der dritte Absatz beginnt mit: »Es gibt ganz gewiss keine andere Sprache, die so unordentlich und systemlos daherkommt und dermaßen jedem Zugriff entschlüpft«, und von da an wird es immer schlimmer.)

Es gibt Texte, die in ihrem Heimatland unbekannt bleiben, aber im Ausland Riesenerfolge feiern. Goethes *Hasanaginica* ist einer davon. Nie davon gehört? Fragen Sie einen muslimischen Bosnier – Bosniak genannt –, er wird Ihnen erklären, dass die *Hasanaginica* zu Goethes Hauptwerken zählt.

Um 1814 herum waren sämtliche europäischen Intellektuellen gerade dabei, ihre nationale Identität zu suchen. Alles, was aus dem Volk kam; alles, was sich irgendwie alt und echt anhörte, von *Aschenputtel* bis zum *Nibelungenlied*, wurde zusammengesucht, als ob man an einer Art großem Sammelsurium der eigenen Seele arbeitete.

Goethe, schon 66-jährig, war eifrig mit dabei, und ihm fiel ein gewisser Vuk Stefanović Karadžić (auch Wolf Stephansohn genannt) auf, »ein tüchtiger Mann«, wie Goethe schrieb, »geboren 1787 und erzogen an der Scheide von Serbien und Bosnien, der mit seiner Muttersprache, die auf dem Lande weit reiner als in den Städten geredet wird, frühzeitig vertraut geworden ist ... und ihre Volkspoesie liebgewonnen (hat).« Karadžić verfasste als Erster eine serbische Grammatik und

Wörterbücher und sammelte alte Märchen und Volkslieder. Getreu seiner Maxime »Schreibe, wie du sprichst« arbeitete er unermüdlich und erfolgreich an einer Reform der serbischen Sprache. In Wien begeisterte er die intellektuelle Welt für die Sprache und Geschichte seines Volkes. Die Brüder Grimm übersetzten einige seiner Werke ins Deutsche.

Zu Ehren von Karadžić übertrug Goethe eine seiner Volksballaden. Sie handelt von der Ehefrau des großen (historischen) Fürsten Hasan-Aga und ihrem dramatischen Tod. Vor allem die ersten Zeilen der Ballade (wie so oft bei Goethe) sind wunderschön:

Was ist Weißes dort am grünen Walde?
Ist es Schnee wohl, oder sind es Schwäne?
Wär es Schnee, er wäre weggeschmolzen;
Wären's Schwäne, wären weggeflogen.
Ist kein Schnee nicht, es sind keine Schwäne,
's ist der Glanz der Zelten Asan Aga.

Antwort:

A. Die *Hasanaginica* ist seit jeher ein nationales Symbol, vor allem für die Bosniaken. Das bosnische Herz schlägt für dieses Gedicht und, nach Goethes Nachdichtung, auch für Goethe.

Das bedeutet allerdings nicht, dass man Goethes Version liest. Wieso auch? Dafür müsste man erstens Deutsch können, und zweitens, wieso sollte man sich anstrengen, ein Gedicht zu lesen, das man schon im Original kennt? Trotzdem: in Ordnung war der Kerl.

Warum gibt es keinen deutschen de Sade?

Ⓐ Weil zu einer anständigen Perversion auch ein saftiger Skandalroman gehört, der sie unvergesslich macht.

Ⓑ Gab es doch.

Ⓒ Weil auch der perverseste Deutsche immerhin einen Funken Anstand besitzt.

Ⓓ Weil die Franzosen einfach schneller waren.

Als Kulturnation sind unsere Nachbarn unerreicht. Selbst ihre schlimmsten Ausrutscher – wie gründlich danebengegangene Revolutionen, Napoleon und den Marquis de Sade – feiern sie als grandiose Innovationen, und die Welt feiert mit. Mal im Ernst, wer außer den Franzosen hätte das Verprügeln von Frauen salonfähig machen können?

Sollte heutzutage einer unserer Nachbarn seine Frau verprügeln, zeigen wir ihn unverzüglich an. Doch sollte er das nicht zu Hause, sondern in einem Sex-Club tun, halten wir es für aufregend. Es mag nicht unser Geschmack sein, doch gleichzeitig fasziniert uns der alte Lüstling, wenn er zu bedenken gibt: »Es gibt keine Perversität, nur sexuelle Spielarten«, und wir überlegen: »Eigentlich hat er recht, ich sollte nicht so spießig sein. Ach, ich wär so gerne auch sexuell befreit.«

So was kommt uns in den Kopf, wenn wir an Frankreich denken.

Donatien Alphonse François Marquis de Sade begann seine Karriere nicht mit subversiver Literatur, sondern mit Frauenverprügeln. Die ersten Beschreibungen dieses sexuell befreiten Genies entstammten nicht seiner eigenen Feder, sondern zahllosen Polizeiberichten. Ob allein, ob mit Hilfe seiner Frau, zu Hause im Schloss oder unterwegs, kurz, wo er ging und stand, besorgte der Adlige sich Mädchen und Jungen, um sie nach Herzenslust durch die Mangel zu drehen. Trotz wiederholter Klagen gegen ihn führte er dieses Leben gut zehn Jahre lang fort, bis man ihn – etwa zur Zeit der Französischen Revolution – in diverse Gefängnisse und Nervenheilanstalten sperrte. Erst dort begann er zu schreiben. Und legte dabei eine so enorme Phantasie an den Tag, dass seine Werke noch heute von faszinierten Literaturwissenschaftlern und neidischen Autoren analysiert werden. Hätte er in der Bastille Tomaten gezüchtet, Seifenmännchen geschnitzt oder Jurisprudenz studiert wie jeder x-beliebige Häftling, gäbe es heute keinen

»Sadismus«, und er wäre eher als verrückter Frauenschänder bekannt geworden, etwa wie Vlad der Pfähler aus Rumänien als Graf Dracula in Verruf kam.

Der österreichische de Sade hieß Leopold von Sacher-Masoch, und er wollte keine Frauen verprügeln, sondern von ihnen verprügelt werden – was für die Frau auf jeden Fall angenehmer ist. Aus dem Geschichtsprofessor Sacher-Masoch wurde ein weithin bewunderter Erfolgsautor, der das deutsche und österreichische Reich bereiste, sich zeitlebens für die Volksbildung einsetzte und in Lindheim, unweit von Frankfurt am Main, starb. Er lebte 100 Jahre nach de Sade und wurde nie wegen sexueller Perversion eingesperrt (die Frauen beschwerten sich ja nicht) oder wegen seiner Romane angegriffen. Sein bekanntestes Werk war *Venus im Pelz*, eine Liebesgeschichte zu einer schlagkräftigen, chronisch schlecht gelaunten Dame:

> Sie saß im Fauteuil und hatte ein prasselndes Feuer angefacht, dessen Widerschein in roten Flammen ihr bleiches Antlitz mit den weißen Augen leckte und von Zeit zu Zeit ihre Füße, wenn sie dieselben zu wärmen suchte. Ihr Kopf war wunderbar trotz der toten Steinaugen, aber das war auch alles, was ich von ihr sah. Die Hehre hatte ihren Marmorleib in einen großen Pelz gewickelt und sich zitternd wie eine Katze zusammengerollt.
>
> »Ich fange an das Unglaubliche zu glauben«, [sagte sie] »das Unbegreifliche zu begreifen. Ich verstehe auf einmal die germanische Frauentugend und die deutsche Philosophie, und ich erstaune auch nicht mehr, dass ihr im Norden nicht lieben könnt, ja nicht einmal eine Ahnung davon habt, was Liebe ist.« …

Nun, auch wenn Sacher-Masochs Schreibe heutzutage nicht mehr so die Gemüter erhitzt wie de Sades, gilt das Werk noch als Erotikklassiker. Es reichte, den Masochismus salonfähig zu machen.

Die Franzosen machten sich den Sadismus zu eigen, die

Österreicher den Masochismus – was blieb da noch übrig für die Deutschen? Der Zug war abgefahren. Sie waren mal wieder zu spät dran.

Doch halt! Einen heroischen Deutschen gab es, der gegen alle Widrigkeiten sein Bestes gab, einer ziemlich unangenehmen sexuellen Spielart gesellschaftliche Akzeptanz zu verschaffen.

Er hieß Georg Karl Tänzler und wurde kurz vor dem Ableben Sacher-Masochs geboren. Wie de Sade, lebte auch er seine Phantasien aus, bevor er zu schreiben begann. Wie Sacher-Masoch reiste er viel und lebte die zweite Hälfte seines Lebens im Ausland, und zwar in Florida, mit Frau und Kindern, wo er sich einen Namen als Radiologe machte.

Schon als Kind in Deutschland wurde er von Visionen heimgesucht, in denen eine Vorfahrin namens Anna Constantia von Cosel ihm das Gesicht seiner wahren Liebe zeigte – in Florida nahm er später den Namen Carl von Cosel an. In einem dortigen Krankenhaus begegnete er dann tatsächlich der Liebe seines Lebens: Maria Elena Milagro de Hoyos, einer jungen Schönheit, die an Tuberkulose litt.

Carl unternahm alles, um sie zu heilen. Er machte Hausbesuche, versuchte es mit verschiedenen Medikamenten, Röntgenstrahlen und sonderbaren elektrischen Geräten. Der 54-Jährige brachte ihr auch Schmuck und Geschenke und offenbarte ihr seine unendliche Liebe, was die 21-jährige Todkranke aber kalt ließ.

Er jedoch ließ nicht locker. Wenn es je ein gutes Beispiel für einen Liebhaber gab, der nicht locker lässt, bis er die Frau rumgekriegt hat, dann war es Carl von Cosel: nach ihrem Tod besuchte er das von ihm gestiftete Mausoleum fast jede Nacht, und zwei Jahre später, 1933, war seine Sehnsucht so unerträglich geworden, dass er sie wieder ausbuddelte und mit zu sich nach Hause nahm.

Dort verbrachte er (von Frau und Kindern bereits getrennt) die nächsten sieben Jahre damit, ihren Leichnam mit Hilfe diverser Mittel und Gerätschaften in Schuss zu halten, einschließlich Draht und Pflaster, Glasaugen, in Wachs präparierter Seide als Ersatz für verwesende Haut und einer Perücke aus Elenas echtem Haar, das von ihrer Mutter aufbewahrt worden war. Und natürlich viel Parfüm.

Sieben Jahre dauerte es, bis er aufflog und die Polizei die Leiche aus seinem Haus holte. Allerdings waren sieben Jahre auch der Zeitraum der Verjährung für Verbrechen wie Störung der Totenruhe, und man ließ ihn wieder laufen.

Erstaunlicherweise wurde von Cosel nicht als Monster angesehen. Den Zeitungsmeldungen nach zu urteilen war das Publikum nicht nur fasziniert, sie fanden den alten Mann mit dem schicken Spitzbart sympathisch, ja, viele sahen in ihm gar einen exzentrischen Romantiker. Die Zeit war reif, die Nekrophilie endlich salonfähig zu machen.

Und man muss sagen, eine Zeit lang sah es aus, als ob der *Crazy German* es tatsächlich schaffen würde. Er gab sich auch redlich Mühe. Nach der Trennung von seiner »Geliebten« konstruierte er eine lebensechte Elena-Puppe aus Wachs, die auf ihrer Original-Totenmaske basierte, und lebte mit ihr glücklich und zufrieden bis zu seinem Tode in den 50ern.

Und warum auch nicht? Erstaunlich viele unserer großen Erzählungen (von Popsongs ganz zu schweigen) verbinden Liebe und Tod. Geschichten wie Bram Stokers *Dracula* und die ganze Vampirromantik einer Erfolgsautorin wie Anne Rice zehren davon. Die heutige Gothic-Bewegung, die sich als schwarze Totenengel mit bleichen Gesichtern inszeniert, erfindet ständig neue sexy Outfits, die bis in die Haute Couture zitiert werden. Genau in diesem Bereich der »Todessehnsucht« (geprägt vom Österreicher Freud) waren die Deutschen eigentlich schon immer Trendsetter. Nietzsche hat den Nihilismus so gut wie eigenhändig erschaffen; der Berliner Regisseur Jörg Buttgereit wurde weltberühmt mit seinem Film *Nekromantik* und Gunther von Hagens mit seiner gefeierten »Körperwelten«-Ausstellung bringt ganz normale Leute dazu, Sonntagsausflüge an Orte zu unternehmen, wo man unter kunstvoll präparierten Leichen lustwandeln kann.

Wenn jemand Nekrophilie hätte salonfähig machen können, dann ein Deutscher.

Warum war Carl von Cosel so nah dran – und wurde dennoch nicht unsterblich wie seine Kollegen?

1944 verfasste er seine Autobiographie, *The Secret of Elena's Tomb*, in der er seine Liebe zu der Toten romantisierte. Doch der Einzige, der sich Jahre später für das Manuskript erwärmen konnte, war ein Groschenheftverlag: Im September 1947 erschien sein Werk als billiges »Fantastic Adventures«-Heftchen. Während de Sade ebenso viel Leidenschaft in seine Literatur wie in seine Exzesse legte und während sich Sacher-Masoch zum gefeierten Literat mit breitem Themenspektrum entwickelte, hatte Carl einfach nicht das Zeug, aus der Geschichte seines Lebens mehr als eine Rechtfertigungsschrift zu machen.

Ach, armer Carl: Er war pervers genug für die Unsterblichkeit, aber nicht talentiert genug dafür. Hätte er so viel Mühe ins Schreiben investiert wie darin, eine Leiche frisch zu halten, gäbe es heute in Berlin, Paris und Tokio neben den vielen S/M-Schuppen auch etliche schicke Nekro-Clubs, wo man nur reinkommt, wenn man ganz besonders ... ungut aussieht.

Antwort:

A. Eine neue Perversion zu erfinden, reicht eben nicht. Man muss auch einen anständigen Verlag dafür begeistern können.

Was ist das weltberühmteste Kulturgut aus dem deutschsprachigen Raum?

Ⓐ Die *Neunte*

Ⓑ Der *Faust*

Ⓒ *Mein Kampf*

Ⓓ *Meine Lieder, meine Träume*

Bevor ich Deutschland mit eigenen Augen sah, gab es drei Filme, die meine Vorstellung von diesem Land prägten: *Der rosarote Panther*, *Heidi* und *The Sound of Music*.

Die »Rosarote-Panther«-Serie war nur aus einem Grunde wichtig: In *Inspektor Clouseau, der »beste« Mann bei Interpol*, gab es diese bestimmte Szene. Sie spielte auf dem Oktoberfest, mit von der Partie war eine prächtig dekolletierte Walküre, aus deren Busen – und zwar an jenen beiden strategisch wichtigen Punkten, an denen der Feindkontakt am wahrscheinlichsten ist – tödliche Klingen schossen. Ah, dachte ich mir: Deutschland!

Auch wenn *Heidi* größtenteils in der Schweiz spielt, für uns Amerikaner bleibt der Film urdeutsch. Und mal ganz ehrlich, Sie betrachten es doch ebenso als eine deutsche Geschichte, oder? (Auch wenn Frankfurt am Main darin nicht so gut wegkommt.) Von *Heidi* gewann ich die Vorstellung, dass ein Großteil Deutschlands in den unwegsamsten Teilen der Alpen liegt, ohne asphaltierte Straßen, öffentliche Verkehrsmittel, TV und Supermärkte. Dafür konnte man dort aber verdammt gut jodeln.

Und dann gab es die Mutter aller Deutschlandfilme: *The Sound of Music*. Ach, der spielt in Österreich? Macht nichts. Wir sehen das nicht so eng. Kein anderer Film prägt das Deutschlandbild der Amerikaner so sehr wie dieser. Er ist ein amerikanischer Klassiker wie *Der Zauberer von Oz*. Vielleicht gibt es überhaupt nur zwei echte amerikanische Klassiker, nämlich diese beiden.

Falls Sie also zum Beispiel im Flugzeug mal einen Amerikaner kennenlernen, ihm sagen, dass Sie aus Deutschland stammen und er verzückt sagt: »Ah! *The Sound of Music!*«, wundern Sie sich nicht. Amerikaner erwarten grundsätzlich, dass jeder Deutsche diesen Film so liebt wie sie selbst. Wenn Sie ihm dann allerdings versichern, dass sie den Film nicht kennen, wird er Ihnen schlichtweg nicht glauben. Ich bin schon oft Zeuge dieser Szene geworden. »*The Sound of Music!*«, wird er wiederholen, »Julie Andrews! The famous Trapp Family Singers!« Wenn dann immer noch nichts bei Ihnen klingelt, ist er nachgerade erschüttert, denkt, Sie wollen ihn auf den Arm nehmen, lügen ihn an oder können ihn nicht leiden und wendet sich erbittert ab.

Kein Wunder: *The Sound of Music* ist mit schätzungsweise 1,2 Milliarden Zuschauern einer der bekanntesten Filme überhaupt. Er gewann fünf Oscars, zwei Golden Globes und erlebt spätestens alle zehn Jahre ein Revival. Die Lieder aus dem Film-Musical gehören zu den Jazz-Standards. Zu den Drehorten in Österreich hat sich ein regelrechter Fantourismus entwickelt. In Salzburg kann man »Sound of Music«-Bustouren buchen und danach »Schnitzels with noodles and crisp apple strudels« schlemmen wie in dem bekanntesten Lied »My Favorite Things«. Wenn Sie das nächste Mal einem Trupp amerikanischer, australischer, griechischer, neuseeländischer oder kanadischer Touristen begegnen, fragen Sie sie, wer von ihnen die österreichische Nationalhymne singen kann. Die Hälfte wird den *Sound-of-Music*-Klassiker »Edelweiß« anstimmen.

Der Film von 1965 basierte auf einem Broadway-Musical und dieses wiederum auf dem deutschen Spielfilm *Die Trapp-Familie* mit Ruth Leuwerik von 1956. Grundlage des Films wiederum war das echte Leben der Trapp-Familie – einer singenden Familie, die vor den Nazis floh. In der amerikanischen Version spielen die Briten Julie Andrews und Christopher Plummer die Hauptrollen (Plummer mit kultiviertem britischen Akzent – das war wichtig, weil man ihn so als »good German« leichter von den Nazis unterscheiden konnte, die alle Englisch mit einem fetten deutschen Akzent sprachen). Von *The Sound of Music* lernte ich, dass es nicht nur böse, sondern auch gute Deutsche gab. Bei allem Kitsch (und *The Sound of Music* gilt nicht nur als einer der amerikanischsten Filme aller Zeiten, sondern auch als eines der kitschigsten), Respekt. In *Casablanca* zum Beispiel gab es keine guten Deutschen.

Ein ähnliches Phänomen findet sich in Deutschland: Wie oft haben Sie schon den britischen Klassiker *Dinner for One* gesehen? Nun probieren Sie mal Folgendes aus. Das nächste Mal, wenn Sie einem britischen Touristen begegnen, zitieren Sie ein paar Scherze daraus: »Same procedure as every year«, zum Beispiel. Sie werden leere Blicke ernten. Die Briten kennen den Film gar nicht. Er wurde 1963 vom NDR in Blackpool aufgezeichnet und mit der Hilfe Peter Frankenfelds hier in Deutschland zum Überraschungshit. Auch in der Schweiz, Österreich, Norwegen, Südafrika, Australien und Dänemark läuft die NDR-Aufzeichnung. In Schweden wurde der Sketch ein paar Jahre gespielt, dann abgesetzt, weil die Schweden darin als Alkoholiker dargestellt werden. Skol! Lediglich in England war der Film nie zu sehen. Sollte ein Brite den Film kennen, lebt er wahrscheinlich schon lange in Deutschland.

The Sound of Music lief zwar auch in Deutschland, aber das Dritte Reich war erst 20 Jahre her und der hiesige Verleiher wollte den Zuschauern peinliche Wiedererkennungsmomente ersparen, also schnitt man sämtliche Nazis aus dem Film heraus und damit auch jegliche Spannung – wenn schon, denn schon. Hierzulande endete *Meine Lieder, Meine Träume*, so der deutsche Titel, nicht mit der erfolgreichen Flucht vor den Nazis nach Amerika, sondern mit einer Hochzeit. Ähnlich ist es bekanntlich auch anderen Filmen ergangen, zum Beispiel *Casablanca*. Der Unterschied ist, dass *Casablanca* in Deutschland später – diesmal inklusive Nazis – wieder ausgestrahlt und damit wiederentdeckt wurde. Als *The Sound of Music* erneut auf den deutschen Markt kam, war die Zeit für kitschige Family-Musicals längst vorbei. Es hatte keine Chance mehr.

Antwort:

D. Sie wüssten gern, wie Sie als Deutscher wirklich sind? Dann schauen Sie sich mal *The Sound of Music – Meine Lieder, Meine Träume* an. Sie werden sehen: Der Deutsche ist recht steif, leicht tollpatschig in menschlichen Beziehungen, neigt stark zur militärischen Strenge und hängt sehr an Vorschriften ... und lebt in einem wunderschönen Schloss in einem putzigen kleinen Dorf in den malerischen Bergen. Ein bisschen wie eine Mischung aus Preußen und Bayern – was gar nicht so weit weg von der Wahrheit ist. Und singen können Sie auch. Und tief im Herzen sind Sie eigentlich Österreicher.

Wenn Deutschland eine internationale Marke wäre, wie würde sie heißen?

Ⓐ Dirndl-Brezel-Bratwurst-Land

Ⓑ Exportweltmeister Inc.

Ⓒ Nazi & Söhne AG

Ⓓ WM-King

Anders als die meisten Völker würden die Deutschen gerne wissen, was die anderen Menschen auf der Welt von ihnen halten.

Hier kann ich helfen.

Wie wir alle wissen, gibt es nur eine Organisation, die im Ausland noch mächtiger ist als die UNO, und das ist das Goethe-Institut. Also habe ich rund hundert Goethe-Institute in aller Welt angeschrieben und ihnen die Frage gestellt: Wie sieht die Welt die Deutschen heute?

Man würde denken, die Goethe-Leute hätten Besseres zu tun – Sprachunterricht, die Werbetrommel für die Heimat rühren, das Image der deutschen Küche aufpolieren – aber nein. Erstaunlicherweise haben die meisten reagiert. (Die große Ausnahme waren natürlich die Häuser in Frankreich. Aber das war klar: Man kann von niemandem, der in Frankreich postiert ist, ernsthaft erwarten, dass er wertvolle Zeit von seinen eigenen wichtigen Recherchen zum Thema Cognac, Champagner und Freizeitverhalten der Eingeborenen abzwackt, um so eine unwichtige Umfrage wie meine zu beantworten. Wenn ich richtig informiert bin, hat selbst die Goethe-Institut-Zentrale in München seit Jahrzehnten nichts mehr von ihren Mitarbeitern in Frankreich gehört.)

Die Ergebnisse:

Voller Widersprüche. Für die Marokkaner ist Deutschland das Eldorado schlechthin – ob zum Studieren, zum Arbeiten oder zum Leben. In Malaysia hält man das Land einerseits für hoch technisiert, andererseits denkt man, hier liefen alle in Lederhosen und Dirndl herum. In Tschechien empfindet man die Deutschen als grundsätzlich sehr laut, in manch südamerikanischem Land dagegen als viel zu leise. Thailänder sehen in Deutschland einen Hort der Technik, Wissenschaft und – gleichwertig – Ökologie. Die Finnen, die die Knauserigkeit der Deutschen ankreiden, halten sie gleichzeitig für verlässliche Wirtschaftspartner. Die Italiener, die sich darüber amüsieren, wie leicht es ist, deutsche Touristen über den Tisch zu ziehen (sie tun es also wirklich!), preisen im Gegenzug die professionelle Bedienung in deutschen Geschäften, das gute Arbeitsklima in den Büros und die Deutschen selbst, weil sie so aktiv und gesellig sind. In Holland wundert man sich immer noch, warum die rätselhaften Deutschen am Strand so gerne Sandburgen bauen – holländische Kinder lässt so was scheinbar völlig kalt. In Pakistan hält man den Deutschen für humorlos (was für ein Zufall – sich selber sieht man hier auch so); in Mexiko und Neuseeland eher für taktlos (das behauptet man auch hierzulande öfter voneinander). Mehrere Länder befinden, die Deutschen rauchten viel zu viel und äßen unglaublich viel Fleisch. Ach ja, und besonders originell oder phantasievoll seien sie auch nicht, so jedenfalls die Spanier. Als diese die internationale Kampagne »Deutschland, Land der Ideen« mitbekamen, dachten sie: »Hä? Ideen? Die Deutschen? Versteh ich nicht. Sie meinen sicher nicht das Deutschland, das wir kennen.«

Daneben halten sich eine Menge hartnäckiger Klischees aus Preußen, über die die Deutschen heute nur lachen können ... oder die sie sich verzweifelt zurückwünschen, je nachdem: Nach der Ankunft eines deutschen Zuges könne man seine Uhr stellen. Die deutsche Hausfrau sei so gründlich, dass man vom Fußboden essen kann. Die Straßen wären blitzblank und die Polizei hat jeden im Auge, der auch nur ein wenig aus dem Rahmen fällt. Die Dörfer sähen aus wie im Märchen und die Städte bestünden vorwiegend aus barocken Schlössern.

Und natürlich Nazis.

»In den USA und England sind die Nazi-Klischees verhärteter als anderswo«, schrieb ein ehemaliger Goethe-Institut-Leiter, der Häuser in einem halben Dutzend Ländern geleitet hat und anonym bleiben wollte. »In dieser Intensität existiert das Hitler-Bild Deutschlands nur dort. In anderen Ländern gibt es das zwar auch, aber nicht so stark. Selbst in Israel nicht mehr. Wer in Tel Aviv einen Deutschen auf der Straße sieht, denkt nicht sofort an den Holocaust. Das kriegen die Deutschen heute nicht mehr aufgetischt. Man geht sehr ernst und angemessen damit um.«

Ulrich Sacker, heute Vertreter des Vorstandes des Goethe-Instituts in Deutschland, gab einmal eine Studie in Auftrag, die den Fernsehkonsum der Engländer analysieren sollte und stellte fest, dass dort durchschnittlich 1,2 Filme am Tag laufen, in denen der Holocaust oder der Zweite Weltkrieg vorkommt. Zeitgenössisches über Deutschland war im englischen Fernsehen so gut wie nicht zu sehen. »In England hat man kaum Chancen, etwas über das heutige Deutschland zu erfahren, weil die Menschen sich nur für den Krieg interessieren, auch in der Schule nimmt man nur den Zweiten Weltkrieg durch«, seufzte er.

Nur wenige Engländer beziehen ihre Meinung über Deutschland aus einem Besuch vor Ort. »Ich habe mal in England einen jungen Studenten gefragt, welches Bild er von unserem Land hat«, erzählte er. »Seine Antwort: ›Alte Leute, alte Autos, Pflasterstraßen und Ruinen.‹ Dann stutzte er und korrigierte sich: ›Moment, das kann nicht stimmen. Wir fahren ja hier in England mit deutschen Autos. So veraltet kann Deutschland gar nicht sein.‹«

»Sobald die Engländer nach Deutschland kommen, ist dann plötzlich alles anders«, amüsierte sich Sacker. »Das sah man wieder bei der WM 2006. Unglaublich viele Europäer waren hier und nahmen ein positives Deutschlandbild mit nach Hause. Von Paris hat man eine sehr romantische Vorstellung und ist dann geschockt, wenn man einem unfreundlichen Kellner begegnet. In Deutschland erwartet man regelrecht einen Polizeistaat, und ist dann völlig überrascht, freundliche Leute anzutreffen.«

Allerdings: Warum soll man überhaupt erst dorthin fahren, wenn alle sagen, das Land sei altmodisch, langweilig und preußisch-steif?

Eines Tages ging Sacker zu einer großen Werbeagentur in

London und fragte sie, was man tun müsse, um Deutschland ein anderes Image zu verpassen.

»Es ging um *Branding*«, erklärte Sacker. »Sie sagten uns, ›ein Land ist wie eine Marke oder *Brand*. Und eine Marke kann man nicht so schnell ändern.‹ Das ist Marketing-Sprache für: deutsch bleibt deutsch. Ihren traditionellen Dirndl-Nazi-Bratwurst-*Brand* werden die Deutschen nicht mehr los. ›Aber‹, sagten sie, ›man kann eine Marke auf neue Bereiche übertragen.‹ Also fingen wir an, gegen die Erwartungen zu arbeiten. In London haben wir mit Humor geworben. Wir haben mal die Außenfassade des Goethe-Instituts rosa angeleuchtet und Tänzer angeheuert, die in den Fenstern als Schattenspiel tanzten. Es war ein so überraschendes und außergewöhnliches Bild, dass eine englische Zeitung am nächsten Tag die Überschrift brachte: ›What's wrong with the Germans?‹«

Doch von allen Rebranding-Möglichkeiten ist offenbar eine am wichtigsten: Produkte.

Wenn ich mal auf meine Klischeeliste schaue, fällt auf: Menschen aus aller Herren Länder betonen immer wieder die hohe Qualität deutscher Produkte und Dienstleistungen, ganz egal, welche. Selbst die Brasilianer, die die Deutschen für ungewaschen halten, beneiden sie heftig um ihre Straßen ohne Schlaglöcher. WM hin oder her, deutsche Produkte vermitteln anscheinend einen nachhaltigeren Eindruck des Landes als die Menschen selbst. Kein Wunder: Touristen fahren irgendwann wieder heim; Produkte sind länger und öfter im Haus. Wo wäre das Amerikabild der Deutschen ohne McDonald's?

Im Falle Deutschlands handelt es sich um sehr moderne Produkte. Und damit meine ich nicht Autos. »In den Sechzigern war es Waschmittel. Heute ist es Öko-Waschmittel«, sagte der ehemalige Institutsleiter. »›Made in Germany‹ hat heute wieder einen fast legendären Ruf, aber für neue Produkte: Design, Spitzentechnologie und Solarenergie, auch Dienstleistungen – unsere Ingenieure, Sportler.«

»Auf einer Landstraße hier in Uruguay sah ich letztens eine riesige Werbetafel, die für homöopathische Arzneimittel warb«, schrieb mir ein Mitarbeiter des Goethe-Instituts in Montevideo. »Darauf stand groß: ›Aus Deutschland!‹ Ob das wirklich stimmt, kann ich gar nicht sagen. Es zu erwähnen, das reichte als Verkaufsargument.«

Antwort:

B. Deutschlands Ruf profitiert heute von seinem hochmodernen Exportwesen und der Professionalität seiner Dienstleister. Da allerdings das Re-Branding Deutschlands vom Verhalten seiner Exporteure abhängt, wäre es nicht schlecht, wenn deutsche Produkte auch als solche zu erkennen wären.

»Große deutsche Firmen präsentieren sich sehr unterschiedlich im Ausland«, bemerkte Sacker. »Siemens in Hongkong gibt sich als deutsche Firma, weil Deutschland dort für Präzision und Qualität steht, in London aber ›europäisch‹. Auch Modefirmen wie Boss präsentieren sich in England als europäisch, nicht speziell deutsch. SAP präsentiert sich in Amerika als amerikanisch! Nivea hat in China eine ganz andere Verpackung.« Sacker erzählte die Geschichte von einem Studenten aus China, der im Hamburger Goethe-Institut einen Sprachkurs besuchte. Er hatte ein Hautproblem und seine Mutter schickte ihm dafür regelmäßig für teures Geld eine Dose Hautcreme aus China – von Nivea. Er hatte keine Ahnung, dass Nivea ein deutsches Produkt ist.

HAUTE CUISINE

Was ist der Unterschied zwischen deutscher und französischer Küche?

Ⓐ Der Eventcharakter

Ⓑ Die Qualität

Ⓒ Der beim Kochen verwendete Alkohol

Ⓓ Französische Kellner sind unfreundlicher.

Jeder kennt auf Anhieb die Antwort auf diese Frage: Die französische Küche ist einfach besser und wird daher auch auf der ganzen Welt verehrt.

Die deutsche nicht. Kein Wunder. Ich sage nur: Saumagen. Allein schon dieser Unterschied zwischen den Nationalgetränken Bier und Wein.

Worauf schauen Sie beim Wein? Richtig: auf den Jahrgang! Und beim Bier? Richtig: auf das Verfallsdatum. Haben Sie jemals um ein Bier-Tasting gebeten, bevor Sie einen Kasten bestellten? Wann haben Sie das letzte Mal bei einem gehobenen Tischgespräch leicht peinlich berührt gesagt, »Äh ... mit Bier kenne ich mich nicht so aus«?

Wenn die Deutschen mit ihrem Nationalgetränk kochen, hört sich das entsprechend an: Biersuppe. Bierbrot. Champignons im Bierteig. Bierkarpfen. Biergulasch. Bierpudding. Das alles hat wenig zu tun mit dem eleganten »Coq au Vin« oder gar Erdbeeren in Champagner.

Ich fragte mich, wie schreckenerregend mit Bier gekochtes Essen wirklich schmeckt. Es half nichts: Die Probe aufs Exempel musste her. Also sprach ich todesmutig Torsten Reiser an, den Chefkoch von Seidls, das gerade bei mir um die Ecke eröffnet hatte und deutsche Küche anbot. Ob er mir ein ganzes Menü kochen könne, bei dem jeder Gang mit Bier zubereitet wird? Aber klar, meinte er. Er besorgte ein paar Rezepte von seinem Kollegen Andreas Geitl, dem Chefkoch des Paulaners in München, experimentierte ein, zwei Tage und rief mich an: Es könne losgehen. Vier Gänge. Ich solle Hunger mitbringen.

In plötzlicher Panik – ich kann mir doch nicht anmaßen, allein über deutsches Bieressen zu richten – rief ich ein paar ausländische Freunde an. Sie sollten mir helfen.

»Bier?«, fragte eine zögerlich, »alles wird mit Bier gekocht?«

»Aber klar«, sagte ich. »Selbst das Dessert! Na?«

Als das Festessen näher rückte, sagte einer nach dem anderen ab.

Die Amerikanerin rief an, ihre beste Freundin hätte sich das Bein gebrochen und sie müsse mit ihr ins Krankenhaus. Der Kanadier entdeckte plötzlich, dass sein Visum abgelaufen war. Das englische Pärchen hatte einen Rohrbruch. Ein Ami hatte an dem Abend gerade die Liebe seines Lebens kennengelernt.

»Bring sie doch mit!«

»Na ja ... Bier ... Die Beziehung ist noch frisch.«

Die Französin zog es vor, auf die Beerdigung eines Nachbarn zu gehen.

»Aber du kennst den Typen kaum«, argumentierte ich. »Außerdem ist die Beerdigung sicher tagsüber – das Bieressen ist doch abends.«

»Du weißt nicht, wie mich so was immer mitnimmt.«

Also lud ich deutsche Freunde ein. Schon bald musste ich erkennen, dass es ein Riesenfehler war. Nicht das Experiment selbst, sondern die deutschen Freunde.

Schon vor dem ersten Löffel machte ich klar, worum es mir ging: »Wir wollen feststellen, warum die ganze Welt die französische Küche verehrt und die deutsche nicht.«

Das hätte ich nicht sagen sollen. Die Reaktion war einstimmiger Protest. Ich bin absolut sicher, dass keiner von ihnen je im Leben eine gute Biersuppe gegessen hatte – doch plötzlich war jeder Einzelne ein Bierpatriot.

»Was ist so merkwürdig daran, mit Bier zu kochen?«, fragte A. »Das ist doch ganz normal. Das kriegst du in jedem guten Restaurant der Welt.«

»Ein guter Chefkoch kann mit Bier genauso wie mit Wein kochen«, sagte B. »Ich koche auch mit Bier. Du hättest mich fragen können. Ich hätte dir ein Biermenü zusammengestellt.«

»Ich bin sicher, es gibt auch Coq au Bière, genau wie Coq au Vin«, behauptete A.

»Vielleicht gehst du bloß in die falschen Restaurants«, meinte R. Zustimmendes Gelächter.

»Aber ihr müsst zugeben, die französische Küche hat einen Ruf ...«, warf ich ein.

»Ein Gourmet«, sagte R., »kennt auch den Ruf der deutschen Küche.«

»Vielleicht gehst du wirklich in die falschen Restaurants«, murmelte B.

»Der Unterschied kommt daher, dass die Franzosen eine nationale Küche haben, wir aber eine eher regionale«, versuchte es R.

»Außerdem«, sagte A., »wie willst du als Ami überhaupt die deutsche Küche beurteilen? Du glaubst doch immer noch, Vollkornbrot wird mit ganzen Körnen gebacken.«

»Ich glaube, du gehst in die falschen Bäckereien«, sagte B.

Es war der analytische J., der endlich mit einer halbwegs schlüssigen Theorie aufwartete: »Das kommt sicher vom Hof des Sonnenkönigs«, sagte er. »Die machten ja den ganzen Tag nichts als rumsitzen, die mussten alles zu einem Riesenevent machen, um sich zu unterhalten. Da haben sie sich wahrscheinlich gesagt: Wenn wir das Essen in kleine Häppchen aufteilen und jedes Häppchen auf einen eigenen Teller mit ganz viel Dekoration legen, schaffen wir es, den lieben langen Tag zu essen. Dann trinken wir zu jedem Teller einen anderen Wein und bleiben den ganzen Tag betrunken. Und zwischendurch gibt's Unterhaltung und natürlich viel Tratsch und ständig Zickereien. Das macht auch erfinderisch – da muss man sich jeden Tag was Neues einfallen lassen. Damit fing sicher die Tradition an, dass Essen mehr ist als nur Essen. Wir Deutsche aber konnten es uns nicht leisten, den ganzen Tag beim Wein zu sitzen. Wir hatten zu tun. So ist für uns Essen immer Essen geblieben und nie zum Event geworden. Das bedeutet nicht, dass es nicht gut schmeckt – auch unsere Köche sind stolz auf das, was sie tun. Sie tun es bloß mit weniger Stil, das ist alles.«

Ich weiß nicht, ob er recht hat. J. hat öfter mal recht. Aber in einem pflichtete ich ihm bei: Die Franzosen haben einen Sinn für Raffinesse, der den Deutschen abgeht, und was Essen betrifft, ist das schon die halbe Miete.

Das Bieressen kam.

Es fing ganz leise an. Viel leiser, als ich erwartet hatte. Eine Biersuppe habe ich mir als dicke, mehlige Pampe vorgestellt. Was uns serviert wurde, war eine federleichte, klare Consommee mit frischem Gemüse. Und mit einem leichten, derben Stich – als ob der Koch das Gemüse gerade aus dem Beet gezogen hätte und ihm noch der Geschmack von Erde anhaften würde. Ich hatte eine Strichliste vorbereitet: Wer mochte das Gericht, wer mochte es nicht. Ich brauchte aber gar nicht erst zum Stift zu greifen, denn alle hatten diesen Ausdruck von Wonne im Gesicht. Erst, als sie die Suppe anschließend beurteilen sollten, hatten sie sich wieder gefangen:

»Ja ja, es schmeckt schon, aber mit Wein hätte es auch geschmeckt«, meinte A.

»Ich würde sagen, es ist lecker, weil es eben nicht so stark nach Bier schmeckt«, widersprach R.

»Das Bier ist in den Zwiebeln«, vermutete B. Sie hatte recht. Reiser hatte die gebratenen Zwiebeln mit Köstritzer Schwarzbier (Jahrgang unbekannt) abgelöscht. »So hätte ich es auch gemacht«, sagte sie zufrieden.

Das Perlgraupenrisotto – in einem hellen Krombacher gekocht – war frisch und deftig zugleich.

»Ähnlich wie bei einem guten Bierbrot«, sagte B. »Jedenfalls, wenn ich es mache.«

Zu Bierspeisen trinkt man natürlich Bier, und wir waren schon ein wenig beschwipst. Das merkte ich daran, dass die Deutschen um mich herum langsam aus ihrer Verteidigungsstellung herauskamen.

»Ich muss zugeben«, sagte A., »ich habe nur einmal im Leben irgendwas im Bierteig gegessen. Es war ... na ja ... nicht besonders.«

»Saure Nierchen in Bier mariniert!«, rief B. »O Gott! Nie wieder!«

R. hatte wieder mal die beste Horrorgeschichte, natürlich aus seiner Studentenzeit: »Wir hatten am Morgen nach einer Party nichts mehr zu essen, aber noch viele volle oder halbvolle Flaschen Bier. Da dachten wir, wir machen eine gute altdeutsche Biersuppe. Wir kippten rein, was wir in der Küche fanden, einfach alles, und kochten es, bis wir dachten, es sei fertig. Es war das Schlimmste, was ich je probiert habe. Da saßen wir nun den ganzen Tag vor unserem riesigen Kessel Biersuppe, von Hunger gequält, waren aber zu stolz, eine Pizza zu holen.«

»Nur eins würde ich nie mit Bier kochen«, sagte B. grinsend: »Glühbier!« Da merkte sie, dass auch sie beschwipst war. »Ich muss zugeben«, gab sie zu, »das Schöne an Bier ist, damit kann man albern sein – mit Wein geht das nicht.«

Die im Ofen mit einem hellen Krombacher übergossenen Spareribs (Reiser korrigierte mich später: »Ich koche deutsch. Das sind dicke Rippen.«) waren denkbar einfach, fast Natur, von der karamellisierten Kruste einmal abgesehen. Über den Teller war wie Zuckerguss eine leichte Biersoße gesprenkelt, die nach Rosmarin, Honig und Malz schmeckte. Als die rosa Rippchen allseits ins Bierkaramell getunkt wurden, herrschte andächtiges Schweigen.

Dann kam die Meisterprüfung. Darauf hatte ich gewartet: das Bierdessert.

Besser lässt sich die Furcht des Ausländers vor der Küche der Germanen nicht beschreiben. Nur ein Deutscher würde auf die Idee kommen, seinen Nachtisch mit Bier zu tränken. Ja klar, Champagnersorbet, Zabaione, Tiramisu, das geht in Ordnung. Doch diese Idee, das Raffinierteste, was die Zivilisation erreicht hat – das Dessert –, mit Bier zu übergießen ... also, am Hofe des Sonnenkönigs wären dafür Köpfe gerollt! Das ist barbarischer als ein Amerikaner, der alles mit Ketchup tränkt. Aber selbst ein Ami, lieber Herr Reiser, würde kein Ketchup auf sein Eis kippen! Bedenken Sie das, Herr Reiser, bevor sie heute Abend zu weit gehen!

Ich war gerade im Begriff, genau diese Worte in die Küche

zu rufen, als es kam: Kaiserschmarrn mit Krombacher Weißbier gebacken, dazu marinierte Erdbeeren, mit einer Soße aus Köstritzer Schwarzbier verziert.

Das Bier gab dem Kaiserschmarrn eine überraschende Würze, die ich sonst niemals in Mehlspeisen vermuten würde, und die süßen Erdbeeren passten perfekt zu der malzigen Biersoße.

Nach dem Essen kamen Chefkoch und Besitzer persönlich an den Tisch, und meine Freunde, die allesamt restlos begeistert waren und lange nicht mehr so gut gegessen hatten, zollten ihnen in typisch deutscher Manier den Respekt, den sie verdienten: Sie stürzten sich auf ein überflüssiges Detail und zogen darüber her.

»Warum steht Heineken auf der Karte?«, fragte J. »Das ist doch kein Bier.«

»Wir wollten auch ein internationales Bier im Sortiment haben«, erklärte Herr Seidl. Doch das heizte die Diskussion nur noch mehr an.

Während die Deutschen sich aus Dankbarkeit, Zufriedenheit und Verehrung zerfleischten, konnte ich dem in sich ruhenden Chefkoch neben mir meine Fragen stellen.

»Wenn man in der Küche kreativ ist«, meinte Torsten Reiser, »kann man alles mit Bier machen, was man auch mit Wein machen kann. Und jedes Bier ist anders und gibt etwas anderes her. Bier erzeugt eine herbe Note, birgt aber die Gefahr, dass es zu herb wird, dann macht es alles kaputt, dann wird es bitter. Bier kann aber auch eine süße Note geben. Bei der Konsommee hatten wir zuerst die Zwiebeln mit viel Bier gebraten, aber als wir es probierten, spuckten wir es sofort wieder aus – es war zu bitter geworden. Beim nächsten Mal haben wir das Bittere mit Zucker abgemildert. Bei den Perlgraupen hatte das Bier einen anderen Effekt – der Käse und die Butter machten das Risotto schwer, aber das Bier machte es wieder frisch.«

Ich fragte ihn, was die deutsche Küche von der französischen unterschied, aber auch er fand keine Antwort drauf. Doch dann kam etwas Interessantes:

»Ich zwinge die Leute, alles zu essen«, verriet er mir und lächelte.

Deutsche Gerichte, die ich kenne, bestehen meist aus einem Teller mit mehreren voneinander unterscheidbaren Speisen: Das Fleisch, das Gemüse, die Sättigungsbeilage. Jeder Bestandteil für sich allein ist lecker, aber auch genau das, was man erwartet. Reiser versucht, jedem Gericht etwas Eigenes und Unvorhersehbares hinzuzufügen. Um überhaupt erst zu erfahren, was man vor sich hat, muss man es essen.

Und um das Ganze noch etwas raffinierter zu gestalten, hat er den Bieranteil pro Gang etwas gesteigert. »Hätte ich ihn gesenkt, hätte man das ja gar nicht mitbekommen«, erklärte er, »und hätte ich mal mehr, mal weniger Bier drangegeben, hätte es ausgesehen, als hätte ich keinen Plan.«

Zum ersten Mal bei einem deutschen Menü hatte ich das Gefühl, durch das Essen selbst in einen Dialog mit dem Koch zu treten – wie ich das bei einem guten Buch oder Film tun würde: »Was bringt er als Nächstes? Ob er das schafft? Was würde ich an seiner Stelle tun? Hoppla, das habe ich nicht kommen sehen.«

Alle Achtung, dachte ich. Das klingt wie eine französische Idee, nur mit Bier.

Das trifft sich gut. Ich mag nämlich Bier.

Antwort:

Was die französische Küche von der deutschen unterscheidet?
Nichts – außer D. vielleicht – der Snobismus.

Wird der deutsche Wein
bald restlos amerikanisiert sein?

Ⓐ Ja, macht aber nichts, man muss mit der Zeit gehen.

Ⓑ Nein, das lassen die ehrlichen deutschen Winzer nicht zu.

Ⓒ Was ist das für eine Frage? Deutscher Wein ist schon längst amerikanisiert.

Ⓓ Niemals! Eher lassen die Deutschen zu, dass Wein auch im Tetrapack und mit Schraubverschluss verkauft wird.

Um Deutschland zu begreifen, muss man Europa begreifen. Und um Europa zu begreifen, muss man Wein verstehen.

Wein symbolisiert Wohlstand (und das weniger aufdringlich als ein Moschinogürtel). Wein ist europäische Dekadenz, weil er gleichzeitig gesund (ein Glas Rotwein am Tag schützt vor Arteriosklerose – eine Handvoll Rosinen tut's aber auch) und ungesund ist (Sie wussten es vielleicht nicht, aber auch hochwertiger Alkohol schadet der Leber). Wein stammt irgendwie aus der Wiege der Kultur – Griechenland, oder war es das Zweistromland, oder gar der Garten Eden? Selbst das Wort »Kultur« erinnert an Wein: Es kommt von dem lateinische Wort »Cultura« für Landwirtschaft. Der europäische Schriftsteller ist ohne Pfeife gerade noch denkbar – nicht jedoch ohne ein gepflegtes Glas Wein. Stellen Sie sich vor, Sie sind bei einem wichtigen Autor eingeladen, und er setzt sich in seinen Ledersessel neben der Bücherwand vor dem Kamin und gießt sich ein Glas Cola ein. Können Sie den noch ernst nehmen?

Nichts wäre apokalyptischer für die europäische Kultur als ein Angriff auf ihren Wein. So wurde es auch 2006 wieder einmal zur Chefsache erklärt, als ein paar naseweise Winzer, die im harten Konkurrenzkampf mit Kalifornien, Australien, Neuseeland, Marokko, Chile und Südafrika nicht den Kürzeren ziehen wollten, vorschlugen, bei der Weinherstellung ein bisschen Doping zuzulassen – zum Beispiel die Aromatisierung durch Beimischung von Eichenspänen. Da erhob sich Deutschlands Landwirtschaftsminister Horst Seehofer und kündete heroisch seinen Widerstand gegen die »Amerikanisierung des europäischen Weins« an.

Machen wir uns nichts vor: Kaum einer von uns würde den Unterschied erkennen, ob ein Wein jahrelang in aromatischen Eichenfässern gelagert oder nur kurze Zeit mit aromatischen Eichenspänen versetzt wurde. Wenn man schon im Mittelalter auf diese zeitsparende Produktion umgestellt hätte, wäre das heute eine ehrenwerte Tradition. Stellen Sie sich vor, Coca-Cola kippt ein bisschen Kirschgeschmack in die Cola. Wie viele Politiker gehen da auf die Barrikaden? Bei der hitzigen Debatte geht außerdem völlig unter, dass der europäische Wein längst amerikanisiert ist.

Im 19. Jahrhundert wurde der gesamte europäische Weinbestand von der besonders aggressiven Phylloxera vastatrix (verwüstende, zerstörende Laus) heimgesucht. Diese kleinen Monster waren von einer Art, die Europa noch nicht gesehen hatte. Sie nisteten sich abwechselnd in den Blättern und den Wurzeln ein und zehrten den Weinstock von beiden Seiten aus, was schließlich zum Absterben der Pflanze führte. Was immer die Winzer unternahmen, sie wurden der Plage nicht Herr. Es war eine landwirtschaftliche Krise, die nicht nur die wertvollen Weinkulturen bedrohte, sondern auch ganze Familieneinkommen gefährdete. Binnen weniger Jahre stand die gesamte Weinproduktion Europas vor dem Aus.

Im letzten Moment kam man auf die recht brutale Idee, bei jedem einzelnen Weinstock den gesamten Wurzelballen auszutauschen. Man fand eine geeignete ausländische Weinrebe, deren Wurzelstock der gefräßigen Laus zu zäh war, riss die europäischen Weinstöcke aus und pflanzte die ausländischen Wurzeln ein. Dann pfropfte man die Zweige des europäischen Weins einfach wieder oben drauf. Das Resultat: Der europäische Wein wächst seitdem auf amerikanischen Wurzeln, denn da kamen die reblausresistenten Weinreben her. In Europa gibt es heute nur noch wenige »wurzelechte« Reben in Regionen mit sandigem Boden, wo die Reblaus nicht leben kann, zum Beispiel in Ungarn.

Antwort:

C. Die Amerikanisierung des Weins hat schon vor langer Zeit stattgefunden. Immer, wenn ich heute einen Wein bestelle, muss ich an den alten Horrorfilm denken, in dem ein Klavierspieler die Hände eines Mörders transplantiert bekommt, was in ihm eine ziemlich heftige Identitätskrise auslöst, und ich frage mich: Welcher Wein wuchs vorher wohl auf diesem Rebstamm? Ist ein Teil seines Charakters noch lebendig?

Die Ironie einer alt-europäischen Weinkultur auf neu-amerikanischen Wurzeln gefällt mir gut. So gut, dass ich die Kleinigkeit ungern erwähne, woher die anti-europäische Reblaus überhaupt stammte: aus Amerika.

Müssen wir wirklich den Österreichern dankbar sein, weil sie uns den Kaffee gebracht haben?

Ⓐ Doch, weil Europas erstes Kaffeehaus in Wien entstand.

Ⓑ Nein, es waren nicht die Österreicher, sondern die Türken.

Ⓒ Nein, es waren nicht die Türken, sondern ein Augsburger namens Leonhart Rauwolf.

Ⓓ Nein, es waren nicht die Augsburger, sondern die Indonesier.

Die Österreicher erzählen gern, wenn nicht gar unaufhörlich, am liebsten aber bei einer großen Tasse Melange, die Geschichte, wie die Türken 500 Sack Kaffee zurückließen, als sie die Belagerung von Wien überstürzt abbrechen mussten, wie daraus das erste Wiener Kaffeehaus entstand und so die Kaffeekultur nach Europa kam.

Ich kann gut verstehen, warum die Österreicher diese Geschichte so sehr lieben. Neben Wein ist Kaffee die Droge – äh, Verzeihung – das Getränk der geistigen Elite. Und die Weinkompetenz war bereits fest in französischer Hand, also stilisierten sich die Wiener zu Botschaftern des Kaffees.

Und in der Tat, das Café hat etwas mit Kultur zu tun. In seinem Buch *Cultural Amnesia* schreibt der australisch-englische Kulturkritiker Clive James: »Im späten 19. und frühen 20. Jahrhundert war Wien der beste Beweis, dass der fruchtbarste Boden für das Leben des Geistes nicht in den Gebäuden einer Universität gefunden wird ... Für Generationen von Schriftstellern, Künstlern, Journalisten und Geistesarbeitern jeder Art war das Wiener Café ein *Way of Life.*«

Und die Liebe des europäischen Kulturschaffenden zum Kaffee ist nicht auf jene Jahrhundertwende beschränkt. Im 18. Jahrhundert gab man oft kleine Konzerte in Kaffeehäusern – wie Bach die Premiere seiner *Kaffeekantate* 1732. Wenn Beethoven eine Tasse Mokka brauen wollte, zählte er genau 60 Kaffeebohnen dafür ab. Goethe machte den Vorschlag, Kaffeebohnen zu destillieren, und als der Chemiker Friedlieb Ferdinand Runge scheinbar eben diesem Vorschlag folgte, entdeckte er Koffein. Heute ist Kaffee noch vor Mineralwasser das beliebteste Getränk Deutschlands – beliebter als Cola oder Bier. Jeder Deutsche trinkt 144 Liter im Jahr, und mit der Kaffeesteuer nimmt der Staat jährlich etwa eine Milliarde Euro ein.

Kaffee stammt aus dem arabischen Raum, wo man ihn

möglicherweise schon im neunten Jahrhundert trank. Spätestens ab 1517 schlürften auch die osmanischen Türken das Getränk – sie kannten damals eine Menge feiner Dinge aus aller Welt, weil sie große Teile davon erobert hatten. 37 Jahre, nachdem Luther seine Thesen an die Kirchentür geschlagen hatte, öffnete das erste Kaffeehaus am Bosporus seine Pforten. Ein paar Jahre später lernte der Augsburger Arzt Leonhart Rauwolf Kaffee auf einer Orientfahrt kennen und lieben. Kurz darauf begann der Import nach Europa, zuerst an Fürstenhöfe und Apotheken. Auch warnende Stimmen konnten den Kaffeeboom nicht mehr stoppen.

Bereits 1618 war der Trank so beliebt, dass die Holländer die Pflanze in einer ihrer eigenen Kolonien, auf Java, anbauten. Nicht mehr lange, und Europa wurde von Kaffeehäusern regelrecht überschwemmt, und zwar von seinen Küsten aus:

1645 Venedig
1650 Oxford
1652 London
1659 Marseille
1663 Amsterdam und Den Haag
1672 Paris
1673 Bremen
1677 Hamburg

Nicht einmal, nachdem sie praktisch von Kaffeehäusern umzingelt waren, kamen die Österreicher auf die Idee, es den anderen Europäern gleichzutun. Sie mussten erst noch von den Türken mit der Nase darauf gestoßen werden. 1683 belagerten die Osmanen mal wieder Wien, und acht Wochen lang zog jeden Morgen der Duft von frisch gebrühtem Mokka über die Stadt. Nachdem die Österreicher die Belagerer endlich in die Flucht geschlagen hatten und so direkt vor ihren Hinterlassenschaften standen, fiel auch ihnen endlich das coolste Getränk ihrer Epoche auf. Der Pole Franz Georg Kolschitzky, der sich während der Belagerung verdient gemacht hatte, bekam die Kaffeesäcke und eine Schankerlaubnis und gründete das erste Wiener Kaffeehaus.

Antwort:

C. Leonhart Rauwolf aus Augsburg ist einer von vielen, die angeblich den Kaffee zum ersten Mal nach Europa brachten, doch egal, wer es wirklich war, eins ist sicher: Österreich war nicht das erste europäische Land, in dem es Cafés gab, sondern eines der letzten.

Allerdings muss ich zugeben, dass die Wiener den übrigen Europäern etwas voraus hatten: Kolschitzky kam als Erster auf die geniale Idee, seinen Kaffee mit Honig und Sahne verfeinert anzubieten. 300 Jahre, bevor Starbucks nochmal auf die Idee kam.

Was war die ostfriesische Tea Party?

Ⓐ Eine teetrinkende ostfriesische Revolution

Ⓑ Eine Umschreibung für Rum-Schmuggel

Ⓒ Ein an der Küste beliebter Präsentkorb mit Tee, Kandis und Keksen

Ⓓ Eine antialkoholische Bewegung der christlichen Seefahrt

Die Boston Tea Party kennen Sie bestimmt. Sie gehört ja auch zu den wichtigsten Events der neueren Weltgeschichte. Als die amerikanischen Rebellen im 18. Jahrhundert englischen Tee in den Hafen von Boston kippten, um sich gegen die Politik ihrer englischen Herrscher aufzulehnen, war das der Auftakt zum Weg in die moderne Demokratie.

Aber kennen Sie die ostfriesische Tea Party?

Dachte ich's mir doch.

Seit die ersten Schiffe der niederländischen Ostindien-Kompanie 1610 Tee nach Europa brachten, war der ganze Kontinent von dem Getränk fasziniert – vor allem aber die Ostfriesen. Im späten 18. Jahrhundert – zur gleichen Zeit, als auch die Amerikaner anfingen, sich Gedanken über englischen Tee zu machen – avancierte Tee bei den Ostfriesen zum Getränk Nummer eins, denn er hatte einen enormen Vorteil gegenüber Bier (was man bis dahin wie Wasser getrunken hatte): Er war bedeutend billiger. Ob man damals schon den anderen klaren Vorteil von Tee erkannte – man kann ihn den ganzen Tag trinken, ohne ständig benebelt zu sein –, wissen wir nicht.

Während der billige Tee für den Konsumenten ein Segen war, war er volkswirtschaftlich gesehen problematisch, denn er musste importiert werden. Über den erhöhten Teekonsum waren die Bierbrauer nicht glücklich und die Obrigkeit erst recht nicht, denn es flossen weniger Steuern in die Staatskasse. Ein erster Vorgeschmack auf die Schattenseiten der Globalisierung, doch Attac existierte leider noch nicht. Also versuchte Friedrich II. von Preußen – dem Ostfriesland unterstand – die Globalisierung auf seine Art zu bekämpfen: nämlich mit Verboten. 1778 schrieb die preußische Regierung an die Auricher Landstände: »Der Gebrauch von Tee und Kaffee in hiesiger Provinzen ist so übermäßig, dass wir den schädlichen Folgen desselben Einhalt zu tun keinen weiteren Abstand nehmen können.«

Das ist einer dieser tollen deutschen Sätze, die offenbar irgendwas aussagen, aber was? Ich rief die Leiterin des Ostfriesischen Teemuseums im Norden, Marion Roehmer, an. »Das ist eine Kanzleisprache, die heute heißen würde, dass die Durchsetzung dieser Maßnahmen keinen weiteren Aufschub duldet«, erklärte sie. »Das kommt einem Verbot gleich.« Hilfreich wie immer schlug die Obrigkeit vor, sich ersatzweise doch besser eine leckere Tasse Zitronenmelisse oder Petersilie aus dem Garten aufzubrühen. Gleichzeitig versuchte Friedrich, das Bierbrauen zu fördern.

Allerdings war das ein Trinkverbot, kein Verkaufsverbot. Tee konnte weiterhin verkauft, nur nicht mehr getrunken werden: Friedrich der Große, der scheinbar ziemliches Vertrauen in den Gehorsam seiner Untertanen setzte, hatte sich direkt an den Endkunden gewandt und erwartet, dass die regionalen Autoritäten das Verbot unterstützen würden. Dummerweise waren die regionalen Autoritäten auch alle Teetrinker.

»Die Domänenkammern haben das Verbot gar nicht erst durchgesetzt«, sagte Roehmer. (Das war nicht selbstverständlich – als Friedrich aus den gleichen Gründen in Preußen Kaffee verbot, sandten die lokalen Autoritäten in manchen Provinzen so genannte »Kaffeeschnüffler« von Haustür zur Haustür, um heimliche Kaffeetrinker in flagranti zu erriechen.)

Das Tauziehen zwischen Preußen und Friesland steigerte sich, bis die ostfriesischen Landstände eine Erklärung herausgaben, in der es hieß: »Der Gebrauch von Tee ... ist hierzulande so allgemein und so tief eingewurzelt, dass die Natur des Menschen schon durch eine schöpferische Kraft müsste umgekehrt werden, wenn sie den Getränken auf einmal Gute Nacht sagen sollte.« Da lenkte der König von Preußen frustriert ein und erlaubte den Genuss des »chinesischen Drachengiftes« wieder – nur ein paar Jahre, nachdem er es verboten hatte.

(Das war nicht das letzte Mal, dass die Ostfriesen sich gegen die Obrigkeit stellten, um Tee trinken zu dürfen. Als ein paar Jahrzehnte später die Franzosen jeden Handel mit den Engländern verboten – also auch den Teeimport –, beindruckte das die Friesen auch nicht. Im Gegenteil, sie eröffneten ein ganz neues Marktsegment: Tee-Schmuggel. Plötzlich wurden alle Friesen dick, wenn sie von Reisen zurückkamen – unter dem Mantel trugen sie falsche Gürtel, vollgestopft mit Tee. Heute gehen die Globalisierungskritiker auf U2-Konzerte; damals tranken sie heimlich Tee, um ihrem zivilen Ungehorsam Ausdruck zu verleihen. Ob dazu auch verbotener ausländischer Streuselkuchen gereicht wurde, ist nicht mit hundertprozentiger Sicherheit bewiesen.)

Das Ganze ist zwei Jahre nach der amerikanischen Unabhängigkeitserklärung passiert. Ob Friedrich während des Tauziehens wohl vor Augen hatte, wie es in Amerika ausgegangen war, als dort ein Herrscher versucht hatte, einem Volk seine Konsumgewohnheiten vorzuschreiben?

Antwort:

A. Die Tee-Rebellion hat einer simplen kulinarischen Tradition eine neue Bedeutung gegeben. Falls Sie sich also je gewundert haben, weshalb man als Anfänger bei der Zubereitung eines korrekten ostfriesischen Tees mehr Fehler machen kann als bei der japanischen Teezeremonie, dann wissen Sie jetzt, warum: Tee trinken, das ist für die Ostfriesen gelebter Lokalpatriotismus.

Wozu brauchen die Deutschen nur so viele Apotheken?

Ⓐ Weil sie Hypochonder vor dem Herrn sind.

Ⓑ Weil das Gesundheitssystem sonst zusammenbricht.

Ⓒ In Apotheken kann man Bonbons kaufen.

Ⓓ Weil Apotheken an den früheren heiligen Stätten der Germanen gebaut werden.

Die meisten Ausländer, die nach Deutschland kommen, fragen sich früher oder später hinter vorgehaltener Hand: »Was haben diese Deutschen nur mit ihren Apotheken? An jeder Ecke steht eine. Sind diese Leute ständig krank? So schlecht sehen sie gar nicht aus!«

Der Eindruck, die Deutschen hätten mehr Apotheken als Kita-Plätze, kommt nicht von ungefähr. In der Tat gibt es hier 26 Apotheken auf 100 000 Einwohner, in den USA gerade mal 18.

Klar, dass das soziale Gesundheitssystem einen größeren Markt für Medikamente zulässt. Doch das erklärt nicht alles. In den USA mit ihrem unsozialen Gesundheitssystem gibt jeder Amerikaner, ob versichert oder nicht, viel mehr Geld für Gesundheit aus als jeder Deutsche. Wenn es auf der Welt Hypochonder gibt, dann sind es wir Amis: Wir haben Pillen für Krankheiten, die die Deutschen noch gar nicht kennen.

Nein, es muss an den Apotheken selber liegen.

Ist es möglich, dass tief in der deutschen Seele noch die Erinnerung an die andere, ursprüngliche Bedeutung dieser Einrichtung schlummert? Dass dieser Ort etwas verspricht, was Deutsche magisch anzieht? Etwas Altehrwürdiges, Mysteriöses, Wunderbares?

Zum Beispiel ... Süßigkeiten?

Die Vorläufer der Apotheker waren die Gewürzhändler, die zwischen medizinischen Heilkräutern und Luxusgewürzen keinen Unterschied machten. In den frühesten Apotheken wurde neben Heilkräutern auch Zucker verkauft. Die Araber benutzten ihn als Heilmittel, die Europäer auch – gegen Fieber, Reizhusten, Schmerzen in der Brust, sogar gegen die Pest. Da bekommt der Ausdruck »bittere Medizin« doch gleich eine ganz andere Bedeutung. Echte Medizin muss süß sein.

Jahrhundertelang, bis es Konditoreien gab, war die Apotheke nicht nur für Genesung zuständig, sondern auch für Genuss. (Man kann natürlich argumentieren, dass Genuss auch eine Art Heilung darstellt. Viele Frauen greifen bei akutem Liebeskummer recht erfolgreich zu Schokolade.) Selbst Lebkuchen, obwohl nicht direkt dort zu haben, war nur machbar mit exotischen Gewürzen aus der Apotheke, von Soda, Hirschhornsalz und Pottasche ganz zu schweigen. Neben Kaffee war auch Tee anfangs nur dort erhältlich – um diverse Krankheiten zu heilen sowie den Körper zu »kräftigen«. Als Schokolade ihren Weg von Südamerika nach Europa fand, landete sie – na, wo wohl? – als Krafttrunk in der Apotheke. Auch Marzipan war im Mittelalter nur bei Apothekern zu kriegen, natürlich unter dem Stichwort »kräftigend«.

Und wenn die Apotheker damals »kräftigend« sagten, meinten sie vor allem jene Organe, die zur Verwirklichung von Nachkommenschaft sowie Zufriedenstellung der Ehefrau notwendig waren.

Antwort:

C. Süßigkeiten. Vielleicht ist das der Grund, warum die Apotheke im kollektiven Volksbewusstsein so in Ehren gehalten wird: Man ist vor allem für die zahlreichen traditionellen nichtmedizinischen Angebote dankbar und hofft, dass dieses Gewerbe auch weiterhin so innovative Genussmittel hervorbringt. Und für Genuss ist die Apotheke immer noch zuständig. Auch wenn sie woanders billiger sind, kaufen viele Kunden ihre Kondome noch heute lieber in Apotheken. Und nehmen auch ein Vitamin-Präparat und eine Handvoll Traubenzuckerbonbons mit. Für die Kräftigung.

Woher kommt die Weißwurst?

Ⓐ Bayern

Ⓑ Hamburg

Ⓒ Frankreich

Ⓓ Polen

Es ist schon gemein. Die armen Bayern. Sie haben alles verloren. Ihre Lederhosen und Dirndl gelten weltweit als Überkitsch. Ihr Märchenkönig ist tot und sein Schloss Neuschwanstein nur halb so bekannt wie die Kopie in Disneyland. Keiner wollte ihren ehemaligen Ministerpräsidenten als Bundeskanzler. Und ein Freistaat sind sie auch nur noch dem Namen nach. Es wäre nur zu schade, wenn sie auch noch die Weißwurst verlieren würden.

Also gebe ich mir Mühe, wenigstens sie zu retten:

Der Legende nach wurde sie durch Zufall von dem Wirt Sepp Moser im Gasthaus »Zum ewigen Licht« am Münchner Marienplatz erfunden. Angeblich waren ihm am Rosenmontag 1857 die Schafsdärme für die Kalbsbratwürstchen ausgegangen. Da die Gäste warteten, schickte Sepp einen Lehrling los, um Därme zu holen. Dieser kam aber mit den falschen zurück: mit Schweinedärmen. Gezwungenermaßen füllte er diese mit der Kalbswurstmasse, befürchtete aber, dass sie beim Braten platzen würden. Warum Schweinedärme sich nicht braten lassen und Schafsdärme doch, weiß ich auch nicht. Trotzdem: Er wollte keine Sauerei, also ließ er sie in heißem Wasser ziehen und voilà, die Weißwurst war geboren. Leider spricht einiges gegen den Wahrheitsgehalt dieser Legende.

Erstens, dass Sepp Moser 1857 noch gar kein Wirtshaus besaß. Dazu kam es erst 1860. Zweitens: Metzger war er auch keiner, er schenkte nur Bier aus. Drittens, 1857 war die Weißwurst längst in Schlesien, Norddeutschland und Frankreich bekannt.

Die Hamburger Weißwurst war schon 1814 beliebt und wurde oft als zweites Frühstück mit Kaviar gegessen. Allerdings waren es französische Soldaten gewesen, die das weiße Ding ins besetzte Hamburg brachten. Entsprechend kurzlebig war auch die Hamburger Weißwurst-Manie: Nachdem die Franzosen wieder weg waren, war es manchen Stadtbewohnern peinlich, sich jemals für die Errungenschaften des Erbfeindes begeistert zu haben. Heute trifft man zwar noch Hamburger an, die Weißwurst essen, aber nur im Urlaub.

Egal, wie stolz die Bayern auf ihre Weißwurst sind – wer Weißwurst wirklich liebt, muss nach Frankreich. Die Franzosen kennen die »Boudlin Blanc« scheinbar schon seit dem 14. Jahrhundert. Die weltweit wichtigste und vermutlich einzige Weißwurstzunft heißt »Commanderie des Fins Goustiers du Duché d'Alençon« – die Weißwurst-Bruderschaft. Jährlich treffen sich diese in Weißwurst vernarrten Metzger in der Heimat der Haute Cuisine und verleihen sich gegenseitig diverse Auszeichnungen in einer ganzen Reihe von schmackhaften Kategorien. Auch Deutsche nehmen regelmäßig Preise mit nach Hause, ab und zu sogar den begehrten Grand Prix d'Excellence. Zum Beispiel der Weißwurstmetzger Paul Egon Breitfeld. Ich fragte ihn nach dem Unterschied zwischen französischer und bayerischer Weißwurst:

»Die französischen Weißwürste sind etwas weißer«, sagte er. »Die Deutschen haben sehr viel Petersilie und andere Kräuter drin. Die Franzosen wollen ihre Weißwurst ganz weiß. Sie sagen, ›Die Weißwurst soll Weißwurst sein‹. Sie mögen keine Innovationen.«

Breitfeld wurde übrigens nicht nur zum Weißwurstritter geschlagen, er wurde als einziger Deutscher in die Akademie aufgenommen und darf die Robe der Commanderie tragen. Doch wenn Sie meinen, sein Gespür für Weißwurst sei angeboren, er sei sicher einer dieser Ur-Bayern, irren Sie: Er stammt aus Solingen.

Antwort:

C. Sorry, Bayern. Dieser Punkt geht an Frankreich.

Wie isst ein echter Deutscher sein Frühstücksei?

Ⓐ Er köpft es mit dem Messer und isst es mit dem Löffel.

Ⓑ Er klopft es der Länge nach auf und tunkt Brot hinein.

Ⓒ Er brät es mit Schinken und isst es mit der Gabel.

Ⓓ Erst nach schriftlicher Einverständniserklärung des Huhns

Die Deutschen machen einen riesigen Wirbel darum, wie man kultiviert speist, und am meisten darum, wie man richtig frühstückt. Ich kenne kein anderes Volk, dem das Frühstücken so wichtig ist. Junge Leute verabreden sich zum Frühstück, alte Leute zum Frühschoppen. Es ist ein wichtiges gesellschaftliches Ereignis. Will man eine deutsche Frau beeindrucken, holt man ihr morgens frische Brötchen. »Ach, wie damals zu Hause!« Da heiratet sie dich. In Amerika müssen es schon Diamanten sein.

Und es gibt kein anderes Thema, das häufiger am Frühstückstisch angeschnitten wird als das Ei. Als Gesprächsthema konkurriert das Ei mit dem Wetter und dem Nahostkonflikt. Und was ist die ewige Frage, die man sich immer wieder stellt? Soll man das Ei nun köpfen oder aufklopfen? Was ist die echte, die Originalmethode?

Ich habe nachgeforscht. Es ist erstaunlich: Obwohl man ständig darüber redet, weiß der größte Teil der Deutschen gar nicht, dass beide Methoden grundsätzlich völlig undeutsch sind. Denn bis ins 17. Jahrhundert waren Eierbecher üblich, in denen das Ei auf der Seite lag. Man köpfte es nicht, sondern brach ein Loch in die oben liegende Seite und tunkte Brot in das Eigelb.

Nur das ist deutsch. Die heutige Methode, das Frühstücksei zu köpfen, setzte sich erst langsam von Frankreich aus durch. Dass im gleichen Zeitraum auch die Guillotine in Mode kam, kann nur als Zufall angesehen werden.

Antwort:

B. Das Ei muss liegen. Dass man heute bei IKEA keine passenden Eierbecher für diese Technik kaufen kann, ist ein Zeichen dafür, wie weit sich die deutsche Frühstückskultur von ihrer Ursprünglichkeit entfernt hat.

Worauf gründet Aldis Erfolg in Australien?

- Ⓐ Billig-Computer
- Ⓑ Billig-Bier
- Ⓒ Süßigkeiten
- Ⓓ Ein Aldi-Bruder hat einmal im Urlaub den australischen Premierminister vor dem Ertrinken gerettet.

Antwort:

C. Elke Frank, Journalistin in Yinnar, Australien, berichtet: »Aldi gibt es hier sogar auf dem platten Land und trägt sehr zum positiven Bild der Deutschen bei, da man dort Maoam-Kaubonbons kaufen kann, für die sich vor allem die Schüler begeistern.«

Ist ein Gummibärchen koscher?

Ⓐ Ja, solange es ein braves Gummibärchen ist.

Ⓑ Nein, weil es aus Gelatine besteht.

Ⓒ Nein, weil es aus Zucker besteht.

Ⓓ Ja, sofern es aus der Türkei stammt.

Alle reden über Deutschland, aber kaum einer hat wirklich alles gesehen. Es gibt immer weniger Menschen, die die Geburt der BRD und der DDR bewusst erlebt haben, geschweige denn den ersten Versuch einer Demokratie. Nur einer hat alles gesehen, und ist heute auch noch als globaler Botschafter Deutschlands bekannt: Das Gummibärchen.

Wenn man das Gummibärchen interviewen könnte, würde man endlich die Wahrheit erfahren:

»Als Gummibärchen hat man es nicht leicht.

Erst wird man bescheiden in einer 20er-Jahre-Küche zusammengerührt von einem dieser frühkapitalistischen Träumer-Typen, von dessen Ehefrau vom Fahrrad herunter verkauft und ein paar Jahre später fummeln schon 400 Mitarbeiter an einem rum. Dann bekommt man zu allem Überfluss einen Namen wie ›Tanzbär‹. Hat man sich endlich damit abgefunden, heißt es, man kriegt ein Geschwisterchen und dann kommt so eine doofe Lakritz-Schnecke, die seitdem ständig versucht, einem die Show zu stehlen.

Endlich fällt es irgendjemandem ein, groß und breit ›Haribo macht Kinder froh‹ auf die Verpackung zu pinseln, damit die Kunden wissen, worum es hier geht, und weil bald jedes Kind den Spruch kennt, ist man endlich berühmt und denkt, jetzt kann einem nichts mehr passieren, schon kommt der Krieg und aus 400 Mitarbeitern werden 30.

Irgendwie überlebt man doch, und in den 50ern wird man wieder groß. Na gut, alles wurde in den 50ern groß. Aber nicht alles überlebt einen Generationswechsel wie den in den 60ern. So macht man das: Just, bevor die Revoluzzer auf der Straße anfangen, ›Gummibärchen für alle!‹ zu rufen, schreibt man schnell auf die Packung den Zusatzspruch »… und Erwachsene ebenso«, und schon gehört man zu ihnen.

Man hat sogar die ollen Ökos überlebt, indem man werbewirksam den künstlichen Lebensmittelfarben abgeschworen hat und sich seitdem nur noch mit Rote-Beete-Saft schön macht.

Selbst mit dem Rinderwahnsinn konnte man Werbung machen, indem man enthüllte, dass man durch und durch aus reiner Schweinegelatine besteht.

Und dann plötzlich diese religiösen Anwürfe!

Moslems und Juden wollen einen auf einmal nicht mehr kaufen, weil man sich mit Schweineschwarten in einem Topf rumtreibt. Somit ist man als stinknormales Gummibärchen nicht mehr *halal* oder koscher. Also musste man zweigleisig fahren und sich für die muslimischen und jüdischen Kunden in einer extra dafür eingerichteten Produktionsstätte in der Türkei aus Rinderknochen kochen lassen. Schließlich hat man die Exportweltmeisterschaft gewonnen und damit Pflichten: Haribo-Produkte werden in rund 105 Länder exportiert.

Doch auch wer so flexibel ist, kann nicht überall der Erste sein. In Dänemark ist Schwester Schnecke der Hit, in Frankreich naschen sie am liebsten ›Dragibus‹-Fruchtgummiperlen und in England vor allem den ›Starmix‹. Dafür ist man zu Hause immer noch der Star – und in Amerika ein echter Verkaufsschlager. Wenn man Glück hat, landet man sogar als koscheres Gummibärchen bei der Firma Paskesz Candy Inc. in New York und wird zu himmelschreienden Preisen verkauft.

Also ein bisschen Respekt bitte!«

Antwort:

D. Natürlich ist das Gummibärchen koscher. Gibt es eine Hürde, die es nicht überwinden kann?

Welches deutsche Essen ist in Singapur ein »must-try« Gericht?

Ⓐ Nasi Goreng

Ⓑ Nr. 45

Ⓒ Weißbier-Tiramisu

Ⓓ Schmalzstulle

Warum werden manche Speisen in manchen Teilen der Welt angenommen und manche nicht?

Was wäre, frage ich mich, wenn mitten in Berlin ein hawaiianisches Restaurant eröffnen würde und *Poi* – eine kalte, graue, klebrige Pampe aus Taro-Wurzeln – anbieten würde? Es würde keine fünf Minuten überleben. Warum sind Hamburger überall auf der Welt erhältlich, aber keine *Grits* – der berühmte Maisgrießbrei, der überall in den amerikanischen Südstaaten gegessen wird, den aber der Rest von uns nur aus Südstaatenromanen kennt und auch nicht die geringste Absicht hegt, ihn näher kennenzulernen?

Die Deutschen müssen sich über solche Fragen nicht den Kopf zerbrechen, wenn sie wissen wollen, wie ihre nationalen Gerichte im Ausland ankommen – weil sie eben überhaupt nicht ankommen.

Denken sie. Na gut, einige ihrer Spezialitäten sind auch tatsächlich nicht sooo populär – andere aber schon. Wer feststellen will, welche, muss nur eines der vielen deutschen Restaurants weltweit kontaktieren und fragen.

Ich wählte für meine kleine E-Mail-Umfrage das Paulaner in Singapur aus, weil ein Besucher das Restaurant einmal so beschrieben hatte: »Es ist ein kleiner Traum: Eine Kombination aus High-Tech-Design und folkloristischen Accessoires: die Kellnerinnen tragen Dirndl, die Deko ist aus Glas, Aluminium und Chrom. Als Stammgast bekommt man seinen persönlichen, mit dem eigenen Namen versehenen Bierkrug, wie in einer gehobenen Bar das eigene Whiskyglas. Da sitzen Singapurer, internationale Geschäftsleute, jung und schick – und essen teure Spezialitäten beim Business Lunch. Es gibt keine Volksmusik, kein Geschunkel, keine späte Auswandererromantik bei Sauerkraut und Eisbein, dafür viele Handys. Es ist einfach Teil der modernen Konsumwelt. Es ist Weltkultur geworden.«

Hier die Antworten auf meine Fragen an Geschäftsführer Henry Quah, Business Development Manager Ann Lim und Executive Chefkoch Jody Yu von Paulaner in Singapur:

Welchen Ruf hat die deutsche Küche in Singapur?
Wenn Singapurer an deutsches Essen denken, kommen ihnen als Erstes Schweinshaxe, kalte Schinkenplatte, gewaltige Würste und viel Bier in den Sinn. Und sehr viel Fleisch. In riesigen Portionen.

Was essen die Singapurer bei Paulaner am liebsten?
Die gegrillte Schweinshaxe, German Sausages (Nürnberger, Frankfurter, Weißwurst, Käsewürstchen) und Kalbsschnitzel sind unsere Verkaufsschlager unter den Einheimischen.

Was trinken sie am liebsten?
Das Paulaner Brauhaus in Singapur ist eine Mikrobrauerei – unser frisch gebrautes Münchner Lager und unser Münchner Dunkelbier sind die Renner.

Was nehmen sie am liebsten zum Dessert?
Am häufigsten den German Apple Strudel mit Vanillesoße, aber das Weißbier-Tiramisu ist so einzigartig und kreativ, dass jeder es mindestens einmal probieren *muss* – das ist unser *must try*-Gericht.

Was bestellen die Singapurer nur äußerst ungern?
Definitiv das Schweineschmalz-Brot. Die Singapurer machen darum einen großen Bogen. Sie stellen sich vor, dass sie damit reines Fett essen. Die Blutwurst gehört auch in diese Kategorie. Wir versuchten mal, diese Gerichte als Spezialmenüs zu verkaufen, die Bestellungen gingen sofort in den Keller.

Die Antwort:

C. Wenn Sie, lieber Leser, bei »Weißbier-Tiramisu« die Nase gerümpft haben, denken Sie an die abenteuerlustigen Singapurer, deren Reaktion auf eine so ungewöhnliche Kreation es ist, sie zu einem *must-try* zu machen.

Ein Auszug der Speisekarte des Paulaner in Singapur:

Obatzda $ 11.50
Seasoned camembert cheese spread with chives. Served with radish and tomatoes on homemade bread.

Bavarian Brotzeitbrettl $ 12.50
Cold honey ham, air-dried ham, liver paté, cheese and pickles. Served with freshly-grated horseradish.

Homemade Cheese Spätzle and Asparagus $ 23.00
Traditional German pasta with melted cheese. Flavoured with white wine and nutmeg.

Chef Jody Yu Platter $ 33.00
A combination of Grilled Sausages and Roast Meat Specialties: Frankfurter, Debreziner, Garlic sausage, Cheese knacker, Nuremberg sausages, roast duckling, roasted chicken, grilled pork knuckle. Served on bed of sauerkraut, cabbage and German dumplings. *(2 persons)*

Grandma's Warm Apple Strudel $ 9.50
Served with bourbon-vanilla sauce.

Kaiserschmarrn $ 9.00
Shredded pancake with almond, sultanas and rum.

Weissbier Tiramisu $ 9.00
Our own creation of tiramisu with Paulaner wheat beer and pumpernickel bread.

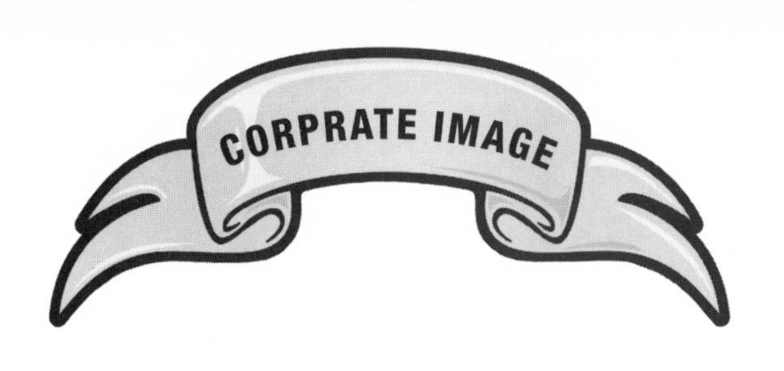
CORPRATE IMAGE

Wieso nennen die Briten die Deutschen »Krauts«?

Ⓐ Weil sie sich selbst schon »Limetten« schimpfen.

Ⓑ Weil sie glauben, dass Sauerkraut aus Deutschland kommt.

Ⓒ Weil sie »verdammte Kartoffeln« nicht sagen können, ohne dabei zu lachen.

Ⓓ Weil die Franzosen schon »Würstchen« heißen.

Als ich noch auf Hawaii lebte, glaubte ich allen Ernstes, die Deutschen stammten von den Hunnen ab. Mann, war das peinlich, als ich später, frisch auf der Münchner Universität, dieses Wissen als Grundlage für einen Kommentar in einem historischen Seminar auch nutzte. Nein, das Schimpfwort »Hunnen«, das im angloamerikanischen Raum für Deutsche steht, stammt aus einer total verunglückten Rede Kaiser Wilhelms II. im Jahre 1900, in der er Repressalien für den Boxer-Aufstand in China ankündigte:

> »Pardon wird nicht gegeben, Gefangene werden nicht gemacht ... Wie vor tausend Jahren die Hunnen unter ihrem König Etzel sich einen Namen gemacht, der sie noch jetzt in der Überlieferung gewaltig erscheinen lässt, so möge der Name Deutschlands in China in einer solchen Weise bekannt werden, dass niemals wieder ein Chinese es wagt, einen Deutschen auch nur scheel anzusehen.«

Acht Nationen, einschließlich Japan und Russland, entsandten Truppen, um der scheelenden Aufständischen Herr zu werden. Ein Teil der deutschen Truppen unter der Leitung des Alfred Graf von Waldersee, der auch noch recht spät auftauchte, ging dabei so exzessiv gegen die schon geschlagenen Rebellen vor, dass vor allem die Engländer (die übrigens mit ungleich mehr Soldaten beteiligt waren) sich an die kaiserliche Rede erinnerten und fortan »Deutsche« mit »Hunnen« gleichsetzten.

»Krauts« jedoch ist von den angloamerikanischen Schimpfwörtern am schwersten zu erklären.

Im Zweiten Weltkrieg, als der Begriff sich endgültig durchsetzte, war der Konsum von Sauerkraut in den USA doppelt so hoch wie in Deutschland und noch heute essen die Franzosen mehr Sauerkraut als die Deutschen. Von nationaler

Bedeutung ist Sauerkraut in fast allen nordeuropäischen Ländern. In Ungarn wird es mit Gulasch gegessen, in Polen besteht das Nationalgericht Bigos zum größten Teil aus Sauerkraut; in Tschechien gehört es zum Nationalgericht Vepřo-Knedlo-Zelo, auf dem Balkan zu einem Krautwickel namens Sarma. Im Grunde sind alle Europäer »Krauts«. Aber auch die Japaner (Tsukemono), Koreaner (Kimchi) und Chinesen schwören auf das Zeug. Möglicherweise war es China, das Deutschland Sauerkraut schenkte, und zwar über wandernde Mongolenstämme. Oder waren es doch die Römer, die es von den Griechen hatten? Möglich ist auch, dass es wandernde Juden waren, die Sauerkraut von Süd- und Osteuropa nach Deutschland brachten. Wenn es um die Herkunft des Sauerkrauts geht, gibt es eine Vielzahl von Möglichkeiten. Das hat damit zu tun, dass man vor allem in Winterzeiten Gemüse brauchte, das leicht konservierbar war. Weißkohl hält sich sowieso schon lange, und mit Hilfe einer guten Milchsäuregärung noch länger. Dazu kommt, was man damals nicht genau wusste, wohl aber spürte: Sauerkraut ist reich an Vitamin C.

Warum dann wurden ausgerechnet aus den Deutschen Krauts?

Die einzige logische Theorie, die bleibt, ist, dass der Begriff aus der Seefahrt stammt. Als im 18. Jahrhundert bekannt wurde, dass Skorbut unter Seefahrern durch Vitamin C verhindert werden kann, begann die englische Marine, stets Zitronen- oder Limettensaft mitzuführen. So habe ich das noch in der Schule gelernt: Limettensaft hat die Seefahrt sicher gemacht. Doch das ist die englische Sicht der Dinge – die deutschen Seefahrer nahmen nicht Limettensaft, sondern Sauerkraut mit.

Antwort:

A. Seitdem gab es zwei Arten von Seefahrern: Limeys und Krauts.

Was muss man als Abgeordneter oder Abgeordnete alles anstellen, um aus dem Bundestag geschmissen zu werden?

Ⓐ Man muss ein gesuchter Verbrecher sein.

Ⓑ Man muss während der Sitzungen herumpöbeln und andere Abgeordnete tätlich angreifen.

Ⓒ Man muss im Plenarsaal eine Hakenkreuz-Fahne schwenken.

Ⓓ Man muss die Kollegen zur Revolution aufrufen.

Ⓔ Man muss taubstumm sein.

Ⓕ Man muss Analphabet sein oder zumindest des Deutschen nicht mächtig.

Ⓖ Man muss besoffen im Plenarsaal erscheinen.

Ⓗ Man muss inkompetent sein und keine Ahnung haben, was von einem erwartet wird.

Ⓘ Man darf sich nie waschen, muss mit einer aggressiven, anhaltenden Flatulenz verflucht sein und von den anderen Abgeordneten abgrundtief gehasst werden.

Ⓙ Man muss seine Ehefrau ermordet haben.

Ⓚ Man muss seit Jahren Steuern hinterziehen.

Ⓛ Man darf zu keiner einzigen Sitzung erscheinen, oder wenn man erscheint, muss man sofort einschlafen.

Ⓜ Man muss im Knast sitzen.

Ⓝ Man wurde nicht wiedergewählt.

Ⓞ Man muss im Adamskostüm zu den Sitzungen erscheinen und andere Abgeordnete sexuell belästigen.

Ⓟ Man muss im Plenarsaal grillen.

Ⓠ Man muss im Plenarsaal einen Abgeordneten der Opposition grillen.

Ⓡ Man muss entführt und danach nicht mehr gesehen werden.

Ⓢ Man muss zum Gotterbarmen nuscheln.

Ⓣ Man muss Mitglied der NSDAP gewesen sein.

Ⓤ Man muss Mitglied einer verbotenen Partei sein.

Ⓥ Man muss Wahlbetrug begehen.

Ⓦ Man muss den Bundespräsidenten ermorden.

Ⓧ Man muss Bundespräsident werden.

Ⓨ Man muss tot sein.

Ⓩ Man muss einen Funken Anstand haben.

Bevor Sie Ihre Wahl treffen, noch ein kleiner Hinweis: Das Bundeswahlgesetz nennt nur fünf Möglichkeiten, einem Abgeordneten das Mandat wegzunehmen, und diese kreisen alle um Formalitäten.

Das ist meiner Meinung nach mehr als beunruhigend.

Was ist, wenn er oder sie grundsätzlich besoffen zur Arbeit erscheint? Das soll es gegeben haben. Man munkelt zum Beispiel von Detlef Kleinert (FDP), dass er sich mindestens einmal betrunken am Rednerpult profilierte. Dazu sagt Heinrich Oberreuther, Direktor der Akademie für Politische Bildung in Tutzing, nur: »Wenn die Leute dumm genug sind, einen Alkoholiker oder einen Analphabeten ins Amt zu schicken, hat das Parlament nicht das Recht, ihm das zu verweigern.«

Was aber, wenn es sich bei einem Abgeordneten um einen richtigen Verbrecher handelt? Wenn einer seine Frau umbringt? Das ist doch auch für einen Politiker illegal, oder nicht?

»Die Möglichkeit, einem Abgeordneten sein Mandat abzuerkennen, tendiert gegen null«, sagte Oberreuter.

»Selbst im Knast verliert er sein Mandat nicht?«

»Wenn er einen Funken Anstand hat, wird er sein Mandat niederlegen«, gab Oberreuter zu bedenken.

»Wie viele Funken Anstand besitzt der durchschnittliche Frauenmörder?«, fragte ich.

»Wenn einer seine Frau umbringt, hat das mit der Integrität der Demokratie nichts zu tun«, betonte er streng.

»Moment, nur dass ich das richtig verstehe. Ein Abgeordneter kann seine Frau ermorden und ihm passiert nichts? Das ist doch das perfekte Verbrechen!«

Ich war schon dabei, Pläne zu schmieden, da erklärte mir Oberreuter, dass deutsche Abgeordnete zwar eine Art Immunität genießen, aber nicht ganz die Sorte, die man immer in amerikanischen Fernsehkrimis sieht. Sie wissen schon:

Cop 1: »Sie haben eine rote Ampel überfahren, Drogen an Waisenkinder verkauft, Dutzende von Frauen getötet und eine Atombombe im Keller des Weißen Hauses gezündet! Sie sind verhaftet!«
Killer mit schleimigem französischem Akzent: »Ich bin ausländischer Diplomat und genieße Immunität.«
Cop 2: »Verdammt, der Mann hat recht.«

Bundestagsabgeordnete genießen zwar Immunität, doch praktisch bedeutet das nur eine Gnadenfrist. Wenn ein Abgeordneter seine Frau umbringt, muss die Staatsanwaltschaft zum Bundestagspräsidenten gehen, dieser prüft die Anschuldigung und hebt die Immunität bei begründetem Verdacht auf. Dann ist der Weg in den Knast frei. Die Immunität fungiert nur als Puffer, damit niemand einem Abgeordneten am Tage einer wichtigen Abstimmung ein Verbrechen in die Schuhe schieben kann, durch das der Abgeordnete in Untersuchungshaft kommt und nicht abstimmen kann.

Der einzige Abgeordnete, der sein Mandat mit in die Haft nahm, war der Kommunist Max Reimann, der als Abgeordneter im Parlamentarischen Rat, dem Vorläufer des Bundestags, die britische Besatzungsmacht beleidigte und von ihr zu einer dreimonatigen Haftstrafe verurteilt wurde. Er war schon verhaftet, da schaltete sich Adenauer als Präsident des Parlamentarischen Rats ein und holte ihn wieder raus.

Außer Beleidigung, Bestechung und illegaler Beeinflussung hält sich die kriminelle Energie der Bundestagabgeordneten in Grenzen. Bisher war so ziemlich das Kriminellste, das ein Abgeordneter während der Mandatszeit gebracht hat, ein eher glimpflicher Skandal, der sich direkt nach der Wende ereignete. Ein junger Abgeordneter aus dem Osten wurde dabei erwischt, wie er in einem Sexshop Pornohefte klaute. Er konnte sich auf seine Immunität berufen und kam ungeschoren davon. Allerdings musste er die Hefte bezahlen.

Wer einen Abgeordneten loswerden will, dem bleibt in einer richtigen Demokratie nur eins: Mobbing.

Die einzige erfolgversprechende Möglichkeit, einen ungewollten Abgeordneten aus dem Bundestag rauszukriegen, ist ihn rauszuekeln. Seine Partei muss hinter geschlossenen Türen so lange Druck ausüben, bis er geht. (Wie viel Druck hält ein Frauenmörder aus? Wahrscheinlich nicht viel, sonst hätte er seine Frau nicht umgebracht.)

Noch ein gutes Beispiel dafür, was Abgeordnete einander gern antun, wenn sie einander nicht mögen und plötzlich die Gelegenheit bekommen, es zu zeigen, ist der Fall des Bundestagspräsidenten Philipp Jenninger. Dieser unbeliebt gewordene Politiker hielt 1988 nach schlechter Vorbereitung eine Rede, die zwar nicht vom Inhalt her antisemitisch war, aber vom »Faszinosum« des Nationalsozialismus sprach und es irgendwie schaffte, den Eindruck zu erwecken, er persönlich sei davon ebenso fasziniert. Schon damals äußerte mancher den Verdacht, dass die Rede nicht wirklich antisemitisch war, sondern nur falsch betont wurde, doch da Jenninger einfach zu viele Feinde hatte, die nur auf solch einen Moment gewartet hatten, war sein Rücktritt nur eine Frage der Zeit. Jahre später baute der Vorsitzende des Zentralrates der Juden in Deutschland, Ignatz Bubis, demonstrativ Teile aus dessen Rede in eine eigene ein und trug sie so vor, dass er dafür Beifall erhielt.

Doch der radikalste Fall von unliebsam gewordenen Abgeordneten, die von ihren eigenen Leuten aus dem Plenarsaal gedrängt wurden, ereignete sich in den ersten Jahren des Bundestages, noch bevor die 5-Prozent-Hürde eingeführt wurde. Da saßen noch kleinste Splitterparteien im Bundestag, darunter auch Kommunisten. Eines Tages erschienen zwei von ihnen nicht zur Arbeit. Am nächsten Tag auch nicht. Sie kamen nie wieder. Erst nach dem Fall der Mauer erfuhr man von ihrem Schicksal: Sie waren nicht etwa den anderen Abgeordneten in die Quere gekommen, sondern ihren kommunistischen Drahtziehern in der sowjetischen Besatzungszone, der späteren DDR, und diese hatten sie einfach entführt, in irgendwelche Staatsgefängnisse gesteckt und dort verblieben sie. Bis heute weiß keiner, was aus ihnen geworden ist. Noch nicht einmal ihr Todesdatum ist bekannt.

Neben Rausekeln ist Rumpöbeln auch ein beliebter Abgeordnetensport. In der ersten Wahlperiode des Bundestags gab es noch kleinere Gruppen von Rechts- und Linksextremen, die Schwierigkeiten machten. Sie betrieben eine Obstruktionspolitik mit Störungen, Zwischenrufen, die von dem Präsidenten eingesetzten Regeln nicht zu beachten, wenn er einen zur Ordnung rief, etc. Man konnte sie zwar nicht ausschließen, aber man fand andere Mittel. Bei einigen Rechtsextremen deckte man Beziehungen zu verbotenen Parteien auf und konnte sie rausschmeißen. Doch was tun mit den anderen Rabauken? Vier Jahre lang herrschte Ratlosigkeit, bis man 1953 auf die geniale Idee kam: Wir machen einfach ein neues Gesetz! So wurde die Fünf-Prozent-Hürde ins Leben gerufen, und man war die Störenfriede endlich los. (Italien übrigens, das mehrere Zwei-, Vier- und Zehn-Prozent-Klauseln hat, welche wiederum von zahlreichen Bonus- und Ausnahmeregelungen durchlöchert sind, ist auf diesen simplen deutschen Einfall noch heute neidisch.)

Das bedeutet aber nicht, dass es seitdem gesittet zuging. Im Gegenteil: Nun waren die großen Parteien endlich frei, sich gegenseitig anzupöbeln, was das Zeug hielt. Und das taten sie auch. Hier ist meine persönliche Top-Ten-Liste aus einer Sammlung von Günter Pursch in seinem *Parlamentarischen Schimpfbuch:*

10. Brunnenvergifter!
9. Wühlratte!
8. Spekulatiusminister!
7. Dampfnudel!
6. Selbstbefriediger!
5. Beamtenkuh!
4. Hodentöter (über Jürgen Todenhöfer)
3. Mini-Goebbels!
2. »Sie hinterlassen eine Lücke, die Sie voll ersetzt!« (Zwischenruf zur Grünen-Politikerin Antje Vollmer,

als sie sich vorübergehend aus dem Bundestag verabschiedete)

1. »Wenn man Sie sieht, vergeht einem die Lust am Kinderkriegen.« (Herbert Wehner zum CSU-Abgeordneten Michael Glos)

Kurz gesagt: Im Plenarsaal geht es zu wie in jedem anderen Großraumbüro auch.

Ungestraft Beleidigungen von sich zu geben, ist wahrscheinlich das Schönste am Abgeordnetenleben. (Versuchen Sie mal, Ihren Chef »Mini-Goebbels« zu nennen. Viel Spaß!) Beleidigungen unter Abgeordneten können allerdings Rügen nach sich ziehen. Als Kurt Schumacher Adenauer den »Bundeskanzler der Alliierten« nannte, wurde er gerügt und musste einige Sitzungen aussetzen. Als Joschka Fischer den Bundestagsvizepräsidenten ein Arschloch nannte, hätte man meinen sollen, das wäre auch eine Rüge wert, aber Fischer war schlauer als Schumacher – Hut ab. Er wartete mit seiner Beleidigung gerade eben so lange, bis die Sitzung vorbei war, aber die Journalisten den Saal noch nicht verlassen hatten. Da konnte der Bundestagspräsident nichts tun – außer sich zu ärgern.

Na gut, ich verstehe, dass die Abgeordneten erst mal vom Gesetz in Schutz genommen werden, sobald sie gewählt sind. Sonst können sie irgendwann ihren Job nicht mehr machen. Aber was ist, wenn man von Anfang an sieht, dass der Typ einfach nicht zum Regieren gemacht ist? Was passiert, wenn so einer, aus einer Laune heraus, oder einfach aus Protest gegen die großen Parteien, in den Bundestag gewählt wird? Oder jemand wie Stefan Raab – stellen Sie sich vor, er hat irgendwann die Nase voll vom Grand Prix und der Wok-WM und strebt aus lauter Jux ein Amt im Bundestag an? So etwas ist nicht unrealistisch. Ich kenne Leute, die ihn wählen würden. Ach was, ich würde ihn selber wählen, wenn ich wählen dürfte. In Italien bekleideten schon Pornostars hohe politische Ämter, in Amerika wurden Bodybuilder und Schauspieler ins

Amt gewählt. (Das Allerpeinlichste daran ist, dass diese Typen oft bessere Amtsträger waren als die Profi-Politiker, gegen die sie antraten.)

»Es gibt keine formalen Qualifikationen für ein politisches Amt«, stellte Oberreuter klar. Punkt.

Das berührt die uralten Ängste jeder Demokratie nach der Antike: Wenn sich jeder für ein Amt bewerben darf, was für Leute kommen da rein?

»Das ist im Grunde die Frage nach der Professionalisierung der Politik«, kommentierte ein Historiker. »Sollen die Politiker aus der Bevölkerung kommen – sollen es Schuster und Ärzte sein? Oder sollen es Profi-Politiker sein? Wer vertritt das Volk besser? Also ich würde mich freuen, wenn das Parlament heute professioneller wäre. Wir haben Außenpolitiker, die keine Fremdsprache sprechen. Die Abgeordneten, die gewählt werden wollen, müssen sich erst mal in ihrem Landkreis profilieren. Sie müssen für oder gegen eine neue Autobahn oder Ähnliches stimmen. Damit punkten sie bei ihren Wählern im Kreis. Es nützt ihnen nichts, wenn sie denen sagen, ›wir brauchen eine neue Amerikapolitik.‹ Deswegen haben wir keine ordentlichen Außenpolitiker. Ein ähnliches Problem haben wir im Bereich der Wirtschaft. Der Wähler interessiert sich nur für den Bau des Atomkraftwerks nebenan, nicht für die Volkswirtschaft. Wer in die Politik einsteigen will und hat in erster Linie die Volkswirtschaft im Blick, kann sich nicht behaupten. Wir haben zu wenige Abgeordnete, die beide Felder bedienen.«

Als die Gründungsväter meiner Heimat im 18. Jahrhundert zum ersten Mal auf der Welt eine Demokratie ins Leben riefen, in der jeder – aber auch wirklich jeder (und damit meine ich natürlich weiße Männer) – ein Amt bekleiden durfte, sollte er gewählt werden, waren sie schon nach der ersten Wahl schockiert. Sie waren davon ausgegangen, dass das Volk nur Leute wie sie selbst wählen würde – gebildete Intellektuelle. Nichts da. Das Volk wählte den, dem es am meisten vertraute. Der Schuster sah sich am besten vertreten durch einen

Schuster. Als die Gründungsväter erkannten, dass es im Parlament plötzlich von ungebildeten, ungewaschenen Populisten wimmelte, bekamen sie Bauchschmerzen und glaubten, sie hätten einen Riesenfehler gemacht.

Und ihre Ängste waren nicht unbedingt unbegründet: 1933 war die NSDAP die stärkste Partei, basta. Wäre damals eine Prüfung auf Antisemitismus Voraussetzung für ein Reichstagmandat gewesen, hätte Hitler es nicht geschafft. Eine solche Voraussetzung gibt es auch heute nicht.

»Wäre es nicht besser, die Abgeordneten mindestens einen Deutschtest machen zu lassen?«, wagte ich anzuregen.

»Wenn man anfängt, Qualifikationen für ein politisches Amt aufzustellen, stellt sich schnell die Frage: Wer stellt diese Qualifikationen auf?«, fragte Oberreuter erbarmungslos zurück. »Die SPD? Die CDU? Eine Demokratie ist ein Risiko: Man verlässt sich drauf, dass die Dummheit des Volkes begrenzt ist.«

Antwort:

Nur durch folgende sechs Gründe kann ein Bundestagsabgeordneter sein Mandat verlieren:

N. Man wird nicht wiedergewählt.

U. Man ist Mitglied einer verbotenen Partei.

V. Man begeht Wahlbetrug.

X. Man nimmt ein Amt an, das mit dem Amt eines Abgeordneten nicht vereinbar ist.

Y. Man ist tot, oder auch …

Z. … man besitzt tatsächlich einen Funken Anstand und tritt freiwillig vom Amt zurück. Aber wie stehen da die Chancen?

Was muss ein ganz normaler Bürger alles anstellen, um aus dem Bundestag rausgeschmissen zu werden?

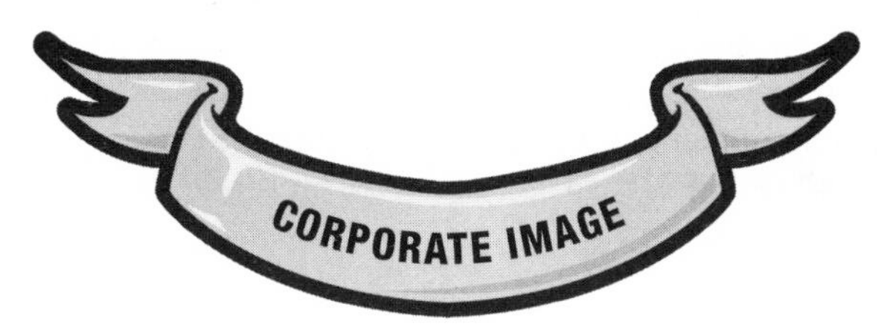

Welche der folgenden 15 ganz normalen Aktivitäten führen zum Rausschmiss, wenn man sie auf der Zuschauertribüne des Bundestags praktiziert?

Ⓐ Eine NSDAP-Fahne schwenken

Ⓑ Eine US-Fahne schwenken

Ⓒ Eine Deutschlandfahne schwenken

Ⓓ CDU-Flugblätter verteilen

Ⓔ Mit dem Sitznachbarn Verfassungsrecht diskutieren

Ⓕ Einen Bikini tragen (und sonst nichts)

Ⓖ Fotos von Abgeordneten machen, wenn sie in der Nase popeln

Ⓗ Von der Tribüne in den Plenarsaal springen

Ⓘ Ein Schild hochhalten, auf dem steht: »Ich bin anderer Meinung und es ist mein demokratisches Recht, dies auf diese Weise kundzutun.«

Ⓙ Besoffen sein

Ⓚ Sich wie ein riesiger Plüschhase verkleiden

Ⓛ Bundeskanzlerin Angela Merkel ein Geburtstagsständchen bringen

Ⓜ Seinen Papagei mitbringen

Ⓝ Beifall klatschen

Ⓞ Ein Eis essen

Antwort:

A–O. Bei jeder dieser Handlungen wird man aus dem Bundestag rausgeschmissen. Da sieht man mal wieder: Die da oben können machen, was sie wollen, aber unsereins wird schon bestraft, wenn wir nur einmal im Leben ein riesiges Plüschhasenkostüm tragen wollen.

Wenn Deutschland so hoch verschuldet ist, wer sind seine Gläubiger und kann man nicht mal mit ihnen reden?

Ⓐ Die deutsche Regierung redet nicht mit Heuschrecken.

Ⓑ Vielleicht wollen die Gläubiger ja auch nicht mit Deutschland reden.

Ⓒ Man kann zwar mit Heuschrecken reden, aber dafür muss man sie erst mal erwischen.

Ⓓ Der Staat weiß selbst nicht mehr so genau, wem er eigentlich Geld schuldet.

Ich weiß nicht, wie es bei Ihnen war, aber immer, wenn ich meinen Vater um Geld für so was wie ein neues Fahrrad bat, hat er mir unmissverständlich klargemacht: »Wenn du ein neues Rad willst, dann spar dein Taschengeld dafür. Wenn du es dir nicht selbst verdienst, hast du es nicht verdient.«

Noch heute höre ich seine Warnung, wenn ich die Zeitung aufschlage und mal wieder lese, dass Deutschland schwindelerregend hoch verschuldet ist. Hätte die Regierung auf meinen Vater gehört, säße sie heute nicht so in der Tinte.

Allerdings muss ich zugeben, dass ich meinen Papa nie um Geld für ein Arsenal an Kampfjets, Magnetschwebebahnen, Atomkraftwerken und Atomkraftwerk-Vernebelungsanlagen gebeten habe. Obwohl mich diese Dinge durchaus interessiert hätten, aber ich dachte damals einfach nicht groß genug. Kann schon sein, dass er in diesem Fall gesagt hätte: »Junge, da musst du schon zu den Chinesen gehen.«

Wenn man von Staatschulden spricht, heißt es immer etwas vage, »Deutschland hat ungeheuer viele Schulden im Ausland«. Allerdings haben auch die Ausländer irgendwo Schulden. Wahrscheinlich bei den Deutschen. Alle Länder haben Schulden bei irgendwelchen anderen Ländern. Das wirft Fragen auf. Wenn man Geld besitzt, das man an andere Länder ausleihen kann, warum muss man dann noch bei anderen Ländern Schulden machen? Am besten hört man einfach auf, Geld zu verleihen – dann hat man genug und muss sich keins mehr borgen.

Schulden machen – wie geht das so als Land? Geht man mit einem Koffer irgendwo hin, sagen wir, nach Japan, und klopft an eine Tür? Wer macht das? Ist es Merkel auf Staatsbesuch, die nach ein paar Gläsern Wein George W. Bush zuraunt: »Übrigens, George – kannst du uns mal ein paar Milliarden pumpen?« Wer ist das eigentlich, bei dem ein Staat Schulden macht?

»Das kann ich nicht genau beantworten«, gestand Gerhard Schleif, Geschäftsführer der Bundesrepublik Deutschland-Finanzagentur GmbH in Frankfurt, die für die Bundesrepublik Schulden finanziert und abwickelt. »Es gibt keine genauen Statistiken darüber. Wir glauben, dass über sechzig Prozent der Kreditaufnahme bei ausländischen Gläubigern erfolgt.«

Glauben?

Ich würde gern mal wissen, was passiert, wenn ich so mit meiner Bank rede: »Ich glaube, dass mein Haus eine solide Basis für eine Hypothek darstellt. Genauere Daten kann ich Ihnen dazu leider nicht vorlegen.« Da heißt es aber Sayonara! Ein schrecklicher Verdacht keimte in mir auf: Die Politiker haben selber keinen blassen Schimmer, was sie tun. Sie machen Schulden und schreiben nicht mal die Namen ihrer Gläubiger auf. Nach mir die Sintflut. Ich war hin- und hergerissen, ob ich gleich das Land verlassen sollte, vermutlich nur Stunden vor dem nahenden Börsencrash, oder ob ich die Flucht aufschieben und noch schnell behaupten sollte, ich gehöre zufällig auch zu den Gläubigern und hätte jetzt gern meine 500 Euro wieder.

Er ahnte wohl, dass ich schon Pläne schmiedete, und versicherte mir schnell, dass der komplette Ablauf völlig sicher und hochmodern durchorganisiert sei. Schulden auf Bundesebene mache Deutschland beinahe ausschließlich in Form von festverzinslichen Bundesanleihen, die in einer elektronischen Auktion verteilt werden. »Im Dezember kündigen wir die Bundesanleihen für das ganze kommende Jahr in einer Emissionsfondsvorschau an«, erklärte Schleif. »Es ist eine Art private Auktion. Wir schreiben die Anleihen in der Höhe aus, die wir einnehmen wollen, und laden deutsche und internationale Banken ein, an der Auktion teilzunehmen. Sie schicken uns Angebote zu – wie viele Anleihen sie zu welchen Zinsen und zu welchen Bedingungen erwerben wollen – und die besten bekommen den Zuschlag.«

Ein Geheimnis sind die Namen der Gläubiger nicht. Sie

sind alle auf der Website der Finanzagentur unter »Bundesanleihen/Bietergruppe Bundesemissionen« zu finden. Zurzeit nehmen jährlich rund 30 Banken an der Auktion teil. Allerdings sind es keine Zentralbanken. Das hat mich überrascht. Wer ständig so Dinge hört wie, »Die Bundesrepublik hat Schulden bei den Chinesen«, denkt irgendwann: gemeint sei die chinesische Regierung. Stimmt aber nicht: es sind Privatbanken. Außerdem sind im Moment gar keine chinesischen Banken dabei, sondern vor allem amerikanische. (Während meine Regierung ihre Anleihen nach China verkauft, kaufen meine Landsleute sie ironischerweise in Deutschland wieder ein.) Von den 32 Banken, die 2006 an der Auktion teilnahmen, waren ein halbes Dutzend amerikanische, eine dänische, schottische und japanische, diverse Schweizer und französische Banken dabei, einschließlich der Royal Bank of Scotland, J.P. Morgan Securities und sogar Goldman Sachs International – eine Bank, die Franz Müntefering 2005 namentlich als Heuschrecke beschimpft hatte. Auch eine Menge deutscher Banken bieten mit, sind aber mit Ausnahme der Deutschen Bank in der Regel nicht so richtig abenteuerlustig, was die Höhe ihrer Angebote angeht, und bekommen daher keinen Zuschlag. Scheinbar bewerten ausländische Geldinstitutionen die finanzielle Attraktivität Deutschlands höher als die skeptischen inländischen Banken selbst, die wahrscheinlich einfach nicht den nötigen Optimismus aufbringen, den man für einen gesunden, naiven Patriotismus unbedingt braucht.

»Was muss passieren, dass Deutschland seine Schulden nicht zurückzahlen kann?«, fragte ich. Die Schulden sind übrigens gar nicht so niedrig: Bundesanleihen plus Zinsen kommen auf 948 Milliarden Euro.

Da lachte er nur. »Der Staat müsste bankrott sein«, sagte er fröhlich. »Davon sind wir einige Lichtjahre entfernt. Deutschland besitzt das höchstmögliche Vertrauensrating bei den großen Ratingagenturen. Daran orientieren sich die Anleger, die die Bundesanleihen kaufen. Das Rating basiert auf der Stärke der Wirtschaft. Unser Steueraufkommen muss ja schließlich ausreichen, die Schulden zu bedienen.«

»Aber ich denke, der deutschen Wirtschaft ging es die letzten Jahre über gar nicht gut. Macht das die Anleger nicht nervös?«

»Es muss einiges passieren, bis die Anleger glauben, wir könnten die Anleihen nicht auszahlen. Außerdem sind unsere Schulden niedrig – im Moment etwas unter eineinhalb Prozent des Bruttoinlandproduktes. Der Maastricht-Vertrag verlangt, dass die Schulden drei Prozent des Bruttoinlandsprodukts nicht übersteigen. Da liegt Amerikas Verschuldung etwas höher.«

Die Antwort hätte meinem Vater gar nicht gefallen. Allein an Zinsen zahlt Deutschland rund 40 Milliarden Euro im Jahr – das ist nach den Sozialausgaben der zweitgrößte Posten im Bundeshaushalt. »Es müsste doch möglich sein – so, wie man für ein Fahrrad spart – ein paar Jahre lang ein bisschen Geld auf der Bank liegen zu lassen, und irgendwann hat man genug, um Eurofighter zu kaufen, ohne Schulden zu machen«, argumentierte ich. Ich stellte mir vor, man könnte sogar eine Art bescheidenen Schuldentilgungszuschlag erheben. Durch den Solidaritätszuschlag für die Wiedervereinigung kommen ja jedes Jahr immerhin rund 10 Milliarden Euro zusätzlich in die Kasse. Ein Solidaritätszuschlag für den verschuldeten Bund würde Deutschland in nur 94 Jahren schuldenfrei machen.

Um ihm die Idee schmackhafter zu machen, fügte ich hinzu: »Stellen Sie sich vor, was man alles mit den vierzig Milliarden Euro Zinsen einkaufen kann, die man spart: fünfhundertdreiunddreißig Eurofighter!«

»Ich bin kein Politiker«, sagte er nur.

Antwort:

D. Der Staat weiß selbst nicht so genau, wer seine Gläubiger sind. Deutschlands Schulden werden in diesem Moment irgendwo in irgendwelchen Banken oder an der Börse an die Endkunden verkauft. Wie ich das meinem Vater erklären soll, weiß ich auch nicht.

Müssen auch deutsche Polizeibeamte einem Verdächtigen wie in den amerikanischen Krimiserien die Rechte verlesen?

Ⓐ Aber natürlich! Diese Rechte werden überall in der westlichen Welt anerkannt und auch deutsche Polizisten machen es wie in *CSI*.

Ⓑ Natürlich nicht, wo sind wir denn, müssen wir den Amis alles nachmachen?

Ⓒ Nein: Die gleichen Rechte gelten zwar in Deutschland, sie werden dem Verdächtigen aber nicht mündlich, sondern schriftlich mitgeteilt, wie sich das gehört.

Ⓓ Nein, im *Tatort* gibt's das auch nicht.

Ich weiß nicht, wie das bei Ihnen ist, aber wenn ich einen Krimi schaue, versuche ich, mich in die Geschichte hineinzudenken. Das ist vielleicht untertrieben. Besser gesagt: Ich steigere mich in die Geschichte hinein. Das ist an sich nicht ungewöhnlich, denn Fiktion jeder Art funktioniert nur, wenn der Zuschauer oder Leser sich mit der Hauptfigur einigermaßen identifizieren kann. Nun, ich kann mir nicht helfen: Ich denke mich nicht in die Lage der Hauptfigur hinein, sondern in die des Verbrechers. Ich sehe jedesmal die Polizei schon vor meiner Tür stehen und kämpfe mit mir, um in den spannendsten Szenen nicht den Fernseher anzuschreien: »Ich bin unschuldig! Ich hab's nicht getan! Mein Gott, warum glaubt mir keiner!«

Mein einziger Schutz vor meiner eigenen Phantasie ist die Gewissheit, dass die Polizei nicht jeden X-Beliebigen verhaften kann. Sie braucht einen Haftbefehl. Außerdem kann sie nicht ohne richterlichen Durchsuchungsbeschluss in meine Wohnung eintreten. Und sie muss mich über meine Rechte aufklären, muss mir einen Anwalt stellen, wenn ich keinen habe und kann mich nicht zwingen, eine Aussage zu machen, wenn ich keine machen will. All dies weiß ich, Gott sei Dank, aus amerikanischen Krimiserien. Ich bin gerüstet.

Doch dann überfallen mich wieder Zweifel. Ich lebe ja nicht in den USA, sondern in Deutschland. Brauchen deutsche Beamte einen richterlichen Beschluss, um meine Wohnung zu betreten? Müssen sie mir meine Rechte verlesen?

Ich rief im Berliner Polizeipräsidium an. Als Polizeisprecher Hansjörg Dräger tatsächlich zugab: »Bei uns werden die Rechte nicht bei der Festnahme verlesen wie in Amerika«, lief es mir kalt über den Rücken.

Die so genannten »Miranda Rights«, wie wir sie in den USA nennen, drehen sich nicht um die Rechte eines Verhafteten zu schweigen, etc., sondern darum, ob die Polizei den

Verdächtigen über seine Rechte eigentlich aufklären muss. Der Verdächtige hätte ja auch in der Schule mal aufpassen können, muss die Polizei ihm denn alles vorkauen? Darum ging es 1966 in dem amerikanischen Strafprozess, in dem ein Angeklagter namens Ernesto Arturo Miranda behauptete, er hätte nicht gewusst, dass er beim Verhör einen Anwalt hätte dabei haben dürfen.

Die Gesetze selbst – das Recht zu schweigen etc. – sind in allen Ländern erstaunlich ähnlich und bestehen auch schon sehr lange – meist seit dem 19. Jahrhundert. Die Unterschiede stecken nur im Detail. In Frankreich muss man einen Verhafteten informieren, wie lange er in Haft bleiben wird, und er hat das Recht auf einen Arzt. In Kanada hat der Verdächtige kein Recht auf einen Anwalt beim Verhör (darf aber vorher und nachher mit einem sprechen). In England muss der Beamte nach der Verlesung der Rechte nicht noch einmal fragen, ob der Verdächtige sie auch verstanden hat (in den USA schon).

In Deutschland hat der Verdächtige nicht nur das Recht zu schweigen und das Recht auf einen Anwalt; falls er Beweismittel zu seinen Gunsten kennt, darf er sie auch kurz erwähnen. Das finde ich alles recht großzügig. Ausländer haben zudem ein Recht auf einen Übersetzer und dürfen ihre Botschaft kontaktieren. »Der Unterschied ist«, sagte Dräger, »bei uns werden dem Verhafteten seine Rechte erst erklärt, wenn es zu einer Vernehmung kommt, nicht schon bei der Verhaftung.«

»Muss der Beamte mir – äh, ich meine, dem Angeklagten – sagen, warum er verhaftet wird?«

»Das ist bei uns gängige Praxis«, meinte Dräger. »Auch wenn es ab und zu in der Hitze des Gefechts vorkommt, dass man sagt, ›Hier wird nicht lange verhandelt‹, wird man spätestens bei der Vernehmung informiert.«

Interessant aber ist, wie man den Verdächtigen über seine Rechte aufklärt. Das ist in Amerika und in Deutschland wieder mal ganz typisch, und völlig verschieden.

In Amerika ist man pragmatisch: Damit man nicht später in der Hitze des Verhörs vergisst, den Verdächtigen über seine Rechte zu informieren, sagt man sich: Wir informieren grundsätzlich jeden schon bei der Verhaftung. Dann muss man sich später nicht mehr darum kümmern, so, wie man den Tisch direkt nach dem Essen abräumt, damit man nicht den ganzen Abend lang daran denken muss.

Die Deutschen bevorzugen es bürokratisch. Dramatisches Rechteverlesen ist nicht ihre Sache. Bei der Verhaftung passiert nichts dergleichen. Erst, wenn es zum Papierkram kommt, wird das erledigt. Jedem Verhafteten wird grundsätzlich ein Wisch vorgelegt, auf dem seine Rechte stehen, und ihm wird gesagt: Lies und unterschreib. Auf dem Wisch gibt es auch noch ein Kästchen, das er ankreuzen muss, wenn er schweigen will. Dann kann das Verhör losgehen oder auch nicht. Dräger: »Wenn er ankreuzt, er möchte sich nicht äußern, ist die Sache gegessen.«

Der klare Vorteil der amerikanischen Methode: Der Cop kann bei der Verlesung der Rechte ganz schön dramatisch werden, wie es sich für TV-Krimis gehört. Das lässt ihm allemal genügend Spielraum für einen Schuss Kreativität: »Du hast das Recht zu schweigen, du Arsch, verstehst du das, Dumpfbacke?«

Der Vorteil der deutschen Methode: Keiner kann nachher behaupten, er wurde reingelegt. Man hat es schwarz auf weiß, es steht in den Akten.

Es ist ein bisschen wie das deutsche Wahlsystem. In Amerika, wo man öfters umzieht und keine Meldebehörde kennt, muss man sich vor jeder Wahl neu ausweisen und neu anmelden. Es ist ein nerviger Prozess, und die meisten von uns überlegen sich zweimal, ob es wirklich notwendig ist, dieses Mal wählen zu gehen.

Ich bin nun wirklich kein Fan der deutschen Meldebehörde, aber ich muss zugeben, es erleichtert das Wählen ungemein. Hier nämlich bekommt man die Wahlbenachrichtigung einfach zugeschickt. Die einzige Mühe, die man sich machen muss, ist das Wählen selbst. Und das fällt auch noch auf einen Sonntag, wo die meisten gar nicht arbeiten!

Was für ein Land! Alle meckern über die übertriebene deutsche Bürokratie, aber sie funktioniert. Wer hätte das gedacht? Kein Wunder, dass so wenige Fälle vor deutschen Gerichten landen, bei denen ein Krimineller sich rauswindet, weil er nicht wusste, dass er den Mund hätte halten können.

Ich fragte Dräger, ob viele Verdächtige bei ihrer Festnahme schimpfen: »He! Das können Sie nicht! Ich kenne meine Rechte – ich schaue jede Woche ›CSI‹!«

»Da taucht schon ab und zu ein Missverständnis auf«, schmunzelte Dräger. »Der Satz mit dem Durchsuchungsbeschluss fällt öfter. Viele glauben, dass die Polizei nur mit einem Beschluss die Wohnung betreten darf. Das kennen sie aus amerikanischen Serien.«

Da wurde es mir eng im Hals.

Aus irgendeinem Grund ist es gerade diese Szene im Fernsehen – wo ein ganzer Trupp Polizisten mit einem Blatt Papier und dreckigen Stiefeln in die Wohnung stürmen –, die mich am meisten mitnimmt. Beim Fernsehgucken verpasse ich in dieser Szene immer die wichtigen Dialoge, weil ich lieber aufpasse, wie ruppig die Beamten im Hintergrund mit den ganzen Sachen umgehen.

Deutschland, scheint es, ist da ein klein wenig lockerer als Amerika. Zwar muss der Beamte auch in Deutschland im Normalfall einen richterlichen Beschluss vorweisen können, doch »wenn der Beamte glaubt, es sei Gefahr im Verzug, kann er die Wohnung ohne Beschluss betreten«, sagte Dräger. Nun, »Gefahr im Verzug« ist natürlich eine recht subjektive Einschätzung. Und nicht nur das: »Der Beamte kann sich auch nachträglich vom Richter bestätigen lassen, dass die Maßnahme richtig war«, so Dräger.

Plötzlich fühlte ich mich hilflos ausgeliefert. Was passiert, wenn ich wirklich zu Unrecht verdächtigt werde? Es gibt genug Hansens in Deutschland, und wie ich den durchschnittlichen Hansen kenne, gibt es schon ein oder zwei Ganoven unter ihnen da draußen. Haben Sie eine Ahnung, wie leicht es wäre, mich mit den bösen Hansens zu verwechseln?

Zum Glück gibt es Anwälte. Auf der Website eines Berliner Anwaltsbüros fand ich Rat.

Als Erstes, steht da, also das Allerwichtigste, was man sich merken muss, wenn die Polizei einen verhaftet oder vor der Tür steht und die Wohnung durchsuchen will:

1. Einen Anwalt anrufen. (Am besten ihn.)
2. Lassen Sie sich den Durchsuchungsbeschluss aushändigen. (Aber in meinem Fall gibt es ja keinen!)
3. Erklären Sie sich nicht einverstanden mit der Sicherstellung von Gegenständen. (Im Volksmund: Meckern. Macht man das aber nicht automatisch?)
4. Den Mund halten. Die einzige Information, die man geben muss, ist Name und Adresse. (Keine Sorge, ich werde sowieso darauf fixiert sein, was die Beamten im Hintergrund treiben.)
5. Achten Sie darauf, dass sämtliche sichergestellten Gegenstände auf einem entsprechenden Protokoll vermerkt werden. (Das kenne ich schon von der Wohnungsübergabe – diese Deutschen! So effizient!)
6. Versuchen Sie, Kopien der sichergestellten Unterlagen anzufertigen. (Was meint er damit? Meine ganze Comic-Sammlung durch den Fotokopierer zu jagen?)

Und noch ein guter Rat steht da: »Grundsätzlich können eine Reihe von Einwänden gegen Durchsuchungen erhoben werden. Tatsächlich führen diese jedoch fast nie dazu, dass die Durchsuchung abgebrochen wird.« Vielen Dank. Und der beste Rat von allem:

Es ist besser, die Polizei sofort zu dem gesuchten Objekt zu führen, auch wenn es versteckt ist. Das verhindert, dass die Beamten die Wohnung verwüsten und womöglich per Zufall auf weitere Dinge stoßen, die sie nichts angehen. Wenn man zum Beispiel gerade seine Schwiegermutter umgebracht und die Leiche im Kühlschrank versteckt hat, es in der Wohnungsdurchsuchung aber nur um Haschischbesitz geht, ist es besser, das Haschisch auszuhändigen. Dann kommt keiner auf die Idee, den Kühlschrank zu durchwühlen.

Aber was macht man, wenn man, wie ich, zu Unrecht verdächtigt wird und gar kein Haschisch besitzt? Da dauert es nicht lange, bis einer den Kühlschrank aufmacht. Ich ahnte es ja schon: Ich habe keine Chance.

Auf einmal fiel mir ein, warum mich diese Serien und der Gedanke, zu Unrecht beschuldigt zu werden, immer so mitnimmt: Wenn es etwas gibt, was ich hasse, ist es aufräumen und putzen. Das Chaos, in dem ich lebe, hat eine sehr fragile Ordnung, und wenn sie gestört wird, finde ich gar nichts mehr.

Ich rief noch einmal in der Polizeibehörde an. Dräger war nicht da, aber ich hatte zufällig einen Kripo-Beamten an der Strippe.

»Nachdem Sie eine Wohnung durchsucht haben«, fragte ich angelegentlich, »was machen Sie dann? Sind Sie verpflichtet, alles wieder aufzuräumen?«

Da lachte er nur. »Natürlich nicht! Das haben Sie sich selber zuzuschreiben.«

Antwort:

C. Die gleichen Rechte werden zwar auch in Deutschland anerkannt, jedoch teilt man sie dem Verdächtigen auf viel effizienterer Art mit, nämlich schriftlich. Wenn Sie allerdings unschuldig sind, nützt Ihnen das auch nichts.

Warum ist deutsche TV-Werbung so … unkomisch?

Ⓐ Die Werbung ist schon komisch, aber wenn die Zuschauer keinen Humor haben, wie sollen sie das erkennen?

Ⓑ Weil man festgestellt hat, dass man Produkte besser mit langweiligen TV-Spots verkauft.

Ⓒ Weil ein unkomischer Witz seriöser wirkt.

Ⓓ Die Kreativen der Werbebranche sind zu sehr damit beschäftigt, kreative Ausreden zu erfinden, um noch Zeit für Witze zu haben.

Kennen Sie den?

Sie schauen eine Sendung namens »Die lustigste Werbung der Welt« oder so ähnlich an, die nur aus ausländischen Werbespots besteht, und nach einer Weile fällt Ihnen auf, dass die Sendung gar nicht mehr lustig ist. »Sind denen die guten Spots ausgegangen oder was?«, denken Sie, und verspüren das dringende Bedürfnis, sofort umzuschalten, als Ihnen klar wird: »Ach so, die echte Werbepause hat angefangen. Wir sind wieder bei den deutschen Spots.«

Wirklich gute Geschichten und wirklich gewagter Humor sind so rar im Fernsehen, dass ich mich jedes Jahr wieder freue, wenn mein kleines Kino um die Ecke die sogenannte »Cannes Rolle« auf die große Leinwand bringt. Sie kennen sicher das Cannes-Filmfestival mit seinem großen Star-Aufgebot und seiner hochgelobten Filmkunst. Nicht ganz so berühmt ist das jährliche Werbefilmfestival in Cannes – zu Unrecht, denn dort laufen meist die tabuloseren und intelligenteren Filme. Die besten internationalen Werbespots werden mit den in der Branche begehrten »Goldenen Löwen« prämiert. Die Löwengewinner werden dann in der »Cannes Rolle« präsentiert, die im jahresbesten »Grand Prix«-Gewinner gipfelt.

Es erstaunt mich immer wieder, wie aussagekräftig so ein kurzes Werbefilmchen sein kann. Einer meiner Lieblingsspots aus der Cannes Rolle ist eine IKEA-Werbung, in der eine alte Stehlampe auf die Straße zum Sperrmüll gestellt wird. Es regnet, die Leute gehen vorbei, ohne sie zu beachten, die alte Lampe scheint ihren Kopf tiefer und tiefer hängen zu lassen, es wird Abend und durchs heimelig erleuchtete Fenster kann man sehen, dass längst eine neue Lampe in die Wohnung eingezogen ist. Die Musik wird immer wehmütiger, bis uns unweigerlich ein Gefühl von tiefer Trauer und Verlassenheit überkommt. Wir leiden ehrlich mit dieser Lampe mit … bis sich plötzlich ein Mann ins Bild schiebt und uns anschnauzt: »Empfindet ihr Mitleid mit dieser Lampe? Leute, wo denkt ihr hin? Wacht auf! Ein Möbelstück hat keine Gefühle!«

Jedes Mal, wenn ich eine langatmige Feuilletonabhandlung über die Manipulation der Gefühle durch die Medien lese, muss ich an diesen Spot denken, der das alles so viel besser in rund einer halben Minute sagt.

Einer der besten Spots überhaupt ist die X-Box-Werbung, die in England vor allem bei Kirchenvertretern für so viel Wirbel sorgte, dass sie aus dem Fernsehprogramm flog. Er beginnt mit einer ganz normalen Geburtsszene im Krankenhaus. Die Frau muss aber ordentlich pressen, meine Güte. Vielleicht übertreibt sie es ein bisschen, denn plötzlich, wie der Korken aus der Champagnerflasche, saust das Kind aus ihr heraus. Und quer durch den Raum! Und durch das offene Fenster! Und weiter durch die Luft! Schreiend. Durch Wolken, Sonne, Nebel, Blitz und Donner. Es wird größer, kriegt Haare, einen Bart, wird erwachsen und schreit und schreit. Und fliegt weiter, über das Erdenrund zischend und schreiend, ein wenig heiser nun, denn die Haare werden weiß, es ist ein alter Mann, die Haare fallen schon wieder aus und die Zähne auch. Endlich nähert sich was ... die Erde ... ein Hügel ... ein Loch? Genau. Das Grab ist schon geschaufelt. Der schreiende Mensch stürzt direkt in seinen Sarg, der klappt zu und das war's. Aus. So kurz ist das Leben. Dann kommt die Message: »Life is short. Play more.« Immer, wenn mich meine Freundin vom Schreibtisch loseisen will, um irgendetwas zu unternehmen, und ich nicht reagiere, muss sie nur den Slogan aus diesem kleinen Meisterwerk zitieren und schon klappe ich den Laptop zu. Wer hätte gedacht, dass ein Werbespot Beziehungen retten kann?

In 54 Jahren »Cannes Lions« haben die Deutschen – übrigens die fünfgrößte Wirtschaftsnation der Welt und vertraut mit sämtlichen Finessen des internationalen Konsums – gerade mal neun Goldene Löwen für ausgezeichnete Werbespots und nur zwei Grand-Prix-Löwen für den besten Werbespot der Welt gewonnen – den letzten vor 37 Jahren. (Es ist also möglich.) Inzwischen hat man hier ja mehr Oscars gewonnen. Deutsche Produkte, ob Autos oder Gummibärchen, kommen überall auf der Welt prima an. Solange jemand anders sie vermarktet.

Ich habe die laut Fachpresse zehn kreativsten Agenturen Deutschlands gebeten, mal zu erklären, wer eigentlich daran schuld ist, dass die Deutschen aus Cannes immer wieder mit leeren Händen heimkehren (abgesehen von Preisen für Printwerbung und andere nichtfilmische Kategorien). Von zehn Werbeagenturen haben fünf geantwortet. Ihre Antworten waren erstaunlich überzeugend, charmant, ja fast intellektuell. Das Einzige, was sie nicht waren, war ... einleuchtend.

Was sagen die Anonymen Alkoholiker? Wir müssen akzeptieren, was wir nicht ändern können. Also schlage ich eine vernünftige Alternative vor. Anstatt dass die Deutschen in Cannes ständig mit dem Kopf gegen die Wand rennen, sollte es fortan eine ganz besondere Wettbewerbssektion nur für deutsche Werbemacher geben: Die goldenen Feigenblätter, bei denen es um die beste Ausrede geht, warum Deutschland wieder mal keinen Grand Prix mit nach Hause nimmt. Es gibt keinen besseren Beweis für die Kreativität der deutschen Werbewirtschaft als ihre Ausreden. Und hier sind die Preisträger 2007:

*Das **Bleierne Feigenblatt** für die »Beste Ausrede, am Goldenen-Feigenblatt-Wettbewerb nicht teilzunehmen«* geht an: *Heye & Partner in Unterhaching*, die keine Antwort auf unsere Umfrage gaben, weil sie die Frage doof fanden.

*Das **Gusseiserne Feigenblatt** für die ernsthafteste »Deutsche-haben-keinen-Humor«-Ausrede geht an Ogilvy and Mathers, Frankfurt*, die sich in einem telefonischen Interview folgendermaßen herausredeten:

»Die Qualität der deutschen Werbung ist ebenso hoch wie die amerikanische oder die englische, aber wir malen auf einem anderen Hintergrund. Deutsche haben nun mal einen eher krachledernen Humor und wollen bei allem möglichst rationale Aufklärung. Man muss akzeptieren, dass der internationale Standard angelsächsisch ist. Das wird in Cannes honoriert. Englischer Humor ist nun mal englischer Humor, darüber können die Deutschen nicht herzlich lachen. Die Deutschen sind die Erfinder der DIN-Norm – etwas weniger Kreatives kann es kaum geben.«

*Das **Kupferne Feigenblatt** für die vernünftigste »Langweilige-Werbung-ist-verkaufsfördernder-als-witzige-Werbung«-Ausrede geht an die Agentur KNSK, Hamburg*, die per E-Mail folgendes Argument einreichte:
»Das Ziel deutscher Werbekunden ist nicht, einen Goldenen Löwen oder den Grand Prix in Cannes zu gewinnen. Das Ziel deutscher Kunden ist, mehr zu verkaufen. Und es ist eben sehr strittig, ob sich das, was am witzigsten ist, auch am besten verkauft.«

*Das **Silberne Feigenblatt** für die intellektuellste »Wir-sind-doch-das-Land-der-Dichter-und-Denker«-Ausrede geht an die Agentur Grey Worldwide Düsseldorf*, die per E-Mail die folgende Begründung lieferte:
»Cannes ist die Werbeolympiade. 5000 Werbespots treten an, um 1 Grand Prix und ein Dutzend goldene Löwen zu erlegen. Es ist schwer. Es ist statistisch unwahrscheinlich. Es ist die begehrteste Auszeichnung der Welt. Insofern gerecht und logisch, dass Deutschland nicht mehr gewinnt. Insofern ist auch ein Silberner und Bronzener Löwe Gold wert. Hinzu kommt, dass die Deutschen das Land der Dichter und Denker sind – und von Geburt an mehr den gedruckten Medien als dem Fernsehen zuneigten. In der Printwerbung sind wir überdurchschnittlich stark und über alle Maßen erfolgreich. Deutscher Humor hat es weltweit schwer – wir wollen es

krampfhaft und da beginnt schon das Problem. Möge der Beste gewinnen – egal woher er kommt.«

*Das **Schwarz-Rot-Goldene Feigenblatt** für die pragmatischste »Wir-sind-doch-hier-nicht-in-Hollywood«-Ausrede geht an Scholz & Friends, Berlin*, die per E-Mail folgendes Statement abgaben:
»Gutenberg kommt aus Mainz, Steven Spielberg aus Los Angeles. Darum ist die andere Seite der Medaille: Deutschland gewinnt überproportional oft goldene Löwen mit Plakaten und Anzeigen. In Deutschland spielen Bücher, Zeitschriften und Zeitungen nach wie vor eine große Rolle. Darum ist auch Printwerbung so wichtig. Viele Kampagnen in Deutschland finden vor allem in Anzeigen und Plakaten statt, nur die großen Kampagnen auch im TV. Und so wächst man auch als Kreativer auf: ›Denkt erst mal in Anzeigen, TV machen wir dann am Schluss, falls noch Geld da ist.‹ In den USA ist das komplett umgekehrt. Darum gibt es die besten Werbefilmproduktionen und Regisseure da und die besten Autofotografen hier.«

*Und nicht zuletzt: die **Große Goldfeige** für die insgesamt charmanteste Ausrede geht an Grabarz & Partner, Hamburg*, die folgendermaßen um den heißen Brei herumschrieben:
»Zuerst die gute Nachricht: Jahrelang war typisch Deutsch, was auch typisch Senegalesisch oder Luxemburgisch war: Nämlich überhaupt gar keine Löwen zu gewinnen. Da hat deutsche Kreation international einfach nicht stattgefunden. Insofern sind wir Deutschen viel, viel besser geworden. In Awards gemessen, ist die deutsche Kommunikation heute sehr viel konkurrenzfähiger als vor 15 Jahren.

Jetzt die schlechte Nachricht: Um Filme zu machen, die für Gold oder einen Grand Prix in Frage kommen, braucht man das genaue Gegenteil irgendeines Prinzips, das man ordentlich und gründlich anwendet. Es bedeutet Mut, Experiment,

Inspiration, Leichtigkeit – und natürlich die Möglichkeit, zu scheitern. (Wir Deutschen scheitern nicht so gern, darum haben wir jahrelang mit Libero statt Viererabwehrkette gespielt.) Und Experimente und Leichtigkeit sind auch nicht unbedingt Eigenschaften, die man als Deutscher so locker in den MaxiCosy geworfen bekommt – fragen Sie mal Rainer Maria Rilke. Oder Rainer Werner Fassbinder. Oder Wim Wenders. Oder Berti Vogts.

Wir Deutschen bauen verdammt gute Atomkraftwerke. Vielleicht sogar die besten der Welt. Solide, sicher, zuverlässig. Sie funktionieren rund um die Uhr und liefern uns Strom für den Backofen, die Waschmaschine, den Nasenhaarschneider – ohne dass es irgendjemand bemerkt oder sich darüber Gedanken macht. Dummerweise funktioniert Werbung, die auf Awardshows ganz oben mitspielt, nicht ganz so wie ein deutsches Atomkraftwerk. Das gilt für Filme noch viel mehr als für Print oder Radio. Denn Filme sprechen gleich mehrere menschliche Sinne an. Und bieten daher besonders viel Raum für Experimente. Das mögen wir Deutschen nicht so. Daher machen wir sie von vornherein lieber ganz besonders solide, sicher und zuverlässig. Im Zweifelsfall überprüfen wir ihre Solidität, Sicherheit und Zuverlässigkeit nochmal in der Marktforschung. Vorsichtshalber. Damit sie genauso funktionieren wie eines unserer berühmten Atomkraftwerke: Sie sind da, sie arbeiten, sie funktionieren – aber kein Mensch da draußen bemerkt sie. Sollten Sie also je ein Atomkraftwerk brauchen, bei dem Sie spontan eine Gänsehaut bekommen oder von dem Sie Ihren Enkeln noch erzählen möchten: Informationskreis KernEnergie, +49 30 49 85 55-30. Bei Werbefilmen geben Sie uns noch ein bisschen Zeit, okay?«

Antwort:

D. Laut den Experten haben die Deutschen grundsätzlich keinen Humor, keine Kreativität, keine Risikofreude und kein Gespür für irgendein Medium, das jünger ist als 500 Jahre. Aber glauben Sie das wirklich?

Wenn es so peinlich ist, »Deutschland, Deutschland über alles« zu singen, warum hat man nicht einfach eine neue Hymne komponiert?

Ⓐ Es gab eine neue Hymne, aber die war noch peinlicher.

Ⓑ Der Texter bestand auf Vorkasse.

Ⓒ Die guten Komponisten waren alle ausgewandert.

Ⓓ Man hat eine neue bestellt, aber es kamen nur Hymnen dabei heraus, wo man im Refrain immer sang: »Es tut uns so leid, wir tun es auch nie wieder.«

Peinliche Nationalhymnen sind nichts Neues. Vermutlich gibt es mehr peinliche Hymnen als gute. Österreichs Hymne hört sich an wie Volksmusik: »Land der Berge, Land am Strome, Land der Äcker, Land der Dome.« Man könnte das Lied von Marianne und Michael singen lassen, und keiner würde merken, dass es sich nicht um ihr ganz normales Repertoire handelt.

Liechtenstein musste seine Nationalhymne umschreiben, um Zeilen wie »dies liebe Heimatland im deutschen Vaterland« in »dies liebe Heimatland, das teure Vaterland« umzuwandeln. Bis 1866 machte der Text ja Sinn, da gehörte Liechtenstein noch zum »Deutschen Bund«. Doch erst fast 100 Jahre später hat sich das Land in einem Anfall von Aktionismus endlich dazu durchgerungen, die insgesamt vier »Deutschland«-Stellen aus dem Lied zu streichen.

Andorras Nationalhymne bräuchte dringend eine Modernisierung, aber scheinbar finden sie einfach nichts in ihrer jüngsten Geschichte, worauf sie echt stolz sind, also greifen sie auf Heldentaten aus dem frühen Mittelalter zurück: »Karl der Große, mein Vater, befreite mich von den Sarazenen«, singen sie noch heute, und »vom Himmel gab er mir das Leben von Meritxel, der großen Mutter.«

Die Engländer schmettern unbeirrt »Gott rette die Königin«, als ob sie lieber auf Nummer sicher gehen wollen, falls dieser neumodische Demokratie-Krams doch noch zusammenbricht. Da sind sie nicht die Einzigen. Russland, Schweden, die Schweiz, Island und Liechtenstein nutzten oder nutzen noch heute die Melodie von »God save the Queen« für ihre eigene Hymne, unterlegt mit anderen Texten. Das kann besonders bei Fußballländerspielen zu Peinlichkeiten führen, zum Beispiel in der EM-Qualifikation 2004, als Liechtenstein auf England traf. Da wurde die gleiche Melodie einfach zweimal hintereinander gespielt und keiner wusste: »Sind wir jetzt dran, oder waren wir das davor?« Klar, dass einem da der Patriotismus ausgeht. Liechtenstein verlor übrigens 0:2. Wahrscheinlich waren sie nicht mal sicher, welches Tor das ihrige war. Auch die alte preußisch-deutsche Nationalhymne, »Heil dir im Siegerkranz«, sang man zur Melodie von »God save the Queen« – zu Ehren des Kaisers.

Man vergisst heutzutage schnell die engen verwandtschaftlichen Bindungen des europäischen Adels. Wenn einer eine schöne Hymne hat, will jeder sie haben, genau wie Kinder ein Spielzeug. Wenn man ins Nachbarland einheiratet, nimmt man die Familienhymne mit. Eine gute Hymne bekommt man schließlich nicht an jeder Ecke. »Ich gehe! Ich heirate den Fürst von Liechtenstein! Und die Hymne nehme ich mit!« – »Die Hymne gehört mir!« – »Das werden wir noch sehen!«

Apropos peinlich: Lassen Sie sich den Text der Marseillaise mal auf der Zunge zergehen: »Vorwärts, marschieren wir! Damit unreines Blut unserer Äcker Furchen tränke!« Das, meine Damen und Herren, ist endlich eine Nationalhymne für richtige Männer, und die Franzosen singen sie noch heute mit Wonne. Besonders, wenn großäugige Französinnen zuhören.

»Deutschland, Deutschland über alles« war nicht immer peinlich – etwa 30 Jahre lang nicht. Bis 1871, als es überflüssig wurde, machte es Sinn.

1841, als es entstand, war das Lied noch subversiv und gefährlich. August Heinrich Hoffmann von Fallersleben schrieb den Text im Exil auf Helgoland, das damals den Briten gehörte. Er war wegen seiner umstürzlerischen Ansichten aus Preußen und weiteren 39 deutschen Fürstentümern hinausgejagt worden, einschließlich seinem Heimatort Fallersleben.

Wer ein bestimmtes, widersprüchliches Gefühl bei der Hymne spürt, irrt nicht: Das Lied ist ein Widerspruch. Der Text mit dem ganzen brüderlichen Einigkeit und Recht und Freiheit erinnert irgendwie an die Parolen der Französischen Revolution; gesungen wird das Ganze aber so getragen, dass man sich glatt im Kirchenchor wähnt. (In Madagaskar kann einem das tatsächlich passieren: da singt die evangelisch-reformierte Gemeinde ein Kirchenlied zu eben dieser Melodie. Auch die evangelischen und methodistischen Gemeinden Südkoreas nutzen die Komposition für gleich zwei Kirchenlieder.) Kein Wunder bei dieser weihevollen Melodie – stammt sie doch von der alten Hymne der Österreicher »Gott erhalte Franz, den Kaiser«, ein Segensgebet für den Regenten, das von Haydn termingerecht zum Krieg gegen die Franzosen 1797 vertont wurde. Er konnte ja nicht ahnen, dass die Melodie bereits ein paar Jahrzehnte später ausgerechnet von einem Revoluzzer für ein Lied der demokratischen Opposition benutzt wurde.

»›Deutschland‹ existierte damals noch nicht«, erklärte Hermann Kurzke, Hymnologe und Professor für neuere deutsche Literaturgeschichte an der Universität Mainz. »Fallersleben war ein nationaldemokratischer Oppositioneller. Er gehörte zu der Gruppe, die die ersten Versuche einer demokratischen Verfassung in der Paulskirche wagten. Sein ›Lied der Deutschen‹ war ein innenpolitisches Lied, das die deutschen Territorien zur Einigung aufrufen sollte. ›Über alles‹ heißt hier ›über Bayern, Sachsen, Preußen‹, nicht ›über Frankreich, über England‹.« Bis 1871 war es ein Revoluzzerlied, doch kaum war Deutschland zur Nation vereinigt, bekam es eine imperialistische Note.

»Plötzlich hörte sich das Lied anders an«, sagte Kurzke. »Es klang wie ›Deutschland über Frankreich und andere Nationen‹. Im Kaiserreich war es nicht die offizielle Hymne – das war noch ›Heil dir im Siegerkranz‹ – aber es war schon massenhaft verbreitet.«

Wie Claudia Schiffer schuldete das »Lied der Deutschen« mindestens einen Teil seines Erfolges dem Umstand, dass es zur rechten Zeit am rechten Ort war. Als das Deutsche Reich im Ersten Weltkrieg auf das Britische Reich traf, wurde es dann doch etwas peinlich, dass die offizielle deutsche Hymne die gleiche Melodie hatte wie »God save the King«. Da sang man dann doch lieber das ehemals demokratische, nunmehr imperialistische »Lied der Deutschen«, und nach dem Krieg blieb man einfach dabei.

»Diese erste deutsche Republik hat das Lied zur Erinnerung an die nationaldemokratische Tradition ausgesucht«, sagte Kurzke. Paradox daran findet er nur, dass die etwas aggressive »Deutschland, Deutschland über alles«-Zeile beibehalten wurde – man ließ sie drin, um die Rechten und die Nationalisten zu besänftigen.

Als dann Hitler an die Macht kam und die Frage einer neuen, frischen Nationalhymne auftauchte, sah er keinen Handlungsbedarf: in der ersten Strophe war schon alles gesagt. Für Begriffsstutzige wurde gleich anschließend noch das Horst-Wessel-Lied gespielt.

Nun war das Deutschlandlied endgültig schwierig geworden, und nach dem Fall des Dritten Reiches wäre ehrlich gesagt der ideale Zeitpunkt gewesen, mal etwas ganz Neues komponieren zu lassen.

Als sich die Bundesrepublik 1949 neu formte, wurde das Deutschlandlied vom Parlament rundheraus abgelehnt, und drei Jahre lang hatte man gar keine Hymne. Bei offiziellen Anlässen spielte man einfach irgendwas von Beethoven, und die Engländer auf Besuch rollten mit den Augen und lachten sich ins Fäustchen: »Wie wär's mit ›Heil dir im Siegerkranz‹, haha.«

Eine Hymne musste her. Da waren sich Bundeskanzler Adenauer und Bundespräsident Theodor Heuss einig. Nur darüber, welches Lied es sein sollte, herrschte zwischen den beiden Krieg. Und jeder wusste, dass Adenauer ein ernst zu nehmender Gegner war. Heuss wollte um jeden Preis ein Neues, Adenauer wollte das Alte. Heuss hatte nur eine Chance: ein Lied zu finden, das auch Adenauer überzeugte. Unverdrossen warf Heuss dem entschlossenen Bundeskanzler einen Hymnen-Entwurf nach dem anderen zu, wie ein Mann in einem Tigerkäfig mit nichts zu seiner Verteidigung außer einem Haufen Steaks.

Zwischen 1949 und 1950 gingen über 500 Vorschläge bei Heuss ein. Es ist keiner darunter, der sich als Hymne eignen würde, aber alle zeichnen ein treffendes Stimmungsbild der Nachkriegszeit (die folgenden Beispiele sind aus dem Buch *Auferstanden über alles* von Ulrich Enzensberger). Einige Autoren waren fest entschlossen, die guten alten Werte wie Treue und Volks- und Vaterlandsliebe nicht sterben zu lassen – und das Wort »Heil« auch nicht:

Heil dir Deutschland, Volk der Treuen!
Heil Dir, teures allezeit!

Andere konnten nicht akzeptieren, dass die Epoche mit dem ganzen Fleiß und Sang und ehrenvollem Klang endgültig vorbei war:

Deutscher Geist und deutsche Frauen,
Deutscher Fleiß und deutscher Sang,
Ihr bewahret trotz Verwirrung
Euren ehrenvollen Klang!

Dann gab es die Verbitterten.

Unheil schlug uns tiefe Wunden,
Schmerzlich haben wir's empfunden,
Not auf's Höchste stieg.
Von der Scholle losgerissen,
Viele jetzt noch leiden müssen,
Ärger als im Krieg,
Ärger als im Krieg.

Doch als man versuchte, etwas weniger Vaterlandstreue und etwas mehr Demokratie reinzubringen, klang es wie ein Werbespruch der Bausparkasse:

Mit Gottvertrauen und Energie
Bauen wir eine Demokratie.

Andere haben Vaterlandsliebe und Demokratie beiseite geschoben und sich ganz auf Moral verlegt:

Deutscher Geist, geh frei voran,
Behüte uns vor Kriegeswahn.

Die ersten Ökos waren natürlich auch schon da, die als Alternative zur Politik einen langen Spaziergang im Wald vorschlugen:

Wenn der Heimat Wälder rauschen,
An Gestaden schmuck und grün,
Horcht der Geist, die Sinne lauschen
Auf den Klang der Harmonien
Alles jauchzet, alles schwebet –
Hin die Brust ins Grüne fort
Hin wo heil'ge Freiheit lebet,
Deutscher Sang und deutsches Wort.

Einige glaubten schon wieder, dass eine neue, bessere Zeit angebrochen sei:

Deutschland, hebe deine Schwingen,
Breite sie im Äther weit,
Deutscher Aar, ins Licht zu dringen,
Mach dich wieder startbereit.

Andere sprachen sich noch Mut zu:

Deutschland, Deutschland, darfst nicht wanken,
Deutschland, Deutschland, zittre nicht!
Wenn auch manchmal in Gedanken
Fast dein Herz vor Sehnsucht bricht.

Die meisten Vorschläge wanderten sofort ins Archiv. Heuss bat sogar Carl Orff, einen Text zu vertonen, doch dieser lehnte dankend ab. Am Ende stand Heuss mit einem Lied da, das er selbst in Auftrag gegeben hatte, und das er sogar mochte, aber er war auch der Einzige:

Land des Glaubens, deutsches Land,
Land der Väter und der Erben,
Uns im Leben und im Sterben

Haus und Herberg', Trost und Pfand,
Sei den Toten zum Gedächtnis,
Den Lebend'gen zum Vermächtnis,
Freudig vor der Welt bekannt,
Land des Glaubens, deutsches Land!

Die zwei weiteren Strophen fingen mit »Land der Hoffnung« bzw. »Land der Liebe« an. Glaube, Liebe Hoffnung: Es war ein Sonntagschullied.

»Das Lied hatte keine Zukunft«, seufzte Kurzke. »Viele hofften damals auf eine christliche Erneuerung, die, wie wir jetzt wissen, nicht werden sollte. Die Melodie war auch ein wenig langweilig. Die Haydnmelodie [die bei dem Deutschlandlied verwendet wird] kann man nicht so leicht verdrängen.« Gottfried Benn nannte das neue Lied »marklos« und empfahl als Nächstes die Umwandlung der deutschen Flagge in eine Fahne aus Kaninchenfell.

1952 schloss man einen Kompromiss: das Deutschlandlied wurde wieder zur Hymne – offiziell jedoch nur seine dritte Strophe. »Ich persönlich finde das besser als eine neue Hymne, weil dieses Lied so eine historische Tiefe hat«, sagt der Hymnologe. »Dass man sich auf die dritte Strophe beschränkt, ist eine gute Lösung, weil es einerseits die Brücke zur demokratischen Tradition nicht abbricht und zugleich die Verbrechen der Vergangenheit nicht leugnet. Aber wenn die Leute heute die Hymne hören, denken sie nicht daran, dass sie demokratischen Ursprungs ist, sie glauben, sie stammt von den Faschisten. Die erste Strophe ist nicht mehr zu retten. Sie wirkt zwangsläufig missverständlich.«

Das sagt eine Menge aus über die sentimentalen Deutschen: Sie mögen nicht durchgängig stolz auf ihre Geschichte sein, aber einen klaren Schnitt wollen sie auch nicht machen. Lieber singen sie eine Hymne mit Gebrauchsanleitung.

»Die Geschichte dieses Liedes ist ein ziemlich getreues Abbild der deutschen Identität, die immer problematisch war«, sagt Kurzke nur dazu.

Ich habe nie verstanden, warum man nicht lieber einfach die zweite Strophe genommen hat. Sie beinhaltet bekanntlich alles, was Deutschland heute ausmacht:

Deutsche Frauen, deutsche Treue,
Deutscher Wein und deutscher Sang!

Nur der Ausdruck »deutsche Treue« klingt noch ein bisschen altmodisch. Kein Problem: das lässt sich leicht ersetzen. Mit »deutscher Fußball«, zum Beispiel. Dann vergisst die Nationalelf auch den Text nicht mehr!

Antwort:

A. Heuss hat sein Bestes getan, eine neue Hymne aufzutreiben, aber das Land der Dichter und Denker konnte ihm nicht helfen. Apropos: Erinnern Sie sich noch daran, welchen Platz Deutschland im letzten Grand Prix belegt hat?

Was hatten die Deutschlandhymne und die Hymne der DDR gemeinsam?

Ⓐ Beide wurden von Schlagerkomponisten der jeweiligen Schutzmacht geschrieben.

Ⓑ Beide wurden von einem Komponisten-Kollektiv verfasst.

Ⓒ Man konnte den BRD-Text auf die DDR-Melodie singen und umgekehrt.

Ⓓ Beide Texte wurden ursprünglich für den jeweils anderen Staat gedichtet.

In der DDR-Wirtschaft gab es mit Seitenblick auf den Westen die Parole »Überholen ohne Einzuholen«. Gemeint war: Wir schlagen die doofen Kapitalisten auch ohne ihre kapitalistischen Methoden nachzumachen.

Na gut, das war Illusion. Doch einmal hat die DDR es geschafft und die BRD dabei ziemlich alt aussehen lassen: als es um eine neue Nationalhymne ging. Da war sie schneller und mutiger. Anstatt auf die alte zurückzugreifen, hat sie ganz zukunftsorientiert eine neue komponieren lassen. *Auferstanden aus Ruinen* entstand schon 1949, als die BRD über ihre Hymne noch lange hin- und herdiskutierte.

Doch damit fingen die Probleme erst an.

Der Text stammt von Johannes R. Becher und die Melodie von Hanns Eisler. Oder auch nicht. Kurz nachdem die Melodie bekannt wurde, hat ihn der westdeutsche Schlagerkomponist Peter Kreuder des Plagiats beschuldigt: Die Tonfolge sei fast die gleiche wie die von *Good Bye Johnny*, dem Schlager, den Kreuder 1939 für den Hans Albers-Film *Wasser für Canitoga* geschrieben hatte – mit einem ebenso zukunftsträchtigen Text:

Goodbye Johnny,
Goodbye Johnny,
warst mein bester Freund,
eines Tages, eines Tages,
sind wir wieder vereint.

Kreuder hatte keine Chance, den Eisernen Vorhang zu durchdringen. Er beschwerte sich zwar bei der UNO, doch das Einzige, was dabei herauskam, war, dass man feststellte: Auch er hatte die Melodie geklaut, und zwar bei Beethoven.

Doch nicht in allem waren die beiden Hymnen unterschiedlich. Sie hatten auch eine Menge gemeinsam. Zum Beispiel: Beide Texte wurden selten gesungen.

Erste oder dritte Strophe hin oder her, in der Bundesrepublik galt Patriotismus, wie er beim Absingen einer Hymne erforderlich ist, einfach als peinlich, und deswegen sang auch keiner so richtig mit, wenn das Deutschlandlied erklang. Die DDR ging auch hier noch einen Schritt weiter und spielte ihre Hymne sehr bald nur noch instrumental – der Text war seit Anfang der 70er tabu. Nicht mal in Schulbüchern war er noch zu finden. Diesmal allerdings nicht aus mangelndem, sondern aus übertriebenem Patriotismus, der an einer einzigen Zeile Anstoß nahm:

Deutschland, einig Vaterland.

Nach den Ostverträgen ab 1963 waren Anspielungen auf eine mögliche deutsche Wiedervereinigung in der DDR nämlich unerwünscht – auch wenn dafür das Absingen der eigenen Hymne geopfert werden musste. Genau diese Zeile war es übrigens, die vom Volk im November 1990 auf Transparenten und in Sprechchören auf der Straße zitiert wurde.

Und noch etwas hatten die beiden Hymnen gemeinsam.

Antwort:

C. Man hing es zwar nicht an die große Glocke, aber der Text der DDR-Hymne hatte eine besondere Eigenschaft.
Die SED hatte vorgesorgt: Falls irgendwann in ferner Zukunft die DDR die BRD schlucken sollte, ließe sich der Text fast problemlos auf Haydns Melodie übertragen. Das nenne ich Flexibilität. Nur schade, dass die DDR keine Chance hatte, ihren Weitblick unter Beweis zu stellen.

Was bedeutet das Schwarz-Rot-Gold der Fahne?

Ⓐ Pulver, Blut und Flamme

Ⓑ Stadt, Land, Fluss

Ⓒ Preußen, Bayern und Hamburg

Ⓓ Oberstoff, Futterstoff und Messingknopf

Was die Farben der amerikanischen Flagge bedeuten, weiß jedes amerikanische Schulkind:

Die roten und weißen Streifen stehen für die ersten 13 Kolonien, die sich 1776 gegen die Engländer auflehnten, und die Sterne repräsentieren die 50 Bundesstaaten. Als Kind konnte ich meinen Heimatstaat auf der Fahne identifizieren: Hawaii ist Stern Nr. 50. Die Geschichte unserer Fahne spiegelt genau die Geschichte der transkontinentalen Landnahme wider: Jedes Mal, wenn wir den Russen, Franzosen, Spaniern, Indianern, Eskimos und Hawaiianern wieder ein Stück Land abgeluchst hatten, steckten wir der Fahne einen neuen Stern an.

Fragt man aber einen ganz normalen Deutschen, was die Farben Schwarz-Rot-Gold bedeuten, legt er seine Stirn in Falten: »Hmm. Keine Ahnung. Ich vermute mal, sie bedeuten gar nichts.«

Ich wollte es genau wissen. Ich rief also Ralf Stelter an – einen Graphiker, der Flaggenhersteller berät – und fragte ihn.

»Die Farben haben keinerlei symbolische Bedeutung«, sagte er.

Ich nahm den Hörer vom Ohr und überprüfte nochmal die Nummer auf dem Display. »Sie sind aber schon der Flaggenexperte, oder?«, fragte ich zur Sicherheit.

»Aber klar«, sagte er.

»Wenn die Farben keinerlei Symbolik haben, wie kann dann die Fahne eine Bedeutung haben?«, wunderte ich mich.

»Die Bedeutung ist eher historisch als symbolisch«, gab Stelter zu.

Der Gebrauch der Farben reicht erstaunlich weit zurück – weiter als die Gründung der BRD oder der Weimarer Republik, weiter als die ersten demokratischen Versuche in der Frankfurter Paulskirche und sogar weiter als das Wartburgfest – nämlich bis 1813.

»Schwarz-Rot-Gold waren die Farben des Lützowschen

Freikorps«, erzählte Stelter. »Das waren Freiwillige – darunter viele Studenten –, die in den Befreiungskriegen gegen Napoleon gekämpft hatten. Sie mussten alles selber stellen, auch ihre Uniformen. Also würfelten sie all die verschiedenen Uniformen, die sie kriegen konnten, zusammen. Jeder brachte mit, was er gerade zur Hand hatte. Damit sie einheitlich aussahen, wurden alle schwarz gefärbt. Das war am leichtesten. Daher stammt das Schwarz. Die Fütterung der Uniformen war grundsätzlich rot, und die Knöpfe grundsätzlich aus Messing – daher Rot und Gold.«

Als die Studenten sich zwei Jahre später, immer noch beflügelt vom Sieg über Napoleon, zu Burschenschaften zusammenschlossen und das revolutionäre Wartburgfest veranstalteten, auf dem sie die zahlreichen deutschen Territorien zur Einigung aufriefen, schufen sie genau aus diesen Farben die Fahne der Revolution – Rot und Schwarz mit einem goldenen Eichenzweig in der Mitte.

Und schon rückte Schwarz-Rot-Gold ins Visier der Obrigkeit. »Auf der Wartburg waren die revolutionären Kräfte Deutschlands komplett versammelt«, so Stelter. »Das hat dazu geführt, dass die Befürworter von Schwarz-Rot-Gold wenige Jahre später verfolgt wurden.« 15 Jahre später war die Revolution immer noch am Brodeln. Auf dem Hambacher Fest in der Pfalz forderte man neben Einheit nun auch noch Freiheit und Demokratie und hisste dazu die Farben der Burschenschaften.

Immer wieder wollten die demokratiebegeisterten Deutschen die schwarz-rot-goldene Fahne schwingen, und immer wieder wurde sie ihnen mehr oder weniger sachte aus der Hand genommen – nur, um sie anschließend ordentlich damit einzuwickeln.

Die Obrigkeit beschloss, so viel wie nötig von den Forderungen der Revolutionäre anzunehmen, ohne natürlich ernsthaft so etwas wie Einigkeit und Recht und Freiheit in Erwägung zu ziehen. Clever rief der Deutsche Bund – eine pseudo-parlamentarische Versammlung von Fürstenvertretern, die alles andere im Kopf hatten als Demokratie – die schwarz-rot-goldene 1848er-Fahne zu ihrer offiziellen Flagge aus.

Na gut, es gab auch erhebende Momente für Schwarz-Rot-Gold. In Berlin kam es zu Straßenkämpfen, derer König Friedrich Wilhelm IV. nicht Herr wurde. Er musste sich aus der Stadt zurückziehen, vorher den mit schwarz-rot-goldenen Fahnen geschmückten Särgen der gefallenen Revolutionäre die letzte Ehre erweisen und auch noch mit einer schwarz-rot-goldenen Armbinde durch die Straßen reiten. Um die Zeit dichtet der Dichter Ferdinand Freiligrath, der im Londoner Exil lebte, ein Loblied auf die Farben:

Pulver ist schwarz,
Blut ist rot,
Golden flackert die Flamme!

Als im Mai 1848 die Nationalversammlung in der Paulskirche in Frankfurt/Main zusammentrat, schmückten die Menschen die Straßen in den neuen Farben und das kurzlebige Parlament legte per Gesetz das Schwarz-Rot-Gold als die offiziellen Farben einer neuen Fahne fest (noch nicht eine Nationalfahne, aber fast).

Damit wurde Schwarz-Rot-Gold zur Flagge der Revolution und des Volkes.

Als es mit der Demokratie in Deutschland dann doch wieder mal nichts wurde, hat man dem Volk die Fahne wieder weggenommen und stattdessen ab 1871 das kaiserliche Schwarz-Weiß-Rot gehisst.

Die fortgesetzte Pfui-Bäh-lass-das-los-Strategie hat gewirkt: drücken Sie mal heute einem stinknormalen Deutschen an einem ganz normalen Tag eine deutsche Fahne in die Hand und er wird sie entsetzt zurückweisen. (Möglicherweise wird er sogar denken, das hätte etwas mit dem Dritten Reich zu tun. Er könnte nicht falscher liegen.)

Doch Schwarz-Rot-Gold war zäh. »Die Weimarer Republik hat das Kaiserreich gestürzt und da hat man sich darauf besonnen, dass das Volk ja immer Schwarz-Rot-Gold geführt hatte – und nicht die Farben des Kaisers«, sagte Stelter. »Die Weimarer Republik hat dann die Fahne des Volkes gewählt.«

Die junge Republik hatte allerdings das Problem, dass nicht alle Deutschen von der real existierenden Demokratie begeistert waren. »Es gab jahrelang Streit zwischen den Flaggen«, so Stelter. »Eine Zeit lang wurden beide parallel benutzt. Die Seeschiffe führten das kaiserliche Schwarz-Weiß-Rot.« Als das Dritte Reich kam, war es schon wieder vorbei für Schwarz-Rot-Gold: »Das Schwarz-Weiß-Rot der Hakenkreuzfahne erinnerte bewusst an das Kaiserreich«, betonte Stelter.

Ich frage mich oft, wie es war, als sich nach dem Untergang des Dritten Reiches eine Handvoll Politiker entscheiden musste, wie es weitergeht. Und vor allem womit? Ich stelle mir vor, im Hintergrund jeder Entscheidung stand die Frage: Knüpfen wir an die Geschichte an oder wagen wir einen Neuanfang?

Adenauer & Co. ergriffen die Gelegenheit, Schwarz-Rot-Gold wieder einzuführen. Typisch deutsch, dachte ich: Fiel ihnen denn nichts Neues ein?

Ich war also ziemlich überrascht, als Stelter die Ausschreibung erwähnte.

»Es gab einen Flaggenwettbewerb«, erzählte er. »Etwa fünfhundert Entwürfe wurden eingeschickt. Sie liegen noch heute im Koblenzer Bundesarchiv.«

»Warum hat man keinen davon genommen?«

»Ich vermute, sie waren einfach schlimm«, murmelte er.

Einige nutzten die alten Reichsfarben, viele waren Blau-Weiß-Rot – die Alliiertenfarben. Manche kombinieren sogar die amerikanischen Sterne mit dem britischen Union Jack. Einige trugen Hammer und Sichel. »Ich glaube, die waren alle so schrecklich, dass man sich sagte, da nehmen wir lieber die alte. Oder man fand noch irgendwo einen riesigen Bestand an alten Schwarz-Rot-Gold-Fahnen und wollte sparen.«

Allerdings waren auch ein paar interessante Ideen darunter. Ein Entwurf zeigt eine vollkommen weiße Fahne. Das finde ich schon irgendwie cool, es lädt aber auch zu bösen Witzen ein. Ein anderer besteht aus schwarz-weiß-goldenen horizontalen Streifen, wobei der oberste schwarze Streifen fast die ganze Fläche ausfüllt und die anderen nach unten hin immer schmaler werden: Das ist keine Fahne, das ist abstrakte Kunst. Interessant, aber vielleicht zu gewagt.

Am Ende entschloss man sich für die geschichtsträchtige Variante. Das Schwarz-Rot-Gold sollte ein Kontinuum darstellen, an das lange demokratische Streben der Deutschen erinnern und zeigen, dass man ein Nachfolgestaat ist. (Die DDR hat dieselben Farben benutzt, weil sie den gleichen Anspruch hatte – Hammer und Sichel kamen erst zehn Jahre später dazu.)

Antwort:

D. Oberstoff, Futterstoff und Messingknopf – und mehr nicht.

Wenn ich allerdings im Nachhinein den Farben der Fahne eine symbolische Bedeutung zuweisen könnte, würde ich sagen:
Schwarz: 133 Jahre Suche nach Demokratie.
Rot: 59 Jahre funktionierende Demokratie.
Gold: Die hellen Studenten haben immer gewusst, wo's langgeht.

Wer ist schuld daran, dass Deutschland seine Produkte mit »Made in Germany« kennzeichnen muss?

Ⓐ Die Amerikaner, weil sie ihre Produkte mit »Made in USA« markieren und die anderen müssen ihnen immer alles nachmachen.

Ⓑ Die Briten, weil sie eine deutsche Weltverschwörung befürchten und sich so vor einer unbemerkten Unterwanderung ihrer Konsumgesellschaft schützen wollen.

Ⓒ Die Amerikaner, Engländer, Japaner und Deutschen, die sich in einer geheimen Sitzung auf die englische Bezeichnung einigten, um die Franzosen zu ärgern.

Ⓓ Die Deutschen selbst, weil sie sich für ihre eigene Sprache schämen.

Selbst mir als Ami fiel das auf, damals in Hawaii: »Made in Japan«, »Made in China«, »Made in Germany«. Das ist doch Englisch. Wenn das Ding tatsächlich aus Deutschland kommt, warum steht das nicht auf Deutsch da drauf?

Eine Weile dachte ich, »Made in Germany« erscheine nur auf Produkten, die in englischsprachige Länder exportiert werden. Dann erfuhr ich, dass es weltweit dazu dient, deutsche Produkte zu identifizieren, selbst in Deutschland. Die armen Deutschen, dachte ich. Was, wenn sie kein Englisch können? Sie betrachten das Produkt, verstehen den Sinn nicht und denken sich: »Wieso können wir so was nicht selbst herstellen? Ach, hätten wir nur den Krieg gewonnen, dann würden jetzt alle deutsch sprechen.«

Das ist unfair: Wir, die englischsprachige Welt, zwingen andere Länder, sich in unserer Sprache auszudrücken. Lange Zeit habe ich mich dafür geschämt – bis ich erfuhr, woher der Ausdruck wirklich stammt.

»In der zweiten Hälfte des 19. Jahrhunderts war Deutschland einer der weltweit wichtigsten Exporteure«, erklärte mir Christoph Buchheim, Professor für Wirtschaftsgeschichte an der Universität Mannheim und Autor des Buches *Industrielle Revolution*, »deutsche Konsumgüter fanden massenweise begeisterte Nachfrage in England.«

Nachdem ganz Großbritannien jahrelang fröhlich ausländische Güter konsumiert hatte, bemerkte ein scharfsichtiger Brite plötzlich, dass das Empire der expansiven deutschen Wirtschaft zum Opfer gefallen war. Das war eine neue gänzlich schockierende Idee. Bis dahin wurde Herrschaftsanspruch gemeinhin an militärischer Macht gemessen. In dieser Beziehung fühlten sich die Engländer sicher: Militärisch waren sie noch immer unschlagbar und machten ihre Nachbarn ordentlich eifersüchtig. Jeder starrte wie gebannt auf die britische Flotte und niemand auf die Wirtschaft. Auf diesem Feld hatten die

Deutschen in aller Stille aufgeholt. Nachdem sie sich mit einiger Verspätung industrialisiert hatten, gingen sie mit umso mehr Eifer daran, alles zu kopieren, was andere Länder so herstellten. Na gut, sie exportierten auch hochwertige Güter und eigene Erfindungen, aber, so Buchheim, »sie haben eine Menge imitiert und billiger gemacht. Sie holten sich ihre Ideen oft auf Weltausstellungen.«

Der kluge Mann, der den schleichenden wirtschaftlichen Imperialismus Deutschlands in einer Reihe von Artikeln angeprangert hat, war ein Journalist namens E.E. Williams. 1896 wurden diese als Buch veröffentlicht. »Darin machte er sein Publikum darauf aufmerksam, dass ihre Häuser voller Schund aus Deutschland waren«, sagte Buchheim, »und dass sie lieber britische Produkte kaufen sollten.«

Das Buch klingt streckenweise wie gutes deutsches Feuilleton, das auf immer neue, eindrucksvolle Weise den Untergang des Abendlands beschwört. Mit dem kleinen Unterschied, dass Williams den Untergang von Englands Weltherrschaft an die Wand malte. Damit hatte er übrigens recht.

> »Die industrielle Überlegenheit Großbritanniens war lange sprichwörtlich; doch sie wird schnell zum Mythos«, schreibt er gleich anfangs. »Die industrielle Herrlichkeit Englands schwindet, und England weiß es nicht ... Dies sind für alle, die an unsere ewige Herrschaft glauben, ernüchternde Fakten.«

Williams beschreibt in deutlichen Worten, wie die Deutschen, Spionen gleich, den Engländern alles abguckten:

> »Bis vor einigen Jahrzehnten war Deutschland ein landwirtschaftlicher Staat. Seine Fabriken waren klein und bedeutungslos; sein Industriekapital winzig; sein Export zu unwichtig, um die Aufmerksamkeit des Statistikers zu rechtfertigen; es importierte meist nur zum eigenen Konsum. Jetzt hat sich alles geändert. Seine Jugend hat sich in englische Häuser gedrängt, hat sich die englischen Herstellungsgeheimnisse erschlichen und ihre eigenen Fa-

briken mit unserem Wissen bereichert. Es hat sein Volk auf eine Weise gebildet, die es in manchen Branchen der englischen Industrie überlegen, in fast allen mindestens gleichrangig macht.«

Er fordert seine Leser auf, sich mal zu Hause umzusehen:

»Betrachten Sie, werter Leser, Ihre Umgebung … Sie werden feststellen, dass sogar die Stoffe an Ihrem Körper mit ziemlicher Sicherheit in Deutschland gefertigt wurden. Noch wahrscheinlicher ist die Kleidung Ihrer Frau deutsche Importware. Das Spielzeug, die Puppen, die Märchenbücher ihrer Kinder wurden in Deutschland hergestellt, ja, selbst das Papier Ihrer patriotischen Zeitung stammt aus Deutschland.«

Williams gab seinen Lesern sogar ein Schlagwort mit, um minderwertige deutsche Waren zu bezeichnen:

»Weil es so offensichtlich ist, dass deutsche Waren nicht deswegen gekauft werden, weil sie Schund, sondern, weil sie billig sind, sollte die treffendste Bezeichnung für sie lauten: ›Billiger Schund‹.«

Er entwarf ein Bild von der deutschen Wirtschaft als eine von finsteren Absichten getriebene, planmäßig gesteuerte imperialistische Maschine, der es nicht allein um Geld geht, sondern um die Unterwerfung der gesamten englischen Wirtschaft:

»Dazu kommt, dass die deutsche Aggression systematisch, universal und tödlich ist, und man muss sie als ein Phänomen des Bösen … betrachten.«

»Es war ein Bestseller«, kommentierte Buchheim trocken, »und sehr einflussreich.« Der Titel: *Made in Germany*.

Das Buch versetzte die armen Engländer dermaßen in Panik um den Verlust ihrer naturgegebenen Vorherrschaft, dass das Parlament bald darauf ein Gesetz verabschiedete, das besagte, alle importierten Produkte seien ab sofort mit dem Herstellungsland zu kennzeichnen. In den folgenden Jahren übernahmen auch andere Länder die Kennzeichnungspflicht, bis es üblich war, alle Exportartikel so zu etikettieren – und zwar nach englischer Tradition gleich auf Englisch.

Das finde ich ganz schön ironisch.

»Made in Germany« war ja im Grunde eine Beleidigung, eine wirtschaftliche Diskriminierung, ein Angriff. Der deutschen Wirtschaft sollte dadurch geschadet, die Deutschen bloßgestellt werden. Was haben die Deutschen getan? Darüber gejammert? Den Kaiser mal mit einem Blumenstrauß bei der englischen Verwandtschaft vorbeigeschickt? Nein, sie verlegten sich bei der Produktion seither dermaßen auf Qualität, bis »Made in Germany« keine Warnung mehr, sondern eine Auszeichnung war.

Das erinnert an die Geschichte des Begriffs »Amerikaner« Bevor es die USA gab, waren wir Amis in unseren englischen Kolonien noch Bürger Großbritanniens und stolz darauf. Die in England lebenden Engländer sahen das anders. Für sie waren wir die peinlichen Brüder aus Übersee. Als der in Boston geborene, weltweit gefeierte geniale Benjamin Franklin nach England kam und sich um einen politischen Posten bewarb, hielt man ihn so lange hin, bis er enttäuscht und wütend nach Amerika zurückkehrte und dort der Revolution zum Erfolg verhalf. Die Engländer nannten uns »Amerikaner«, um uns herabzusetzen – wir waren anscheinend nicht gut genug, um echte »Engländer« zu sein. Als wir die verdammten Engländer rausschmissen, kehrte sich das um: Trotzig nannten wir uns selbst fortan »Amerikaner«. Heute weiß keiner mehr, dass es mal ein Schimpfwort war.

Genau wie keiner mehr weiß, dass »Made In Germany« einst eine Warnung sein sollte.

Antwort:

B. Es waren die Briten, die der Welt diese demütigende Regelung brutal aufzwangen. Dass sie ganz arg provoziert wurden, ist allerdings nicht zu leugnen.

SPRACHE &
SPRÜCHE

Was bedeutet »wallraffa«?

Ⓐ Es ist Schwedisch für »Auftreten unter verdeckter Identität«.

Ⓑ Es ist Italienisch und bedeutet »gierig«.

Ⓒ »Wallraffa miraculosa« ist eine norwegische Flechte, die nur an steilen Fjordklippen wächst.

Ⓓ Es ist eine Rüschen-Gardine von IKEA.

Antwort:

A. Es ist Schwedisch für »Auftreten unter verdeckter Identität«.

Na? Hätten Sie nicht gedacht, dass der olle Günter Wallraff auch in Schweden ein Star ist? Auch wenn er nur deutsche Missstände aufdeckt und keine schwedischen ... oder vielleicht gerade deshalb.

Ab wann wurden die modernen Medien gefährlich?

Ⓐ Seit dem *Anarchist's Cookbook*

Ⓑ Seit der Erfindung der Druckerpresse

Ⓒ Seit der Sendung *Tutti Frutti*

Ⓓ Seit dem Computerspiel *Pac Man*

Es gab eine Zeit, da die Nation der Buchdrucker noch stolz auf ihre Medienerzeugnisse war. Doch irgendwann ist dieser Stolz in Furcht umgeschlagen.

Was ist passiert? Hat man erst Angst vor Pornographie, seit man sie aufs Handy laden kann? Befürchtet man erst seit »Second Life«, dass die Kids mit der wirklichen Welt da draußen nicht mehr zurechtkommen? Ich für meinen Teil erinnere mich noch gut an die Predigten meiner Eltern, dass ich keine Comics lesen und auf keinen Fall mehr als eine Stunde in der Woche fernsehen soll. Das war 1970.

1814 drang ein Mann in Leipzig in die Wohnung einer alten Dame ein und erschlug sie brutal und ohne jedes Gewissen. Als der Pfarrer Johann Georg Tinius aus Poserna in der Nähe von Leipzig als Mörder verhaftet wurde, fand man in seiner Wohnung haufenweise Briefe, in denen er sich unter falschem Namen nach den finanziellen Verhältnissen verschiedener Menschen erkundigt hatte, oft Witwen und ältere Leute, die in letzter Zeit zu Geld gekommen waren, so auch im Falle der Leipziger Dame. Man konnte ihn ebenso mit einem Mord zwei Jahre zuvor in Verbindung bringen. Es handelte sich offenbar um einen Serientäter, der gerade dabei war, auf den Geschmack zu kommen.

Doch das Interessante war, was man noch in seiner Wohnung fand: eine riesige Bibliothek. *Der neue Pitaval*, eine Sammlung von Kriminalfällen aus dem 19. Jahrhundert, beschreibt den Täter und seine Gelüste so:

> »Seine Lieblingsneigung waren Bücher. Er kaufte oft ganze Bibliotheken auf und stand dauernd in lebhaftem Verkehr mit Antiquaren und Büchersammlern. Seine eigene Bibliothek war zu einer für die Verhältnisse eines Landgeistlichen ungeheuren Größe angeschwollen; sie umfasste sechzigtausend Bände.«

Wer hätte das gedacht? Der Pfarrer Tinius mordete offenbar, um seine Büchersucht zu finanzieren. Bücher waren neuerdings an jeder Ecke zu haben, wo jeder potenzielle Mörder Zugang zu ihnen hatte. Bis dahin waren sie den Gelehrten vorbehalten – es waren ja auch die Einzigen, die lesen konnten. Doch um 1800 herum war es üblich geworden, seine Kinder auf diese modernen Schulen zu schicken, und dort eigneten sie sich ganz neue Fähigkeiten an, die sich leicht missbrauchen ließen. Zum Beispiel Lesen.

Das blieb den Verlegern nicht verborgen, und bald erlebte Deutschland einen Leseboom. In Preußen hat sich zwischen 1760 und 1800 die Zahl der Buchhandlungen verdreifacht. Autoren – sicher die Unmoralischsten aller Künstler – witterten das große Geschäft und verfassten statt gelehrter oder religiöser Bücher nun auch Abenteuergeschichten (als Einstiegsdroge für die Jugend), Liebesromane (für labile Frauenzimmer) und ähnlichen Schund, der regen Absatz fand.

Bald sprach ganz Deutschland von einer neuen psychischen Krankheit: Bibliomanie, auch Lesewut oder Lesewahn genannt.

»Es gab zwei Arten der Bibliomanie«, erklärte Buchhistoriker Reinhard Wittmann: »Die gelehrte Bibliomanie, bei der die Intellektuellen Bücher über Bücher kauften, um ihr Wissen zu erweitern. Dann die Lesesucht, vor allem bei der jungen Generation und den Frauen um 1800. Dass gerade die Frauen zum Lesepublikum wurden, war unerhört für die männlichen Aufklärer. Sie sagten, ›wir (als Männer) wollen uns gegen das Feudalregime auflehnen, aber die Frauen sollen bei der Hausarbeit bleiben‹. Lesen war für sie ein exemplarischer Akt der Emanzipation. Sie haben nicht mehr nur das Koch- und Gebetbuch gelesen, sondern Liebesromane, vielleicht auch erotische Lektüre.«

Die Folgen der Lesewut für Frauen und junge Leute waren besonders gravierend, ja, »eine Bedrohung für die gesamte Gesellschaft«, schreibt Wittmann in seiner *Geschichte des deutschen Buchhandels*. Der einflussreiche Schweizer

Kulturkritiker Johann Georg Heinzmann nannte 1795 zwei Faktoren, die gerade im Begriff waren, den Untergang der europäischen Kultur zu besiegeln. Einer davon war die Französische Revolution mit ihren Guillotinen. Der andere war die »Romanleserei«:

> »Es ist nicht ganz unwahrscheinlich, dass die Romane wohl eben so viel im Geheimen Menschen und Familien unglücklich gemacht haben, als es die so schreckbare Französische Revolution öffentlich tut. Wenn man bedenkt, dass Sittenlosigkeit, Spott über ernsthafte Gegenstände, Religions-Verachtung und tierische Wollust in unseren neu aufblühenden Geschlechtern durch die Romanlektüre außerordentlich verbreitet worden sind; so kann man wahrlich die Folgen nicht geringer berechnen, als dass eine Total-Revolution in der bescheidenen, alttreuherzigen Denkungsart [vorgeht], die die Nachkommen noch weit elender [machen wird], als wir es jetzt schon sind.«

Im Übrigen beklagte man nicht nur die Lesesucht, sondern zugleich deren Kommerzialisierung. Solche Klagen haben Sie bestimmt schon gehört: Riesige Buchhandelsketten ziehen sich über das Land, deren Verkäufer nicht mehr ausgebildete Bücherwürmer, sondern einfach ... na ja, Verkäufer sind, die Bücher feilbieten, als ob es irgendwie ... na ja, Waren wären. Und diese Ketten sind so groß und mächtig, dass sie die kleine, gute, die moralisch einwandfreie Buchhandlung an der Ecke verdrängen. Um 1800 hieß es: »Jeder dumme Junge etabliert sich [als Buchhändler].« Und kein Geringerer als Kaiser Josef II. hatte dekretiert: »Um Bücher zu verkaufen, braucht es nicht mehr Kenntnis, als man braucht, um Käse zu verkaufen – nämlich muss jeder sich die Gattung von Büchern oder Käse anschaffen, die am meisten gesucht wird und dann das Verlangen des Publikums durch Preise reizen.« Schon im 16. Jahrhundert ärgerte sich Johann Baptist Fickler darüber, wie Bücher »zum Verderben guter Sitten« führen, da sich besonders die »fürwitzigen Weiber, wenn es regnet und das Wetter unlustig ist, anstatt mit Spazieren und dem Hofleben daheim die Zeit vertreiben.« Buchdrucker, schrieb er, könnten nicht genug von dem Zeug drucken: »Also voll ist diese Welt des Fürwitz.« (Der moderne Kulturkritiker nennt's »Verdummung« – ich aber als Freund des Barocken sage: auch heute noch ist alles Fürwitz!)

Mittlerweile will man unmoralische Rap-Texte verbieten. Auch nichts Neues. Zur Zeit Ficklers waren es billige Flugblätter mit Gassenhauern, die »gottlos« geschimpft wurden, weil sie dazu führten, dass die Kids nur noch schändliche Lieder sangen und ihren Katechismus nicht mehr lernten. Sie schmunzeln, aber das war ernst gemeint. Damals war die Vorstellung einer Gesellschaft, die Gottes Wort vergaß, genauso Schrecken erregend wie unsere Vorstellung einer Welt, in der kein Kind mehr Goethe liest. Und ähnlich wie Gangsta-Rap waren es natürlich auch damals vor allem die Unterschichten, die von dieser Musik verdorben wurden und wieder auf den rechten Weg gebracht werden mussten.

Doch selbst im 16. Jahrhundert war Medienkritik nichts Neues. Schon als Gutenbergs Erfindung bekannt wurde, warnten vereinzelte Stimmen vor deren Potenzial, auch Unwahres, moralisch Verwerfliches, Subversives und Triviales zu verbreiten. Die Zunft der Medienkritiker gibt es also ebensolange, wie es Medien gibt. Und warum auch nicht? Metzger gibt es auch, seitdem es Schweine gibt.

Ich fragte Wittmann, was das für Leute sind, die sich seit 500 Jahren zu diesem Job berufen fühlen.

»Es sind vor allem Pädagogen und Autoritäten, die gegen die Medien wettern«, meinte Wittmann. »Sie haben Angst davor, weil jedes neue Medium – von den Flugschriften der Renaissance bis hin zum Gameboy – dem Rezipienten neue Chancen gibt, sich der staatlichen und kirchlichen Kontrolle zu entziehen. Es separiert das Individuum von der Gruppe und beansprucht Zeit, die der Religion, der Obrigkeit und der Gesellschaft abgeht. Das ist schlecht für die Autoritäten.

Ein neues Medium ist ein Alarmzeichen für die Obrigkeit. Sie muss es sofort unter ihren Einfluss bekommen. Und wenn sie das nicht schafft, muss sie das Medium verteufeln, es sei böse oder gar gesundheitsschädlich – vor allem für Jugendliche, die man ja noch nicht ganz auf den richtigen Weg gebracht hat.«

»Holla«, sagte ich. »Wir geraten scheinbar immer in Panik, wenn etwas Neues passiert. Auch wenn gar keine Gefahr existiert.«

»Das habe ich nicht gesagt«, entgegnete Wittmann. »Mit ihrer Angst vor den neuen Medien haben die Autoritäten nicht ganz unrecht.«

Das umstürzlerische Potenzial der Medien im politischen Bereich zeigt sich immer wieder auf beeindruckende Weise. Nur ein paar Jahrzehnte nach der Erfindung des Buchdrucks zwang Luther die allmächtige katholische Kirche in die Knie – mit Flugschriften. Die Französische Revolution wäre möglicherweise anders verlaufen, hätte man nicht Thomas Paine, das Propagandagenie hinter der amerikanischen Revolution, dazu bewogen, auch in Frankreich aufwieglerische Pamphlete zu schreiben. Ohne West-Fernsehen würde die Mauer möglicherweise immer noch stehen. Kein Wunder, dass der deutsche Staat so lange gezögert hat, bis er Privatfernsehen zuließ, und dass er noch heute so viel Geld in öffentlich-rechtliche Anstalten steckt. Vielleicht sollte man Rap-Texte, Computer-Spiele und Reality-TV wirklich verbieten. Und wenn wir schon dabei sind, Bücher auch. Äh … außer meinem natürlich.

Antwort:

B. Seit es Bücher gibt, werden die Medien als gefährlich empfunden. Spätestens. Über Höhlenmalerei will ich gar nicht erst reden.

Hat das Volk der Dichter und Denker wirklich für jede Gelegenheit einen passenden Spruch parat?

Ordnen Sie die Sprüche auf den folgenden Seiten den jeweils passenden Epochen zu!

Zeitalter

Ⓐ Das Mittelalter

Ⓑ Die Reformation

Ⓒ Der Dreißigjährige Krieg

Ⓓ Die Aufklärung

Ⓔ Lust auf Revolution

Ⓕ Angst vor Revolution

Ⓖ Nationbildung und Kaiserreich

Ⓗ Weimarer Republik

Ⓘ Das Dritte Reich

Ⓙ Der Zweite Weltkrieg

Ⓚ Der Kalte Krieg

Ⓛ Die Wiedervereinigung

Sprüche

① »Jetzt wächst zusammen, was zusammen gehört.«

② »Erst kommt das Fressen, dann kommt die Moral.«

③ »Eine große Epoche hat das Jahrhundert geboren, aber der große Moment findet ein kleines Geschlecht.«

④ »Wer zuerst kommt, mahlt zuerst.«

⑤ »In Gefahr und großer Not bringt der Mittelweg den Tod.«

⑥ »Wir wollen mehr Demokratie wagen.«

⑦ »Davon geht die Welt nicht unter.«

⑧ »Von hier und heute geht eine neue Epoche der Weltgeschichte aus, und ihr könnt sagen, ihr seid dabei gewesen.«

⑨ »Ich kann gar nicht so viel fressen, wie ich kotzen möchte.«

⑩ »Man muss dem Volk aufs Maul schauen.«

⑪ »Denk ich an Deutschland in der Nacht, dann bin ich um den Schlaf gebracht.«

⑫ »Jeder muss nach seiner Fasson selig werden.«

Antwort

Zeitalter A – Das Mittelalter
Spruch 4: »*Wer zuerst kommt, mahlt zuerst.*«

EIKE VON REPGOW um 1224 in seinem frühen deutschen Rechtsbuch *Sachsenspiegel*.

Wer hätte das gedacht? Die Frage nach Eigeninitiative im Sozialstaat – eine der frühesten Grundlagen des deutschen Kapitalismus – war schon im Mittelalter beim Gedrängel vor der Mühle ein ganz heißes Thema.

Zeitalter B – Die Reformation
Spruch 10: »*Man muss dem Volk aufs Maul schauen.*«

MARTIN LUTHER 1530 in seinem *Sendbrief vom Dolmetschen* über seine Bibelübersetzung in die Umgangssprache.

Er hat geschaut, und wie. In seinen überhitzten, Blog-ähnlichen Flugblättern bewies der erste Bestsellerautor der Welt eine schier endlose Phantasie bei dem unermüdlichen Einsatz von Begriffen, die mit dem Vorgang und der Anatomie des Stuhlgangs intim verwoben sind. Wenn heutige Prediger etwas mehr von Luthers Werken übernehmen würden als nur die langweiligen Stellen, würde auch ich regelmäßig *Das Wort zum Sonntag* schauen. Wo bist du geblieben, Martin?

Zeitalter C – Der Dreißigjährige Krieg
Spruch 5: »*In Gefahr und großer Not bringt der Mittelweg den Tod.*«

FRIEDRICH VON LOGAU 1654 in seiner Sammlung von Sinngedichten und Epigrammen.

Die Deutschen liebten schon immer Extreme: Alles oder nichts! Keine Kompromisse! Dieser Spruch hätte ebenso gut von Ulrike Meinhof stammen können.

Zeitalter D – Die Aufklärung
Spruch 12: »*Jeder muss nach seiner Fasson selig werden.*«

FRIEDRICH DER GROSSE 1740 zum Thema Religionsfreiheit.

Und Sie dachten, der deutsche Gutmensch mit seiner Toleranz sei eine moderne Erfindung? Wie intolerant Ihren Vorfahren gegenüber!

Zeitalter E – Lust auf Revolution
Spruch 8: »*Von hier und heute geht eine neue Epoche der Weltgeschichte aus, und ihr könnt sagen, ihr seid dabei gewesen.*«

JOHANN WOLFGANG VON GOETHE 1792 anlässlich der Artillerieschlacht von Valmy, bei der die französischen Revolutionstruppen siegten.

Ist ja wieder mal klar: Anfangs Feuer und Flamme für irgendeine Utopie und sogar bereit, Blut dafür zu vergießen ...

Zeitalter F – Angst vor Revolution
Spruch 3: »*Eine große Epoche hat das Jahrhundert geboren, aber der große Moment findet ein kleines Geschlecht.*«

FRIEDRICH SCHILLER, 1797, enttäuscht vom Verlauf der Französischen Revolution.

... doch sobald sie mit der harten Realität kollidiert, kneift man den Schwanz ein.

Zeitalter: G – Nationbildung und Kaiserreich
Spruch 11: »*Denk ich an Deutschland in der Nacht, dann bin ich um den Schlaf gebracht.*«

HEINRICH HEINE im Pariser Exil 1843 in seinem Gedicht *Nachtgedanken.*

Was Heine mit seinen Zeilen ursprünglich ausdrücken wollte, ist inzwischen egal, so oft wurden sie zu anderen Zwecken eingesetzt. Mir kommen die Worte immer in den Sinn, wenn ich an Deutschlands nie abgeschlossene Suche nach Identität denke – ein besseres Bild als eine lange rastlose Nacht gibt es dafür gar nicht.

Zeitalter H – Weimarer Republik
Spruch 2: »*Erst kommt das Fressen, dann kommt die Moral.*«

> BERTOLT BRECHT 1928 in seiner *Dreigroschenoper*.

Das nächste Mal, wenn Sie sich fragen, warum die Deutschen alles immer mit so hohen moralischen Standards messen müssen, denken Sie daran: Sie sind gut genährt.

Zeitalter I – Das Dritte Reich
Spruch 9: »*Ich kann gar nicht soviel fressen, wie ich kotzen möchte.*«

> Dem Maler MAX LIEBERMANN 1933 zugeschriebener Kommentar anlässlich der nationalsozialistischen Machtergreifung.

Ich liebe diesen Spruch, weil er zeigt, dass einige Menschen sehr wohl wussten, was jetzt kommt.

Zeitalter J – Der Zweite Weltkrieg
Spruch 7: »*Davon geht die Welt nicht unter.*«

> ZARAH LEANDER 1942 in ihrem Schlager aus dem Film *Die große Liebe.*

Aus der Distanz betrachtet hatte sie sogar recht.

Zeitalter K – Der Kalte Krieg
Spruch 6: »*Wir wollen mehr Demokratie wagen.*«

> WILLY BRANDT in seiner Regierungserklärung 1969.

Bei diesem Satz, der zum Teil eine Reaktion auf die Forderungen und Protestaktionen der frühen 68-Bewegung war, denke ich immer: Hätte das nicht jemand 100 Jahre früher sagen können?

Zeitalter: L – Die Wiedervereinigung
Spruch 1: »*Jetzt wächst zusammen, was zusammen gehört.*«

WILLY BRANDT zum Fall der Berliner Mauer 1989.

Was Brandt nicht gesagt hat, war: »Jetzt wird zusammengeklebt«... oder »zusammengezwungen«... oder »zusammen in den Sonnenuntergang geritten« ...

Sprüche freundlicherweise ausgesucht und zusammengestellt von Werner Scholze-Stubenrecht, stellvertretender Leiter der Dudenredaktion.

Was bedeutet »Rainiboto«?

Ⓐ »Gummistiefel« in Schweden

Ⓑ »Regenmacher« bei den Apachen

Ⓒ »Franzmänner« in Korea

Ⓓ »Deutsche« auf Madagaskar

Antwort:

D. Deutsche.
Beim Stichwort Madagaskar denkt man erst mal an Frankreich.

Es waren ja auch die Franzosen, die im 19. Jahrhundert dort als Kolonialherren die Sklaverei abgeschafft, Straßen und Eisenbahnlinien aufgebaut und nebenbei eine 60-jährige Gewaltherrschaft errichtet haben, deren Nachwirkungen bis heute zu spüren sind.

Wie dem auch sei, trotzdem kämpften im Ersten Weltkrieg madagassische Soldaten Seite an Seite mit den Franzosen in Verdun gegen die Deutschen. Dort warfen sich die Franzosen mit folgendem Schlachtruf ins Gefecht: »Le Rhin est le but!« (»Der Rhein ist das Ziel!«) Als die madagassischen Soldaten nach Hause zurückkehrten, brachten sie eine neue Bezeichnung für die Deutschen mit: Nicht »Krauts«, nicht »Jerrys«, nicht »Hunnen«, sondern eine Abwandlung von »Le Rhin est le but« – »Rainiboto«.

Heute sind die deutsch-madagassischen Beziehungen übrigens deutlich herzlicher.

Wieso versteht ein Deutscher Jiddisch leichter als Holländisch?

Ⓐ Weil Jiddisch das ursprüngliche Deutsch ist.

Ⓑ Weil Sie wahrscheinlich eine jüdische Großmutter haben.

Ⓒ Weil Sie aus lauter Schuldgefühlen zehn Jahre Jiddisch studiert haben.

Ⓓ Weil Holländisch keine Sprache ist.

Mancher, der als Kind zum ersten Mal Jiddisch hört, fragt seine Eltern, warum Juden denn Deutsch sprächen? Dann kommt die Antwort:

»Das ist nicht Deutsch, das ist Jiddisch.«

»Und warum sprechen sie eine Sprache, die klingt wie unsere? Nach allem, was sie in Deutschland erleben mussten?«

»Das ist einfach so, Kind«, sagt die Mutter, und das Kind erkennt: Die weiß es auch nicht.

Jiddisch ist weder Pidgin noch Slang und auch keine Abwandlung des Hebräischen, sondern eine eigenständige Sprache, die aus dem mittelalterlichen Deutsch erwachsen ist. »Hebräisch wurde schon zur Zeit Jesu als Volkssprache nicht mehr gesprochen«, so Professor Niko Oswald vom Institut für Judaistik an der Freien Universität Berlin. »Hebräisch war die Sprache der Gelehrten, wie Latein in Europa.« Dass die mitteleuropäischen Juden Deutsch als Volkssprache hatten, zeigt, wie lange sie trotz Ghettoisierung mit der deutschen Kultur verbunden waren. Als sie in der Frühen Neuzeit mehr und mehr aus Deutschland vertrieben wurden, nahmen sie ihre Sprache mit nach Osteuropa. Dort mischte sie sich mit diversen slawischen Sprachen und entwickelte sich eigenständig weiter.

Eigentlich klingt Jiddisch ziemlich genauso, als könnte man mal kurz sein Ohr ins Mittelalter halten. »Jiddisch hat das Mittelhochdeutsche zu großen Teilen konserviert«, sagt Oswald, »ähnlich wie die Amish in den USA eine alte deutsche Mundart beibehalten haben.« Heute erforscht mancher Historiker Jiddisch, um mehr über die deutschen Mundarten des Mittelalters zu erfahren.

Obwohl ein Deutscher die Sprache nicht ohne weiteres lesen kann – sie wird mit hebräischen Schriftzeichen geschrieben –, kann er sie gesprochen meist leichter verstehen als

Holländisch. Noch heute hört man das Deutsche in solchen Worten wie »fardrayt« (verdreht), »keppe« (Kopf), »klop« (klopfen), »shtupn« (stupsen), »shtick« (Stück) und »zoftig« (saftig).

Umgekehrt sind erstaunlich viele jiddische Begriffe ins Deutsche gewandert. »Betucht« kommt aus dem hebräischen »batuach« und bedeutete ursprünglich »sicher«; »Ganove« stammt von »Ganeff« und »Kaff« von »kafar« (Dorf). Kies, Maloche, mies haben die Deutschen aus dem Jiddischen, und »Pleitegeier« war ursprünglich eine Verbindung aus dem hebräischen »plete« und dem deutschen »gehen« und hieß »auf die Flucht gehen«. Schmonzette, Schmiere stehen, schnorren, Stuss, Tacheles reden, Tinnef, Techtelmechtel – alles aus dem Jiddischen. Vermutlich stammt »Hals- und Beinbruch« aus dem hebräischen »hazlacha uwracha« (»Erfolg und Segen«) und wurde beim Geschäftsabschluss in der jiddischen Form »hazloche und broche« ausgesprochen. Was die Deutschen darüber dachten, dass die Juden ständig »Hals- und Beinbruch« wünschten, ist nicht überliefert. Es muss ihnen aber gefallen haben, denn sie haben den Begriff weiter verwendet.

Erstaunlich auch, wie viele deutsche Worte der durchschnittliche Ami kennt: Dreck, ganz, genug, Lachs, Mensch, Schwarze, verklemmt, platzen, schleppen und Schmutz. Auch »kitsch«, »schmooze« (Smalltalk, von schmusen), »shpiel« (langes Gerede, von Spiel), »krankhayt« (Krankheit), »narishkeit« und das Wort für Penis, »shlong« (von Schlange) haben aus dem Jiddischen ins Englische gefunden.

Noch bis zum Zweiten Weltkrieg wurde Jiddisch überall auf der Welt gesprochen, und viele traditionelle jüdische Gemeinden wie in New York, London, Antwerpen und Jerusalem tun es heute noch. Obwohl die Zahl derer, die es beherrschen, geschrumpft ist, existieren heute weltweit etwa 100 jiddischsprachige Publikationen und Programme wie »Dos Jidisze Wort« (Polen) oder »Lebns Fragn« (Israel).

»Dass die Juden die Sprache genau des Landes bewahren,

das sie gedemütigt hat«, sagt Oswald, »daran sieht man die Schicksalsverbindung zwischen den Deutschen und Juden.«

Antwort:

A. Weil Jiddisch das ursprüngliche Deutsch ist.

Was lieben die Finnen an den Deutschen?

Ⓐ Dass man sie prima unter den Tisch trinken kann.

Ⓑ Dank der Deutschen wissen die Finnen endlich mehr über sich selbst.

Ⓒ Kaum ist ein Deutscher in der Nähe, lassen die Mücken endlich von den Finnen ab.

Ⓓ Nur die Deutschen tragen so schöne Schnurrbärte.

Von den vielen Sprüchen, die die Deutschen über sich selbst machen, ist einer der wichtigsten »Deutsche Sprache, schwere Sprache«.

Ich mag diesen Spruch. Nicht, weil er unbedingt stimmt – versuchen Sie mal Polnisch zu lernen –, sondern weil er so selbstironisch ist.

Wenn der Deutsche eine Fremdsprache spricht, zum Beispiel Englisch, geht er grundsätzlich davon aus, dass er sich damit zum Narren macht. Ich glaube, ich habe noch nie mit einem Deutschen in meiner Muttersprache gesprochen, ohne dass er sich für sein schlechtes Englisch entschuldigt hat. Auch wenn es perfekt war.

Wenn er aber hört, dass jemand anders sich bemüht, Deutsch zu sprechen, und es nicht ganz schafft, lächelt er wissend: »Ja, ja, macht nichts, deutsche-Sprache-schwere-Sprache.«

Die Finnen haben auch so einen Spruch, mit dem sie sich über ihre eigene Art lustig machen: Sie sind ein Volk, sagt mancher Finne, das »in zwei Sprachen schweigt«.

Das ist schön. Fast zu schön. Kein Wunder: Es stammt von einem deutschen Dichter.

Als die Nazis 1933 begannen, seine Bücher zu verbrennen, floh Bert Brecht nach Prag, Wien, Zürich, Dänemark, Schweden und 1940 nach Finnland. Dort lebte er etwa ein Jahr lang auf Einladung der estnisch-finnischen Schriftstellerin Hella Wuolijoki auf deren Familiengut. In der kurzen Zeitspanne konnte er offenbar einiges von dem Land in sich aufsaugen. Er nahm sich Wuolijokis Theaterstück *Sägespäneprinzessin* vor und schrieb es in ein eigenes Stück um: *Herr Puntila und sein Knecht Matti*. (Wuolijoki gefiel das so sehr, dass sie Brechts Adaption wieder ins Finnische zurückübertrug und es unter dem Titel *Der Gutsherr Iso-Heikkilä und sein Knecht Kalle* veröffentlichte.)

Aber das hat nichts mit dem Spruch zu tun.

Neben der Arbeit an dem Stück verfasste Brecht weiter Gedichte. Lakonisch schrieb er:

Der Flüchtling sitzt im Erlengrund und nimmt
Sein schwieriges Handwerk wieder auf: das Hoffen.

Im Gedicht *Finnische Landschaft* beschreibt er die Gegend, in der er im Exil herumsitzt, und was er dort den lieben langen Tag beobachtet, während er darauf wartet, wie es denn nun mit ihm weitergeht:

Er fragt die Fähre, die mit Stämmen fährt:
Ist dies das Holz, ohn das kein Holzbein wäre?
Und sieht ein Volk, das in zwei Sprachen schweigt.

Es geht auch bald weiter: nach Moskau, nach Hollywood, zurück nach Deutschland und in die DDR. Doch bevor er geht, hinterlässt er dieses kurze, liebevolle Gedicht, das seine Gastgeber in wenigen Worten umreißt. Vor allem die letzte Zeile ist so treffend, dass viele Finnen sie immer wieder gern zitieren.

Antwort:

B. Dank des Deutschen wissen die Finnen endlich, dass sie nach Ansicht mancher Besucher ein wenig zu selten den Mund aufmachen. Finnische Sprache, sparsame Sprache.

Was bedeutet »emden«?

Ⓐ Hemden, in französischer Betonung

Ⓑ »Ende der Welt« auf Friesisch

Ⓒ »Präzise, effektiv« auf Tamilisch

Ⓓ »Dummer Hund« auf Malaysisch

Antwort:

C. Während des Ersten Weltkriegs erschien eines Tages am Golf von Bengalen vor Madras ein deutsches Kriegsschiff namens »Emden«. Wenige Tage später existierte Madras nur noch als Ruine.
Das war mal ein Schiff, das viel für seinen Ruf tat: Zwischen August und November 1914 hat die *Emden* 23 Handelsschiffe und diverse feindliche Kreuzer sowie Zerstörer, zum Teil viel größer als sie selbst, versenkt und wurde so zu einem der bekanntesten deutschen Kriegsschiffe überhaupt. Getarnt als britischer Kreuzer (mit falschem Schornstein) hatte die *SMS Emden* drei Monate lang spektakuläre Erfolge, bis sie schließlich selber nach dem Kapern einer Funkstation auf den Kokosinseln versenkt wurde.
Die *Emden* hatte die heutige tamilische Hauptstadt, damals ein wichtiger Stützpunkt der Briten mit vielen Öllagern, auf besonders methodische Art plattgemacht. Das hat die Überlebenden so sehr beeindruckt, dass sie das Wort »emden« in die tamilische Sprache aufnahmen – allerdings nicht mit der Bedeutung »Brutal«, »Zerstörer« oder gar »Die-verdammten-Deutschen-kommen-Leute-rennt-um-euer-Leben«, sondern halb bewundernd: »effektiv, präzise«. Laut Thomas Maltens Tamil-Wörterbuch bedeutet *emden* in Tamil auch »schlauer Fuchs« oder »gewiefter Bursche«.

Was bedeutet »schlaffosa«?

Ⓐ »Müde« auf Italienisch

Ⓑ »Schlafsofa« in Kamerun

Ⓒ »Wollen Sie mit mir schlafen?« auf Portugiesisch.

Ⓓ »Impotent« in Holland

Antwort:

A. »Sono molto schlaffosa« ist in manchen Teilen Italiens ein fester Begriff und bedeutet »Ich bin schläfrig«.

Die Redewendung scheint aus Capri zu kommen, das bereits im 19. Jahrhundert ein beliebtes Ziel deutscher Touristen war, die sich dort zum Teil für länger niederließen und sich anscheinend schlagartig unglaublich entspannten.

Was bedeutet »duc«?

Ⓐ »Tugendhaft« auf Vietnamesisch

Ⓑ »Deutsch« auf Vietnamesisch

Ⓒ Beides ist richtig.

Antwort:

C. »Duc« (gesprochen »dück« mit kurzem ü) ist das vietnamesische Wort für »Deutsch« bzw. »Deutscher« und bedeutet zugleich »tugendhaft« sowie »moralisch«. Wenn das nicht der Beweis ist, dass die Deutschen die originalen Gutmenschen sind! Die Vietnamesen sind die Einzigen, die das verstanden haben.

Allerdings bedeutet duc auch noch »heilig«, »erhaben« und »Eminenz«. Das ist ziemlich viel für ein so kleines Wort. Stellen Sie sich vor, Sie sind vietnamesischsprachiger Deutscher auf den Straßen von Hanoi – jedes Mal, wenn im Gespräch die Worte »tugendhaft«, »heilig« oder auch »Euer Eminenz« fallen, drehen Sie sich um und sagen: »Ja, bitte? Meinen Sie mich?« Was immer Sie auch tun, eröffnen Sie bloß keine Würstchenbude auf den Straßen von Hanoi. Falls jemand ein »xuc xich duc« bestellt – woher wollen Sie wissen, ob er nun ein tugendhaftes Würstchen, ein heiliges Würstchen oder ganz einfach ein deutsches Würstchen will?

Wer hatte den größeren Wortschatz – Goethe oder Shakespeare?

Ⓐ Goethe

Ⓑ Shakespeare

Kleiner Tipp: Das legendäre *Deutsche Wörterbuch* der Gebrüder Grimm enthält 350 000 Stichwörter in 33 Bänden. Das *Oxford English Dictionary* enthält 616 500 Einträge.

Wer war besser? Englands Genie Shakespeare oder das deutsche Genie Goethe?

Der renommierte Literaturkritiker Harald Bloom stellte einen umstrittenen, aber viel beachteten Kanon der Weltliteratur zusammen (ähnlich wie Marcel Reich-Ranicki es für Deutschland tat, nur ambitionierter). Von Goethes Werken stehen 14 Einzeltitel auf Blooms Liste. Bei Shakespeare steht da nur: *Plays and Poems*. Also alles.

Das Projekt »Gutenberg of Australia« hat mit Hilfe der Bücher *500 Classics Reviewed* und *1001 Books You Must Read Before You Die* die wichtigsten Werke der westlichen Welt zusammengestellt. Auf dieser Liste hat Goethe sage und schreibe vier Titel (*Faust, Die Wahlverwandtschaften*, *Die Leiden des jungen Werther* und *Wilhelm Meisters Lehrjahre*). Shakespeare ist mit 24 Stücken vertreten.

Ich probierte es bei der Internet Movie Database (IMDB.com). Ich suchte danach, wie viele Filme weltweit aus den Stoffen der beiden Autoren entstanden sind. Shakespeare: 688, Goethe: 74.

Hm ... Vielleicht ist die englischsprachige Welt in ihrer Auswahl der Klassiker doch etwas voreingenommen. Der Fairness halber suchte ich ein neutrales Drittland aus: Frankreich. Auf Amazon.fr tippte ich nacheinander die beiden Namen ein. Es wurde mir folgende Anzahl von Titeln angeboten:

Shakespeare: 2479
Goethe: 1796

Tja, man muss eingestehen: Shakespeare kommt weltweit einfach besser an als Goethe. Das war Balsam für meine englische, äh, amerikanische Seele.

Doch Moment mal: heißt das, dass Shakespeare das größere Genie war?

Gehen wir die Sache einmal anders an. Nicht danach, wer die beliebteren Geschichten schrieb, sondern: Wer war klüger? Von unseren Nationalgenies erwarten wir schließlich neben Talent auch Intelligenz.

Nun, die beiden stehen uns für IQ-Tests nicht mehr zur Verfügung. Macht nichts: Die amerikanische Psychologin Catherine Cox hat 1926 einen Weg gefunden, posthum den Intelligenzquotienten zu messen. Das heißt, sie hat Goethes und den von 299 anderen Genies gemessen, nicht aber den von Shakespeare. Wahrscheinlich hat sie nicht genau verstanden, was er so schrieb: Shakespeare im Original ist für uns Englischsprachige noch schwerer zu lesen als Goethe in Übersetzung. Oder sie hat auf die zahlreichen anonymen britischen Drohbriefe reagiert.

Zur Orientierung: Ein IQ von rund 100 gilt als Durchschnitt, die Schwelle zum Genie liegt bei 130. Nach Cox hatten Balzac und Cervantes jeweils einen IQ von 155, Einstein einen von 160. Dann ging es los mit den echten Genies: Da Vinci mit 180, Galileo mit 185, Voltaire mit 190 und Leibniz mit 205.

An der Spitze der Liste stand Goethe mit einem IQ von 210.

Pech für uns, dass Shakespeare nicht auf der Liste steht. Doch es gibt noch eine letzte Möglichkeit, die beiden miteinander zu vergleichen: Wer von beiden hat den größeren Wortschatz?

Die Antwort:

A. Nach einer Auswertung ihrer bekannten Schriften (dabei wissen wir gar nicht, wie viele von Shakespeares Werken er selber schrieb; auch haben wir von Goethe weit mehr verschiedene Schriften wie Briefe etc.) hat unter anderem der Goetheforscher Georg Objartel die Wortschätze Goethes, Shakespeares und anderer Autoren der Weltliteratur ausgewertet und kam zu folgender Schätzung:

Goethe	90 000 Worte
Shakespeare	29 000 Worte

Das tut weh.

Doch eins sollten Sie wissen: Das ist nicht die ganze Liste. Einen gab es laut einigen Wissenschaftlern, der Goethe noch übertraf, und zwar ein Englischsprachiger. Hier ist die komplette Liste der zehn wortgewandtesten Schöpfer der Weltliteratur:

Joyce	100 000 Worte
Goethe	90 000 Worte
Schiller	30 000 Worte
Shakespeare	29 000 Worte
Ibsen	27 000 Worte
Storm	22 400 Worte
Luther	23 000 Worte
Puschkin	21 200 Worte
Milton	12 500 Worte
Cervantes	12 400 Worte

Das sagt übrigens eine Menge aus über deutsche und angloamerikanische Erzähler.

Haben Sie sich je gefragt – vielleicht nach der Lektüre eines »Harry Potter«-Bandes: »Warum können deutsche Autoren nicht so schreiben?« Können sie wohl – Karl May ist der Beweis. Doch manchmal, wenn ich die Bestsellerlisten anschaue, habe auch ich den Eindruck, dass die angloamerikanischen Autoren einen publikumsfreundlicheren Stil pflegen als viele ihrer deutschen Kollegen. Dass sie sich also an eine Geschichte klammern, während es deutschen Erzählern um etwas anderes geht: Vielleicht um Analysen, vielleicht um eine tiefe Aussage oder neue Erkenntnis oder schlicht um formvollendete Sätze.

Kann es sein, dass Deutschland und England zwei verschiedene Literaturtraditionen vertreten?

Während Goethe sich ständig mit neuen Aspekten aus Kultur, Wissenschaft und Politik befasste, hat Shakespeare ausschließlich ganz klassische Stücke geschrieben und, na gut, ab und zu ein geniales Sonett nebenher. Aber er hat (soweit wir wissen) niemals so etwas wie eine »Farbenlehre« verfasst oder über Neptunismus, Revolution und Freimaurertum sinniert.

Dazu kommt ein nicht zu unterschätzender Punkt: Shakespeare schrieb für seinen Lebensunterhalt. Er war Freiberufler und auf zahlendes Publikum angewiesen. Er musste Geschichten finden, die seinen Zuschauern gefielen; Figuren, die es schafften, jedem zu Herzen zu gehen, ob gebildet oder nicht. Goethe ließ sich zwar gern von seinen Verlegern entlohnen, das machte aber nur ein Drittel seines Einkommens aus. Der Löwenanteil stammte aus Familienvermögen und aus seiner geheimratlichen Tätigkeit. Auf ein zahlendes Publikum war er nicht angewiesen. Er schrieb aus anderen Gründen: für das Renommee vielleicht, womöglich zur eigenen Unterhaltung oder einfach um der Kunst willen.

Deutsche kritisieren gern den Hang mancher englischen und amerikanischen Bestsellerautoren zum Kommerz, doch wir finden es ehrenvoll, unseren Wert an verkauften Exemplaren zu messen. Den Deutschen reicht das nicht – sie wollen mehr, sie streben nach intellektuellen Hochleistungen. Kommerz erscheint ihnen als Kompromiss und als Sünde gegen die Kunst. Beide Einstellungen entstammen den Erzähltraditionen ihrer Länder und werden von den jeweiligen Vorbildern Shakespeare und Goethe verkörpert.

Das ist der wahre Unterschied zwischen den beiden Nationalgenies.

Und dabei, aber das nur am Rande, war Goethe Shakespeares größter Fan.

Woher stammt der Spruch
»Herrlichen Tagen führe ich euch entgegen«?

Ⓐ Helmut Kohl, 1990, kurz bevor ihm die »Blühenden Landschaften« einfielen.

Ⓑ Kaiser Wilhelm II., 1892, in einer Rede vor dem brandenburgischen Landtag.

Ⓒ Hitler, 1939, bei einer Ansprache im Sportpalast.

Ⓓ Walter Ulbricht, 1946, zur Zwangsvereinigung der SPD mit der KPD.

Antwort:

B. Kaiser Wilhelm II., 1892. Ein Jahr später löste er den Reichstag auf, weil der das Geld für eine weitere Aufrüstung des Heeres abgelehnt hatte und baute in Ruhe seine geliebte Flotte aus. Nun konnte es mit den herrlichen Tagen endlich losgehen. Leider war England davon gar nicht begeistert.

BLÜHENDE
LANDSCHAFTEN

War die DDR in irgendetwas Weltspitze?

Ⓐ Ja, aber nur im Sport.

Ⓑ Nein, Jugoslawien war in allem besser.

Ⓒ Ja, aber nur in Bereichen, die im Kapitalismus keine Chance haben.

Ⓓ Es war nicht alles schlecht.

Antwort:

D. Doch doch, in einigen Bereichen – abgesehen vom Sport – war die DDR Weltspitze – und zwar in genau 10. Ich weiß es, weil ich nachgezählt habe:

1. Die wenigsten Banküberfälle:
Es stimmt wirklich! Ob es am sozialistischen Gemeinschaftsgefühl oder am vorbildlichen Sicherheitsdenken des Landes lag, weiß kein Mensch, aber es gab bis 1990 in der DDR keinen einzigen erfolgreichen Banküberfall, nicht ein Pfennig Beute wurde gemacht. Hm ... ob es mit der unbeliebten Währung selbst zusammenhing? Der erste erfolgreiche Bankraub in den neuen Bundesländern fand nämlich erst nach der Währungsumstellung statt. Da entkam der Räuber mit sage und schreibe 2000 Westmark.

2. Die besten Industriekletterer der Welt:
Not macht erfinderisch – und sportlich. Als die DDR vor über 20 Jahren feststellte, dass es ihr an Kränen und Baugerüsten mangelte, um die Außenfassaden der zahlreichen Plattenbauten des Landes zu renovieren, kam man auf eine wahrlich maoistische Lösung: Humankapital. Man schickte Menschen statt Maschinen auf die Dächer, die seilten sich an den Fassaden ab und schon war die Industriekletterei erfunden. Aus dieser Tradition sind solch weltberühmte Industriekletterer wie Knut Foppe hervorgegangen, der heute in den USA den monumentalen Präsidentengesichtern am Mount Rushmore die Nase putzt. Der englische Begriff spiegelt den DDR-Ursprung des Berufs noch wider: »Industriekletterer« heißt auf Englisch »Abseiler«. Nach der Wende wurde der Beruf von den höhenängstlichen Memmen im Westen als zu gefährlich verboten (oder war doch die berüchtigte Kran-Baugerüst-Mafia daran schuld?). Doch Christo holte sich 1995 eine Sondergenehmigung, um Industriekletterer für seine Reichstagsverhüllung einzusetzen, und inzwischen ist es ein

anerkannter Beruf mit einer einheitlichen Berufsausbildung. Einer der jüngsten großen Einsätze war die Verwandlung des Berliner Fernsehturms anlässlich der Fußball-WM 2006 in einen riesigen Fußball. Ansonsten reparieren Industriekletterer Windräder, entrollen Megaposter an Hauswänden oder fällen Bäume in der Salamitaktik – von oben nach unten.

3. Die hedonistischsten Sozialisten:
Die Ostler hatten vielleicht keine Bananen, aber an Bratwürsten herrschte kein Mangel. Wie Jutta Voigt in ihrem Buch *Der Geschmack des Ostens* schreibt, waren die DDR-Bürger im Konsum von Grundnahrungsmitteln einsame Weltspitze. Pro Kopf verspeiste der Durchschnittsrealsozialist 1986 sage und schreibe 96 Kilo Fleisch, 43 Kilo Zucker, 16 Kilo Butter und 307 Eier. Da hilft nur eins: hinterher ein Schnaps ... oder auch zwei.

4. Die höchste Promillegrenze auf dem Beifahrersitz:
1988 zwitscherte der DDR-Durchschnittsbürger 11 Liter reinen Alkohol. Zwar hat die DDR trotz vielversprechender Ansätze nicht den ersten Platz im Alkoholverbrauch erreicht, aber seit 1982 immer einen der drei vordersten Plätze im Pro-Kopf-Verbrauch von Bier und Spirituosen im weltweiten Vergleich gehalten. Von Mitte der 50er bis Ende der 80er Jahre verdoppelte sich der durchschnittliche Bierkonsum auf 143 Liter. Doch das ist noch gar nichts gegen den Konsum von Weinbrand, Klarem und Likör. Der hat sich in derselben Zeit fast vervierfacht – auf 16,1 Liter. Das sind pro Kopf 23 Flaschen im Jahr. Na gut, wenn man zehn Jahre auf sein Auto warten muss, kann man schon mal zu trinken anfangen.

5. Die niedrigste Promillegrenze am Steuer:
Weniger als 0,00 Promille am Steuer verlangt kein Staat der Welt, also ist die DDR hier mit ihrem 0,00-Limit unübertroffen. Nüchterner geht's nicht. Merkwürdigerweise war dieses Gesetz aber nicht ausreichend, DDR-Autofahrer vor dem Zu-

sammenprall mit dem Westen zu schützen: Obwohl die Null-Promille-Grenze in den neuen Ländern noch bis Ende 1992 galt, stieg schon direkt nach der Wende die Anzahl der Autounfälle rasant an, und die Zahl der Verkehrsopfer hat sich in dieser Zeit sogar verdoppelt.

6. *Die fleißigsten Frauen:*
Was Frauenarbeit anging, hatte die DDR einen Weltspitzenplatz: 1989 gingen 91 Prozent der Frauen zur Arbeit oder befanden sich in Ausbildung. Damit hatte die DDR auch einen der höchsten Frauenanteile am Arbeitsmarkt: 1989 waren laut *Jahrbuch der DDR* 48,9 Prozent aller Berufstätigen weiblich. Solche Zahlen werden heutzutage höchstens von Entwicklungsländern erreicht, was aber dort nicht unbedingt als Zeichen von Emanzipation angesehen werden kann.

7. *Die eigenständigsten Kinder:*
Seit 1986 bewegte sich laut *DDR-Taschenbuch* der Prozentsatz der betreuten Kinder konstant um die 80 Prozent. Ich erinnere mich noch daran, wie ich in Amerika das erste Mal alleine, also ohne Familie, in die Großstadt ging, um meine Eigenständigkeit zu beweisen. Mann, hatte ich Schiss. Ich war 13. Ich wette, mit einer Erziehung in einer Kindertagesstätte hätte ich in diesem Alter schon die coolsten Spielplätze der Stadt gekannt und hätte so ein Landei, wie ich es war, total beeindrucken können.

8. *Die entscheidungsfreudigsten Ehepaare:*
Laut dem Bundesamt für Statistik war in der DDR 1989 der Anteil der Paare, die sich scheiden ließen, höher als in jedem anderen Land der Welt, inklusive der USA. Und wir Amis waren so stolz darauf, die Scheidungsraten der kapitalistischen Welt regelmäßig anzuführen. Es war schmerzhaft, in dieser Beziehung von einem sozialistischen Land überholt zu werden.

9. *Die meisten Minuten pro Stunde:*
Das kann nur in einem Arbeiterstaat passieren: Mehr als 60 Minuten in der Stunde! Zwar machte nicht die ganze DDR mit, aber immerhin das besonders fortschrittliche Städtchen Bergen auf Rügen, das eine Turmuhr aufweist, deren Zifferblatt 61 Minuten hat. Allerdings war das keine Entscheidung der Parteizentrale, sondern das Werk eines Einzelgängers: Als das Zifferblatt 1963 erneuert werden sollte, hat ein verträumter Mechaniker 61 statt 60 Löcher gebohrt, und es waren ausgerechnet diese Bohrlöcher, die die Minuten darstellen sollten.

10. *Der größte Spaß im Bett:*
Einer meiner Lieblingswitze lautet:
Frage: Was sagt der Wessi nach dem Sex?
Antwort: »Na, war ich gut?«
Frage: Was sagt der Ossi nach dem Sex?
Antwort: »Es war nicht alles schlecht, oder?«*

Gute Frage. Ich dachte mir, der muss ich nachgehen ...

* Erfunden vom Berliner Werbetexter Alexander Ardelelan.

Sind ostdeutsche Frauen besser im Bett?

Ⓐ Besser als wer? Als ostdeutsche Männer?

Ⓑ Ja, aber sie waren gedopt.

Ⓒ Nein – das ist ein Mythos.

Ⓓ Ja klar, aber die Wende ist vorbei, Bruder.

Nach dem Fall der Mauer gab es eine Menge über die Unterschiede zwischen Ost und West zu diskutieren, aber mich hat damals eigentlich nur eine Frage wirklich interessiert. Das war auch der Hauptgrund, warum ich eine Weile ununterbrochen Polittalkshows geschaut habe, in der Hoffnung, dieses brisante Thema würde endlich zur Sprache kommen. Aber zu meiner Enttäuschung tauchte es nicht ein einziges Mal auf, obwohl ich ganz sicher bin, dass auch viele andere Männer in Deutschland diese Frage bewegt hat:

Sind ostdeutsche Frauen besser im Bett und wenn ja, wie komme ich an sie ran?

Irgendeine ostdeutsche Frau auf der Straße anzusprechen, kam nicht in Frage. Sie kann ja sonst was behaupten. Nein, es musste ein seriöser Wissenschaftler her. Also rief ich den prominenten Sexualforscher Kurt Starke an, der seit den 70ern, zuletzt als Leiter der Forschungsstelle Partner- und Sexualforschung in Leipzig, das Vergnügen hatte, DDR-Frauen zu ihrem Sexualleben auszufragen.

»Sind Ossis besser im Bett?«, fragte ich geradeheraus.

»Ernsthaft kann man das nicht beantworten«, sagte er. »Als Wissenschaftler darf ich so was auch gar nicht sagen.« Doch dann überlegte er es sich. »... andererseits, natürlich sind sie das. Und noch was: die Sächsinnen sind die schönsten Frauen der Welt!«

Hier war ein Mann, der sich zu etwas bekannte. Mit ihm konnte man reden. Also bat ich um Aufklärung.

»Erstens«, warnte er mich vor, »in etwa zwei Drittel aller Aspekte der Sexualforschung unterscheidet sich das Sexualverhalten zwischen Ost und West nicht. Männer und Frauen in Ost und West sind nach den Statistiken gleich treu, zum Beispiel.«

Ich sah meine Hoffnungen schwinden.

»Doch bei einem Drittel der Aspekte gibt es sehr subtile

Unterschiede«, fuhr er fort. »Zum Beispiel: Ostfrauen fingen mit dem Sex früher an als im Westen.«

»Das hört sich schon wieder gut an«, sagte ich.

»In den 70ern und 80ern gab es im Osten wie im Westen einige Umfragen unter jungen Leuten, wann sie zum ersten Mal Sex hatten. Daraus lässt sich eine klare Hierarchie darüber ableiten, wer früher anfängt: Am jüngsten waren die Ostfrauen mit zweiundsiebzig Prozent, dann die Ostmänner. Dann erst fingen die Westfrauen an. Am langsamsten waren die Westmänner mit neununddreißig Prozent. Sorry.«

Ich war gerade dabei, Protest zu erheben, da erinnerte ich mich daran, ich komme gar nicht aus Westdeutschland. Das war knapp. Also forschte ich weiter: »Das heißt, im Osten hatte man früher Sex. Aber hatten sie auch mehr Spaß daran?«

Die Frauen schon.

In den 80ern noch hatte Starke DDR-Frauen gefragt, ob sie in der Lage waren, einen Orgasmus zu haben. Darauf antworteten 98 Prozent der 20-Jährigen, dass sie entweder mit einem Partner oder allein schon einmal einen Orgasmus gehabt hatten. Dieses Ergebnis war völlig anders als in anderen Ländern.

»Wir kamen auf überraschend hohe Zahlen, die nicht mit der Literatur übereinstimmten«, sagte Starke. »Da wurden nämlich in den meisten Ländern dreißig bis vierzig Prozent der Frauen als ›frigide‹ eingestuft. Das traf für die DDR nicht zu.« Allerdings betonte er, dass es keine verlässlichen Vergleichszahlen zur Orgasmusfähigkeit der Frau gäbe, da die Studien in Ost und West anders durchgeführt wurden. Im Westen fragte man zum Beispiel nach »dem letzten Orgasmus mit dem gegenwärtigen Partner« oder »Orgasmus in der Partnerschaft«, während Starke nach dem Orgasmus überhaupt fragte – ein entscheidendes Detail. »Überholen, ohne einzuholen«, kann ich da nur sagen.

»Und diese Frauen«, fragte ich, »wenn sie so viel Spaß am Sex hatten, dann waren sie wohl leicht rumzukriegen, oder?

Ich meine, wozu die tolle Orgasmusfähigkeit, wenn sie sie nicht immer und überall genießen konnten.« Da gab es erfreuliche und weniger erfreuliche Nachrichten, meinte er.

Erstens, die Ostfrauen hatten tatsächlich häufiger Sex als die Westfrauen. Allerdings hatten alle im Osten mehr Sex als im Westen. Und dann kam der Haken: um Spaß mit einer Ostfrau zu haben, musste man schon eine feste Beziehung mit ihr eingehen.

»Hier wie dort ist es so, dass Singles einfach am wenigsten Sex haben und Menschen in festen Partnerschaften am häufigsten«, bemerkte Starke. »Die meisten Singles führen im Osten wie im Westen ein ziemlich freudloses Leben. Nun war der Anteil von Singles im Westen einfach höher als in der DDR. Ostdeutsche gingen schneller und häufiger feste Partnerschaften ein. Und wer in einer festen Partnerschaft steckt, hat extrem mehr Sex als Menschen ohne Partner. Folglich gab es Sex im Osten insgesamt häufiger als im Westen.«

Also: spießig zahlt sich aus. Wenn meine Mutter mir damals gleich gesagt hätte, das biedere Leben in traditionellen Rollen lohnt sich aus ganz bestimmten Gründen, hätte ich mir das mit der ganzen mühsamen Rebellion anders überlegt.

Ich fragte Starke, warum man in der DDR früher und öfter feste Partnerschaften einging.

Seine Theorie war: »Die Ostdeutschen haben keine feministische Schule hinter sich. Das Geschlechterverhältnis wird dort anders wahrgenommen.« Während im Westen die Feministinnen auf die Barrikaden gingen, um dem Hausfrau- und Mutterdasein zu entfliehen und zur Arbeit gehen zu können, gebaren die Ostfrauen einfach fröhlich Kinder und gingen weiter unbesorgt zur Schule und zur Arbeit. Heute noch haben 93 Prozent aller Akademikerinnen über 45 im Osten Kinder, im Westen aber sind es nur 53 Prozent.

»In der DDR war es selbstverständlich, dass die Frau berufstätig war«, bekräftigte Starke. »In den Achtzigern wurde das Studieren mit Kind zur Normalität. Fast die Hälfte der Studentinnen hatte eigene Kinder zu versorgen. Daraus wurden Ärztinnen, die dann mit 40 Großmütter wurden. Bis heute beträgt der Anteil der nichtehelich Geborenen im Osten über fünfzig Prozent, im Westen nur rund sechzehn Prozent. Die unverheiratete Mutter wurde im Osten in keiner Weise diskriminiert. Im Gegenteil, sie wurde mehr unterstützt als die verheiratete. In der DDR war der Mann im Grunde dazu gezwungen, die Frau als gleich anzusehen – sie hatte faktisch die gleichen Rechte und Möglichkeiten.«

Das hatte Folgen.

»Mir ist kein anderes Land bekannt, in dem zum Beispiel FKK eine Massenbewegung war«, setzte Starke noch hinzu. »Die Katalysatoren der FKK-Bewegung waren nicht voyeuristische Männer, sondern die Frauen. Das sagt etwas über die Stellung der Frau aus – in der Ehe, in der Familie, in der Gesellschaft. Es hängt mit dem weiblichen Selbstbewusstsein zusammen. Die Souveränität in Bezug auf den eigenen Körper war auch zu Hause üblich.«

»Eine letzte Frage hätte ich noch«, sagte ich ergriffen. »Wo finde ich so eine Ostfrau?«

»Wo waren Sie, als die Mauer fiel?«, fragte er zurück. »Sie sind ein bisschen spät dran. Seit der Wende hat sich die Orgasmushäufigkeit der Frauen in Ost und West so gut wie angeglichen.«

Antwort:

D. Die Ost-Frauen hatten mehr Spaß im Bett als ihre Westgenossinnen, aber was hat man davon, wenn man nicht rechtzeitig informiert wird?

Wem ging es schlechter nach dem Zusammenbruch ihres Regimes – der Stasi oder der Gestapo?

Ⓐ Der Gestapo, weil sie nach dem Krieg gezwungen wurde, für die Geheimdienste des Feindes zu arbeiten.

Ⓑ Der Stasi, weil sie nach der Wende nicht gezwungen wurde, für die Geheimdienste des Feindes zu arbeiten.

Ach, die alten Nazis hatten es noch gut.

Sicher, nicht in den ersten Jahren nach dem verlorenen Krieg. Da waren die Alliierten noch fest entschlossen, den Deutschen den Nationalsozialismus auszutreiben. Regierungsmitglieder, Parteimitglieder, SS- und Gestapo-Offiziere wurden gejagt, verhaftet, überprüft, teils vor das Nürnberger Tribunal gestellt und mit Berufsverbot oder noch unangenehmeren Strafen belegt. Doch dann kam der Kalte Krieg und plötzlich war es unglaublich wichtig, Deutschland wieder zu einem starken Staat zu machen. Also ließ man die Idee mit der Entnazifizierung fallen, setzte alte Nazis wieder auf wichtige Posten, um die Staatsmaschinerie in Gang zu bringen, und die Alliierten von Washington bis Moskau holten deutsche Wissenschaftler in ihre Atomwaffenprogramme und Gestapo-Agenten in ihre Geheimdienste. Nach einer kurzen Phase von Selbstzweifel und Unpopularität war es auf einmal wieder praktisch, ein Nazi gewesen zu sein. (Na gut, man konnte die coole Uniform nicht mehr tragen, durfte dafür aber bei der CIA zugeben, dass Opa Jude war.)

Nicht so die Stasi-Mitarbeiter. Noch Jahre nach dem Mauerfall geht kein Monat ins Land, an dem nicht ein weiterer Beamter, Politiker, Trainer oder sonst wer als ehemaliger, offizieller oder inoffizieller Stasi-Mitarbeiter enttarnt wird. Die armen Kerle. Dabei wussten alle, dass man sich seinen Stasi-Job nicht aussuchen konnte. Doch es sind die Sieger, nach deren Justiz gerichtet wird, und Sieger des Kalten Krieges war halt (völlig unverdientermaßen) die BRD, und die kannte keine Gnade.

Und das, obwohl überhaupt nicht erwiesen ist, dass irgendein Unrecht geschah – wie in dieser ernst zu nehmenden Petition an den Bundestag dargelegt wird, die fordert, die Hetzkampagne gegen die ehemalige Stasi einzustellen:

»Während in der Öffentlichkeit vielfach behauptet wird, in der DDR sei gefoltert, Bürger wären unrechtmäßig in psychiatrische Anstalten eingewiesen und Kinder zwangsadoptiert worden, hat der ehemalige Generalstaatsanwalt Schaefgen ... derartiges nicht berichtet und damit ausgeschlossen. Durch die z. T. mit öffentlichen Geldern betriebene Verbreitung dieser Behauptungen wird eine große Zahl von Bürgern der BRD angeprangert und die innere Einheit gefährdet. Es ist unser Anliegen, dass jetzt die Wahrheit über die Vergangenheit ... amtlich bekannt gemacht wird.« (RA Dr. Friedrich Wolff, Mitglied des Kuratoriums der GBM, 19. 09. 06.)

Ich rief Hubertus Knabe, Direktor der Stasi-Opfer-Gedenkstätte Berlin-Hohenschönhausen und Autor mehrerer Bücher zu diesem Thema, an und wollte wissen: »Wieso geht es den ehemaligen Stasi-Mitarbeitern heute so schlecht, wo doch ihre Ex-Gestapo-Kollegen nach dem Krieg so gut wegkamen?«

»Der öffentliche Eindruck, dass die Stasi-Mitarbeiter nach dem Mauerfall praktisch ausgegrenzt wurden, täuscht«, sagte er. »Die Realität sieht anders aus. Die Polizei hat eintausendachthundert hauptamtliche Mitarbeiter der Stasi übernommen. In der Wirtschaft sind Stasi-Leute zum Beispiel in vielen Sicherheitsunternehmen untergekommen. Der Repräsentant der Dresdner Bank in Moskau ist ein ehemaliger Stasi-Major.«

»Na gut«, meinte ich, »aber bis in die CIA und in die Waffenprogramme haben sie es nicht geschafft.«

»Stimmt«, meinte er, »nur ein kleiner Teil der Stasi-Leute ist zu einem westlichen Geheimdienst übergetreten. Dort wurden sie, wenn überhaupt, nur als Informanten bezahlt und nicht als hauptamtliche Mitarbeiter eingestellt. Es war aber auch eine völlig andere Situation als nach dem Krieg: Die Bundesrepublik brauchte diese Leute nicht. Im Kalten Krieg benötigten beide Staaten dagegen die alten Fachleute, um eine neue Armee, einen neuen Geheimdienst oder eine funktionierende Polizei aufzubauen.«

Das bedeute aber nicht, dass die meisten, die nicht in Rente gegangen sind, nach der Wende keine Beschäftigung gefunden haben.

»Viele von ihnen waren clever, hatten einen Wissensvorsprung und rechtzeitig genügend Geld beiseite geschafft, um in die neue Zeit zu starten. Axel Hilpert zum Beispiel, der offiziell als Antiquitätenhändler für den DDR-Devisenbeschaffer Alexander Schalck-Golodkowski arbeitete und achtzehn Jahre lang geheimer Informant der Stasi war, ist heute Anteilseigener und Geschäftsführer der Edel-Hotelanlage Resort Schwielowsee bei Potsdam, wo im Mai 2007 die Finanzminister der G8 tagten. Viele Stasi-Offiziere, die früher die Partei- und Staatsführung bewachten, sind nach der Wiedervereinigung auch im Innenministerium untergekommen. Sogar ein Stellvertretender Polizeichef der DDR wurde dort damals fest eingestellt, wie mir ein Mitglied des Personalrates glaubhaft versicherte. Selbst bei der Birthler-Behörde arbeiten zurzeit noch vierundfünfzig hauptamtliche und zwei inoffizielle Stasi-Mitarbeiter.«

Ich schien wieder mal völlig falsch informiert gewesen zu sein. »Das geht?«, fragte ich. »Ich dachte, es gibt so ein Gesetz ...«

»Es gab in Deutschland keine Entstasifizierung, vergleichbar mit der Entnazifizierung nach dem Zweiten Weltkrieg«, korrigierte mich Knabe. »Damals verfügten die Alliierten, dass ehemalige Nazis nicht als Journalisten oder Anwälte und in bestimmten anderen Berufen arbeiten durften. Für Stasi-Mitarbeiter existiert kein solches Gesetz. Nur ausgewählte Berufsgruppen, vor allem der öffentliche Dienst und die Kirche, konnten in Deutschland überhaupt überprüft werden. Der Arbeitgeber durfte dann entscheiden, was er mit entdeckten Stasi-Mitarbeiter machte – ob er sie entließ oder weiterbeschäftigte. Ein Beschäftigungsverbot gab es nicht. So hat man im Zuge der Überprüfungen zwar weit über fünfundzwanzigtausend Stasi-Mitarbeiter im öffentlichen Dienst der neuen Länder festgestellt, doch mehr als die Hälfte wurde weiter beschäftigt. In Westdeutschland hat man erst gar keine Überprüfungen durchgeführt, obwohl auch zwanzig- bis dreißigtausend Bundesbürger bei der Stasi als IM registriert waren.«

Die erwähnten Mitarbeiter der Birthler-Behörde sind heute dort übrigens als Hausmeister, Kraftfahrer, Handwerker oder Wachmann tätig – aber auch im Archiv, wo sie die Akten sortieren können, die sie womöglich selbst geschrieben haben. Andere Ex-Stasileute fanden Jobs in Großbäckereien, im Bundestagsbüro von PDS-Abgeordneten, als Berater in Wirtschaft und Sport oder als Landtagsabgeordneter. Manche arbeiten jetzt als Anwalt wie Rainer Rothe – und vertreten andere Ex-MfS-Mitarbeiter vor Gericht: in mittlerweile über 15 000 Rentenverfahren und je an die 100 Musterklagen und Verfassungsbeschwerden.

Denn trotz ihrer vorbildlichen Integrationsfähigkeit sind einige von ihnen von einer Art heiligen Wut beseelt, sehen sich als Opfer von Verleumdungskampagnen und veröffentlichen eifrig Gegendarstellungen. Ein ehemaliger Stasi-Oberst rief kürzlich sogar einen seiner früheren Häftlinge zu Hause an, um sich zu beschweren, was er denn über ihn herumerzähle, so Knabe in seinem Buch *Die Täter sind unter uns*.

Da kann ich nur sagen: Alle Achtung. Dass die MfS-Getreuen es schaffen, sich in der Öffentlichkeit als Opfer einer Hexenjagd darzustellen, ist schon ein Meisterwerk der Selbstvermarktung.

Sie sind so effizient organisiert wie eh und je. Viele kämpfen in Vereinen wie der Initiativgemeinschaft zum Schutz der sozialen Rechte ehemaliger Angehöriger bewaffneter Organe und der Zollverwaltung der DDR e.V. (ISOR) für ihre Interessen, wo sie Massenpetitionen und Briefkampagnen an Politiker organisieren. ISOR hat 24 000 Mitglieder, und einige davon haben sich kürzlich beim »UNO-Komitee für ökonomische, soziale und kulturelle Rechte« beklagt, woraufhin dieses für die angebliche Benachteiligung ehemaliger DDR-Bürger die BRD rügte. Die in den Vereinen aktiven Ex-Stasi-Kader, zumeist Rentner, stricken an einer gigantischen, rückwärtsgewandten Image-Kampagne. Und sie machen es gar nicht mal schlecht.

Aber nicht halb so gut wie die ehemalige SED.

»Man vergisst«, betonte Knabe, »dass für die kommunistische Diktatur nicht die Stasi, sondern die Partei verantwortlich war. Die Stasi war nur, wie sie selbst formulierte, das ›Schild und Schwert der Partei‹. Die eigentliche Macht hatte die SED, und die ist weitgehend unbehelligt geblieben. Anders als in der Tschechoslowakei gab es in Deutschland keine Überprüfung auf frühere Parteifunktionen, sondern nur auf Stasi-Mitarbeit – und auch die hat man inzwischen weitgehend abgeschafft. Dadurch hat die ganze Diskussion eine merkwürdige Schieflage bekommen: Wir reden über die kleinen Spitzel, doch die eigentlichen Täter kommen öffentlich kaum vor.«

Nicht nur das: Die ehemaligen SED-Funktionäre haben es sogar geschafft, ihre alten Privilegien wieder herzustellen. »Die Staatskader der DDR – Mitarbeiter der Armee, der Staatssicherheit, der Armee oder der Partei – wurden in der DDR besonders gut bezahlt. Viele erhielten drei- bis viermal so hohe Gehälter wie ein normaler Bürger. Eine geheime Rentenversicherung sicherte ihnen im Alter neunzig Prozent ihres Einkommens. 1990 wurde deshalb beschlossen, dass die Kader nicht mehr Rente bekommen sollten als ein durchschnittlich verdienender DDR-Bürger. Dagegen sind die Funktionäre mit Tausenden von Klagen, Zehntausenden Petitionen und Verfassungsbeschwerden vorgegangen – mit Erfolg: Die meisten Rentenbegrenzungen sind inzwischen aufgehoben«, so Knabe.

Die ISOR hat sogar ein praktisches Nachschlagewerk für die zu kurz Gekommenen herausgegeben: *Wertneutralität des Rentenrechts. Strafrente in Deutschland?* In vielen Fällen wird die alte SED-Rente jetzt in voller Höhe von der BRD bezahlt. »Allein 2006 haben die Zusatz- und Sonderrenten der DDR den Steuerzahler rund 4,1 Milliarden Euro gekostet«, informierte mich Knabe unbarmherzig und setzte noch einen drauf: »Ein Drittel der Aufbaumittel Ost fließt heute in die Renten der alten Oberschicht.«

Da kam mir eine geniale Idee. Jedermann weiß, wie schleppend der Aufbau Ost vorankommt. Hier mein Verbesserungsvorschlag: Wie wäre es, wenn die alten Kader ihre Rente in die Schaffung neuer Arbeitsplätze stecken (vom Euro extra für den Unkraut jätenden Enkel jetzt mal abgesehen)?

»Nach dem Krieg wurden die NSDAP und alle nationalsozialistischen Organisationen verboten. Auch in Russland hat Jelzin 1991 die KPdSU aufgelöst. Nach dem Ende der DDR hat man das nicht gemacht, sondern der Partei nur einen neuen Namen gegeben«, fuhr Knabe fort und bezog sich auf die PDS (jetzt Die Linke). »Inzwischen ist diese Partei in Ostdeutschland eine starke politische Kraft, die die Interessen der alten Eliten und ihrer Sympathisanten vertritt.« Sie habe es geschafft, dass viele für die wirtschaftliche Misere im Osten nicht diejenigen verantwortlich machten, die das Land heruntergewirtschaftet hätten.

Ich musste an einen kürzlich erschienenen Artikel des britischen Journalisten Timothy Garton Ash im *New York Book Review* denken, in dem er anlässlich des Films *Das Leben der Anderen* lobend beschrieb, wie die Deutschen heute versuchen, die Stasi-Vergangenheit noch besser zu bewältigen als sie es schon in Bezug auf die Nazis getan hatten. Alle Welt weiß, welch großen Respekt Deutschland verdient, wenn es um die Vergangenheitsbewältigung nach 1945 geht. Andererseits wird im *Leben der Anderen* ein Stasi-Offizier als »guter Mann« dargestellt, was irgendwie die Frage aufwirft, ob die deutsche Vergangenheitsbewältigung hinsichtlich der SED doch noch in den Kinderschuhen steckt. Vielleicht fehlt noch eine 68er-DDR-Generation.

Ich fragte Knabe, wie gut seiner Meinung nach die deutsche Nach-Wende-Vergangenheitsbewältigung funktioniere.

»Es hängt davon ab, welchen Maßstab man wählt«, meinte er. »Wenn Sie Deutschland mit einem Staat vergleichen, der seine Vergangenheit komplett verdrängt und eine Generalamnestie für alle Verantwortlichen erlässt, steht die Bundesrepublik sicher besser da. Wenn Sie aber danach fragen, ob die Täter bestraft, die Opfer entschädigt und die geheimen Strukturen offengelegt wurden, kann man das nicht behaupten. Nach vierzig Jahren SED-Diktatur, zweihunderttausend politischen Gefangenen, eintausend Toten an der Grenze und zweiundfünfzig politisch motivierten Todesurteilen sind insgesamt nur neunzehn Personen inhaftiert worden – und sie alle sind seit langem wieder frei. Im Unterschied zu 1945 gab es kein Nürnberger Tribunal, das die Verantwortlichen für das Unrecht bestraft hätte. Viele Opfer leiden dagegen noch heute unter den Folgen ihrer Verfolgung, haben Renten von fünf- oder sechshundert Euro, weil sie in der DDR nichts werden durften.«

Antwort:

Nun, wem ging es nach dem jeweiligen Zusammenbruch besser? Mal sehen: Gestapo-Mitglieder wurden vereinzelt in die CIA und in die KGB aufgenommen, stimmt schon; aber die, die das nicht schafften, mussten fliehen oder wurden vor das Gericht der Alliierten gestellt und durften auf keinen Fall öffentlich zugeben, dass sie mal bei der Gestapo waren. Eine Website oder Ähnliches zu betreiben, in der ein ehemaliges Gestapo-Mitglied sein früheres Tun rechtfertigt, wäre nun wirklich nicht in Frage gekommen.

Und was treibt so der ehemalige Stasi-Offizier von heute? Nun, falls er nicht mehr arbeiten geht, Folgendes: Er steht morgens auf, trinkt seinen Kaffee, checkt seine E-Mails, schreibt und postet eine Gegendarstellung (die er in verschiedenen Farben formatiert, um ihre Wirkung zu unterstreichen), verfasst eine Petition an den Bundestag und kocht sich was zu Mittag. Dann schmökert er ein bisschen im Rentenrecht, trifft sich mit seinem Anwalt und entwirft eine geniale Verfassungsbeschwerde, schaut anschließend in der PDS-Zentrale nebenan vorbei, was es Neues gibt, schreibt einen fünfseitigen Brief an seinen Abgeordneten, setzt eine Beschwerde an die UNO auf (mit Hilfe eines englischen Wörterbuchs) und geht abends in den Verein, wo er seine alten Kumpels trifft, von denen einer seine Memoiren vorstellt, was in eine stundenlange politische Diskussion mündet, die er gleich dazu nutzt, die Unterschriftenliste seiner Petition herumzureichen, und trinkt danach ein wohlverdientes Bier oder auch zwei, also:

A. Die Stasi-Leute haben es eindeutig besser erwischt als die Gestapo.

Hatte die DDR Kolonien?

Ⓐ Ja – bevor sie unterging, hatte sie von einem pfiffigen Unternehmer noch mehrere Mondgrundstücke erworben.

Ⓑ Natürlich nicht – Imperialismus ist ein Merkmal des Kapitalismus, nicht des Kommunismus.

Ⓒ Nein, einem Satellitenstaat ist es nicht erlaubt, einen eigenen Satellitenstaat zu halten.

Ⓓ Ja, aber mit der gewissenlosen Ausbeutung hat es nie so recht geklappt.

Kolonien? Auf solche Ideen kommt das nimmersatte Amerika, die UdSSR spielte gelegentlich mit dem Gedanken, aber doch nicht die selbstgenügsame, kleine DDR. Das wäre ja unmoralisch, imperialistisch, direkt ehrgeizig gewesen. Und doch stimmt es. Selbst die bescheidene DDR hatte ihre eigene Kolonie, die noch bescheidener war als sie selbst.

Es passierte bei einem Besuch Fidel Castros in Ostberlin im Jahre 1972. Honecker überließ Castro die DDR-Weltmarktanteile an der Zuckerproduktion, die bis dahin bei der VEB Nordsternzuckerwerke lagen (die hart arbeitenden Genossen brauchten sowieso mal eine Pause). Auf diese Weise konnte Kuba mehr Zucker nach Europa exportieren. Darüber war Fidel so erfreut, dass er seinerseits die DDR mit einem Geschenk überraschte: einer eigenen Insel direkt in der Schweinebucht. Malerisch wie ein Juwel auf blauem Samt, war sie praktisch ein einziger langer weißer Strand voller Palmen. Nur ein Zyniker würde behaupten, Castro hätte gerade nicht genügend Bares einstecken, womit er die Weltmarktanteile bezahlen konnte. Die Insel sollte fortan »Cayo Ernesto Thälmann« heißen.

Die DDR-Führung freute sich tierisch. Schon ein paar Monate später wurde eine Expedition aus Abgeordneten in Badehosen und Strohhüten ausgeschickt, um die Insel in Beschlag zu nehmen, darunter einer, der das Ganze auf Super-8 festhielt. Als Erstes weihten sie Ernst Thälmann, dem großen Kommunisten, am Strand ein großes Denkmal aus schneeweißem Beton. Danach wurde gebadet und gegrillt. Dann ging es heim ins kalte Deutschland. Abgesehen von einem weiteren Besuch – 1975 drehte der DDR-Schlagerstar Frank Schöbel den Film zu seinem Lied Die Insel im Golf von Cazzone – bekam die vier Meter hohe Thälmann-Statue nicht viel zu sehen. Damit ist die Geschichte des DDR-Imperialismus auch schon zu Ende.

Als Castro nach 1989 schlagartig klar wurde, dass das wiedervereinigte Deutschland nun ein Grundstück ausgerechnet in der Schweinebucht geerbt hatte, wurde ihm doch, denke ich, ein wenig mulmig zumute. Sofort behauptete er, die Schenkung der Insel sei rein symbolisch gewesen und sie werde nicht auf die BRD übertragen. Inzwischen, so sagt man, ist der Kopf des Ernst-Thälmann-Denkmals abgefallen und liegt einsam im Sand.

Als alter Ami frage ich mich: Das war alles? Zwei Ausflüge und ein Denkmal? Mein Gott, hat denn keiner in der SED das Potenzial einer eigenen Insel direkt vor Florida erkannt? Das war ihre große Chance. Stellen Sie sich vor, die DDR hätte an ihrem »Playa-RDA« ein, zwei Raketen aufgestellt, die in Richtung Miami zeigten, dazu eine geschäftige, kleine Auslandsbasis der Volksarmee mit Radarstation. Auf einmal wäre sie ein Global Player gewesen. Nichts mehr mit Spielball der Großen. Wer einen eigenen Satellitenstaat besitzt, ist selber keiner mehr, sondern ein richtiger Staat. Wer weiß, wie die Geschichte verlaufen wäre, wenn die DDR einmal ein bisschen Ehrgeiz gezeigt hätte. Nicht mal ein Hotel für besonders brave Parteimitglieder haben sie hingestellt. Hatten die denn nur Arbeit im Kopf?

Antwort:

D. Sie hatte eine, nutzte sie aber nicht. Warum die DDR die Gelegenheit nicht beim Schopf gepackt hat, werden wir nie mehr erfahren. Vielleicht lag es tatsächlich an mangelndem Ehrgeiz. Vielleicht aber auch daran, dass die Insel so winzig war, dass sie keine eigene Quelle hatte und daher als unbewohnbar eingestuft wurde.

Was haben die Wessis von den Ossis übernommen?

Ⓐ Ein altes Hochwassergebiet

Ⓑ Eine neue Perspektive

Ⓒ Das Ampelmännchen, das Sandmännchen und die Kartoffelmännchen-Nachbarn

Ⓓ Die Mülltrennung

Vor dem Fall der Mauer habe ich mir oft ausgemalt (dabei bin ich nicht mal deutsch, geschweige denn ostdeutsch), wie es wohl wäre, der DDR zu entkommen und ein neues Leben im Westen aufzubauen. Was würde ich mit meiner neuen Freiheit anfangen? Ziellos Reisen? Hemmungslos Pornos schauen? Meine neu gewonnene Redefreiheit auf die Probe stellen, indem ich wahllos Politiker beleidige?

Aber was ich mir überhaupt nicht vorstellen konnte, war das, was viele Ostdeutsche heute tun: ihr altes Leben ständig mit dem neuen zu vergleichen und dabei zu dem Schluss zu kommen: Eigentlich hätte der Westen doch viel mehr vom Osten übernehmen können.

Was genau das aber sein soll, bleibt meist im Dunkeln. Ich habe nie mitbekommen, dass der Osten dem Westen irgendwas Konkretes angeboten hätte. Ich wüsste nicht, dass Honecker Kohl jemals ein nettes Grundstück in Wandlitz empfohlen hat. Ich kannte auch vor dem Fall der Mauer keine Wessis, die heimlich Ostfernsehen guckten, selbst die linken Intellektuellen nicht.

Es kann nur einen Grund geben, warum man bei diesen Diskussionen grundsätzlich vermeidet, ins Detail zu gehen. Es handelt sich um ein uraltes deutsches Muster: Man meckert am liebsten über das, was man schon hat. Kann es sein, dass der Westen schon viel mehr vom Osten übernommen hat, als man gemeinhin annimmt? Ich rief ein paar Museumsleiter, Ethnologen und Psychologen an und konfrontierte sie mit meinem Verdacht.

»Der grüne Pfeil, zum Beispiel«, fing einer an.

»Na, na«, sagte ich. »Das will ich nicht hören. Jeder Taxifahrer erwähnt den grünen Pfeil. Dass der Ost-Sandmann den West-Sandmann abgelöst hat, weiß ich, weil ich Wessis kenne, die dem West-Sandmann hinterhertrauern – lachen Sie nicht – dieses Leninbärtchen fuchst sie total. Ich kenne auch

Bautzner Senf, Halloren-Kugeln, Halberstädter Würstchen, weiß, dass Rotkäppchen-Sekt die größte Sektmarke ganz Deutschlands ist und habe auch schon Thüringer Klöße und Thüringer Bratwurst probiert. Und wenn ich nochmal den Begriff Spreewaldgurke höre …«

»Die Frage, was der Westen vom Osten übernommen hat, würde ich auch gar nicht auf die materielle Ebene beschränken«, warf Hans-Martin Hinz ein, Mitglied der Geschäftsführung des Deutschen Historischen Museums in Berlin. »Das Materielle hatte der Westen gar nicht so nötig. Es ist viel wichtiger, dass sich das Bewusstsein verändert hat. Wie wär's denn mit dem Begriff ›runder Tisch‹? Das war die Bürgerrechtsbewegung in der DDR, die sich an den runden Tisch gesetzt hat. Es ging darum, ohne eine neue Hierarchisierung die Zukunft zu gestalten. Der Begriff ist in ganz Deutschland übernommen worden.«

»Auch das Wort ›Zielstellung‹ statt ›Aufgabenstellung‹«, erwähnte Wolfgang Kaschuba vom Institut für Europäische Ethnologie an der Humboldt-Universität Berlin. »Das stammt aus der operativen Sprache der DDR-Elite und ist in Wissenschaft und Politik eingegangen.«

»Aus der ›Besprechung‹ ist die ›Beratung‹ geworden«, ergänzte Andreas Ludwig, Leiter des Museums Dokumentationszentrum Alltagskultur der DDR in Eisenhüttenstadt.

»Und diese Verdatschung der Schrebergärten …«, sinnierte Kaschuba. »Schon in Bonn fährt man jetzt in die Rheinaue auf die ›Datsche‹. ›Datsche‹ ist heute der zweite Ort, eine Gegenwelt mit leichtem Hang zur Archaischen.«

»Auch die Regionalsprache hat heute eine neue Wirkung«, meinte Hinz. »Vor dem Mauerfall war das Sächsische ein den Westdeutschen sehr unangenehmer Dialekt. Das lag an den Grenzpolizisten, die oft aus Sachsen kamen. Das hat sich geändert. Das Thüringische und das Sächsische wirken wieder sympathisch, weil damit heute nette Leute verbunden sind, die man überall antreffen kann. Auch das Berlinerische war in Westberlin lange Zeit verpönt, weil es proletarisch war.

Das war im Osten anders. Da hat man bewusst berlinert. Heute ist diese regionale Sprache mit dem Nachdenken über die Vergangenheit verbunden; sie hat auch etwas mit der Überwindung der Teilung zu tun.«

Jetzt, dachte ich, kommen wir der Sache schon näher.

»Wir haben eine andere, direktere Wahrnehmung unserer östlichen Nachbarn bekommen, auch von Tschechien und Polen«, sagte Kaschuba. »Früher hießen die Nachbarn Österreich, Schweiz und Frankreich; jetzt ist das durch das östliche Europa eine rundere Sache geworden.« Stimmt: für die Wessis war das Gefühl, direkt an Polen zu grenzen, etwas ganz Neues. Das ist ihnen manchmal immer noch nicht ganz geheuer, wie man an den Titanic-Artikeln über die Kaczyński-Brüder sieht.

»Wichtiger scheinen mir die langfristigen Entwicklungen, die erst mit fünfzehnjähriger Verzögerung eintraten«, so Ludwig. »Bildungsanspruch im Kindergarten beispielsweise, vielleicht auch das neue Abitur nach der zwölften Klasse. Das Prinzip der ortsnahen Basisversorgung spielt in der Gesundheitsreform wohl auch eine Rolle.«

»Wenn Ursula von der Leyen es schafft, flächendeckend Kitaplätze zu etablieren, kann man schon sagen, die Idee knüpft an ostdeutsche Erfahrungen an«, kommentierte Hinz, »auch wenn das keiner zugibt.«

»Das Modell der Kinderbetreuung von acht bis achtzehn Uhr war ja lange bekannt, aber dass man es auch in die Tat umsetzen könnte, das lernte der Westen erst von der DDR«, meinte Kaschuba. »Erst lange nach dem Mauerfall haben wir wahrgenommen, dass das ja überall sonst klappt – in den USA, in Frankreich, in der ehemaligen DDR – und haben verstanden, dass wir hier die merkwürdigen Typen sind, weil wir das als Einzige nicht machen. Das sind Relativierungseffekte in der Selbstwahrnehmung. Überhaupt, Frauenarbeit war in der DDR absolut normal. Im Hinblick auf die Geschlechterrollen hat die DDR-Familie etwas gemacht, was wir aus den USA kennen«, fuhr er fort. »Viele Familienleistungen wurden als Service von außen wahrgenommen, nur eben nicht kostenpflichtig, sondern vom Staat gestellt: Kinderbetreuung, Wäschewaschen, Verköstigung in Schule und Betrieb ... Auch Hausaufgabenbetreuung, Nachhilfe, Musikunterricht. Meine Tochter geht auf ein Gymnasium, das hat die Tradition der Musik- und Stimmausbildung aus der DDR.«

Auch Homosexuelle schulden der DDR ein bisschen was. »1988 wurde in letzter Minute das Wort Homosexualität aus der DDR-Gesetzgebung gestrichen«, so der Leipziger Sexualforscher Kurt Starke. »Im Osten war Homosexualität dann nicht mehr strafbar. In Westen gab es noch den berüchtigten Paragraphen 175, der sie unter Strafe stellte. 1994 kam es zu einem sensationellen Akt, als das Gesetz aus dem deutschen Strafgesetzbuch gestrichen wurde. Das ist eine Folge der Gesetzgebung in der DDR. Es war die Voraussetzung für die Homoehe.« Die Abtreibungsregelung nannte er ebenfalls. »In der DDR gab es da eine liberalere Lösung als im Westen. Nach der Wende wurde dann die gesamtdeutsche Gesetzgebung in Sachen Abtreibung liberalisiert – es wurde nicht so einfach wie im Osten, aber liberaler als vorher im Westen.«

Doch die wichtigsten Übernahmen aus der ehemaligen DDR, scheint mir, betreffen die Mentalität.

»Als plötzlich die Wiedervereinigung Realität wurde, raubte das den Wessis einige ihrer Illusionen«, glaubt ein Freund von mir. »Solange wir Ossis hinter einer Mauer waren, konnten die Wessis ihr positives Selbstbild aufrechterhalten – tolerant und freigebig zu sein, zum Beispiel. Als der Solidaritätszuschlag kam, spürten sie plötzlich, dass das alles einen Preis hat. Plötzlich waren wir teuer, das war eine Prüfung für ihre vermeintliche Selbstlosigkeit und stellte ihr Selbstverständnis ganz schön in Frage.«

»Seit der Wende gibt es im Westen ein neues Nachdenken über demokratische Werte«, meinte Hinz. »Vierzig Jahre lang war die Demokratie in Westdeutschland selbstverständlich – sie hing mit dem wirtschaftlichen Aufschwung zusammen. Aber Nachdenken darüber ist nicht selbstverständlich. Indem so etwas in einem Teil des Volkes passierte, nahm es Einfluss auf die Werte der westdeutschen Gesellschaft. Das war eine wesentliche Veränderung.«

»Im Osten gab es andere Vorstellungen von Gleichheit und Gerechtigkeit«, sagte Kaschuba. »In diesem Bereich kommen viele Anstöße aus dem Osten. Sie beeinflussen den heutigen Umgang mit Eliten. Der Ärger im Jahre 2005 über den Deutsche Bank-Vorstandsvorsitzenden Josef Ackermann zum Beispiel hatte etwas damit zu tun – die Empörung war im Osten größer, und das übertrug sich auf den Westen.«

»Und natürlich, dass es ein neues, gesamtnationales Gefühl gab«, ergänzte Hinz. »Die Tatsache, dass das Land geteilt war, und dass die Symbole eines Nationalstaates – wie Fahne und Nationalhymne – lange durch die Nazis verpönt waren, führte dazu, dass man kein Nationalgefühl hatte. Man wusste, dass die Nationalfrage ungelöst ist, daher haben die Symbole der Gemeinsamkeit keinen positiven Umgang in der BRD gefunden. Das heutige Nationalgefühl kommt vor allem durch die Wiedervereinigung. Vorher war es unangenehm, wenn ein Fan bei einem Fußballspiel die Fahne schwenkte. Das hat sich verändert. Die Westdeutschen haben ein neues Bewusstsein für die Gemeinsamkeit der Nation gewonnen. Dass sie durch die Überwindung der Teilung auch die ungeklärte Frage der Identität gelöst haben, das ist der Entwicklung in der DDR zu verdanken.«

Antwort:

B. Eine neue Identität. Eine neue Perspektive. Eine neue Geschichte. Das Gleiche kann man übrigens über die westliche Welt im Allgemeinen nach dem Mauerfall sagen.

Wie kann man sich ernsthaft nach der DDR zurücksehnen?

Ⓐ Aus rein melancholischen Gründen, wie bei der Sehnsucht nach der Ex.

Ⓑ Aus philosophischen Gründen. Wonach soll man sich denn bitte sonst sehnen als nach Unerreichbarem?

Ⓒ Aus psychologischen Gründen, wie beim Phantomschmerz nach der Beinamputation.

Ⓓ Aus Trotz: Als Deutscher sehnt man sich grundsätzlich nach Dingen, die man nicht wirklich will.

Die spinnen, diese Ossis.

Zuerst wollen sie unbedingt alles, was man im Westen hat. Und dann, wenn sie alles haben, meckern sie darüber. Einer sagte mir: »Ich wachte eines Tages auf und mein Land war weg, und ich lebte in einem anderen Land, das nicht meines war.«

»Wollen Sie die DDR wieder?«, fragte ich.

»Nein, natürlich nicht«, meinte er.

Mir wäre fast der Kragen geplatzt. »Was wollen Sie denn? Sie können nicht beides haben!«

Als Ami, der bekanntlich immer nur schwarz/weiß denkt, wünsche ich mir, sie würden sich entscheiden. Entweder war die DDR toll und hätte ewig weitergehen können, oder sie war schlecht und keiner bereut, dass sie als DDR-Bürger in ihrer erstaunlichen gewaltfreien Revolution von 1989 die Regierung zu Fall brachten. Und die Westdeutschen, die ja nicht so schwarz/weiß denken wie ich, finden das auch. Dennoch höre ich in Gesprächen mit Ossis immer wieder raus, dass sie eigentlich Sehnsucht nach ihrem alten Staat haben.

Also suchte ich mir einen dieser »gespaltenen« Ossis raus – einen, dem ich zutraute, nicht um den Brei herum zu reden – und bat ihn, mir das mal genauer zu erklären.

»Ich wusste schon damals, dass wir Scheiße sind«, sagte der Berliner Radiojournalist Knut Elstermann.

»Hoppla«, sagte ich. »Also nur, weil ich Ami bin, musst du mir nicht sagen, was ich hören will. Ich kann schon differenzieren ...«

Doch er war noch nicht fertig. »Kein Mensch will die DDR wiederhaben. Ich bin froh, dass meine Kinder die ganze Scheiße nicht mitmachen müssen.«

»Na ja«, warf ich ein, »man kann nicht leugnen, dass eine gewisse Ostalgie ...«

»Wenn es weiter gegangen wäre, wären wir alle durchgedreht. Als ich zum ersten Mal in Venedig in einer Gondel saß, kamen mir die Tränen. Ich hatte bis zur Wende nicht im Traum gedacht, dass ich irgendwann tatsächlich dort sein könnte.«

»Alles klar«, meinte ich. »Vielleicht sollte ich jemand anders fragen ...«

»... und trotzdem«, fuhr er unbeirrt fort, »als ich ein paar Jahre später mit der Familie nach Kanada gefahren bin und im olympischen Dorf war, wo noch die Fahnen aller Olympiateilnehmer hängen, und ich sah noch einmal meine alte DDR-Fahne, die es gar nicht mehr gibt ... da bebte mein Herz. Ist das nicht komisch? Ich habe mich schon damals für die DDR geschämt, und doch habe ich mich gefreut, als wir bei der Olympiade Gold gewonnen haben.«

Da habe ich wieder mal verstanden, warum ich als Ami schneller mit Ossis zurechtkomme als mit Wessis. Als ich vorhin zugab, dass wir Amis nur schwarz/weiß denken, war das gelogen. Einerseits lieben wir Amerikaner unser Land von ganzem Herzen. Andererseits müssen wir schlucken, dass es von Drogenmissbrauch, Ungleichheit, Kriminalität, schlechten Politikern und einer Vergangenheit mit so beschämenden Dingen wie Sklaverei, dem Beinahe-Genozid an den Indianern und unrechtmäßigen Kriegen gezeichnet ist. Wir wissen, dass es all das gibt und immer geben wird. Trotzdem lieben und achten wir unser Land, und wir können diese widerstreitenden Gefühle nicht ganz unter einen Hut bringen. Das nenne ich Ambivalenz, und jeder Amerikaner kennt das.

Das haben wir gemeinsam mit den Ossis. Dagegen kenne ich Westdeutsche, die es nicht schaffen, die beiden Sätze »ich lebe in einem tollen Land« und »mein Land hat eines der schlimmsten Verbrechen der jüngsten Vergangenheit begangen« über dieselben Lippen zu bringen. Obwohl beide Sätze wahr sind.

»Die Wende färbt alles, was wir tun und denken«, sagte Elstermann. »Wenn ein Wessi Sehnsucht nach irgendwas aus seiner Kindheit hat – nach einer bestimmten Art Marmelade, die es nicht mehr gibt –, ist es nur Sehnsucht nach etwas, was fort ist. Wenn ein Ossi Sehnsucht nach irgendwas aus der Kindheit hat, ist es weg, weil die ganze DDR weg ist. Die kleinste Erinnerung ist gleich von einem Verlustgefühl überlagert. Die Wessis kennen das nicht so. Wenn ein Ossi seine alte Marmelade vermisst, sagt der Wessi sofort: ›Ja, aber da war auch der Diktator im Hintergrund, war es das wert?‹« Es ist schon schwer, Totalitarismus von Marmelade zu unterscheiden. Besonders früh morgens.

Seltsamerweise beschrieb Elstermann das Land, das er bis 1989 seine Heimat nannte, nicht so sehr als Land, sondern eher als Projekt. »Die DDR macht nur verbunden mit dem Sozialismus Sinn, sonst nicht«, meinte er. Für die meisten Menschen ist Heimat eine Ansammlung von Orten und Menschen – für Elstermann war sie eher eine Art Chance. »Alle Staaten und Religionen machen Versprechen«, sagte er. »Ich hatte immer eine bestimmte Heilserwartung. Es wird etwas kommen, ein absolut offenes, freies, demokratisches, sozialistisches System. Vor allem als Gorbatschow da war. Als er seine Perestroika-Rede hielt, fiel mir der Kinnladen runter. Heute will man keine solchen Projekte mehr – verstehe ich auch, aber damals dachten wir, jetzt geht's los. Ich konnte mir nur ein reformiertes Land vorstellen. Das war vielleicht phantasielos, aber ich glaube, die meisten von uns konnten sich damals nicht vorstellen, dass die DDR irgendwann einfach Teil der BRD sein würde. Wir dachten, es geht nur über Reformen. Und es erschien uns möglich. Wir wollten alle dabei sein. Als dann am 9. November die Mauer aufging, wusste ich: Dieser Traum ist vorbei. Da verstand ich, dass ein freier, demokratischer, sozialistischer Reformstaat nicht möglich war. Es war der Abschied von meinem Lebensprojekt.«

Ich versuchte mir das vorzustellen. Es ist irgendwie schon gewöhnungsbedürftig, das zu bekommen, was man will.

Das ist wie der Teenager, der seinen Körper mit Piercings und Tätowierungen übersät, nur noch in zerrissenen Klamotten rumläuft und seine Eltern anblafft mit »akzeptiert mich wie ich bin oder lasst es sein!« Was macht er, wenn er eines Tages nach Hause kommt und seine Eltern haben sich auch tätowieren und piercen lassen und ihre Klamotten zerrissen, und sämtliche Nachbarn auch, und alle wollen genauso sein wie er. Das muss vielleicht frustrierend sein.

»Es ist keine Sehnsucht nach dem alten Staat«, versicherte mir Elstermann. »Es ist vielmehr ein Vermissen dieses Zustands, wo wir auf Besseres warteten. Wir waren voller Sehnsucht damals. Nach Reformen, nach Reiseerlaubnis, nach dem Westen. Wir haben uns den Westen in einer Weise ausgemalt, die du dir nicht vorstellen kannst. In der Form gab es ihn gar nicht. Es wäre toll, einmal dort gewesen zu sein: Eine vollkommene Welt, in der alle in Peek & Cloppenburg gekleidet sind und es keine einzige graue Fassade gibt. Sie haben uns mal einen amerikanischen Gefängnisfilm gezeigt, wo alles ganz brutal und schrecklich war, mit Schlägereien und korrupten Wächtern und so weiter, damit wir sehen, wie schlimm es in den USA ist, und wir haben nur mit offenem Mund dagesessen und uns gesagt: ›Die tragen alle Jeans! Selbst im Gefängnis!‹ Das war so cool. Jetzt haben wir alles. Die Sehnsucht ist weg. Und jetzt fehlt sie uns.«

Ich verstand, was er meinte. Vor einigen Jahren hatte ich ebenfalls eine seltsame emotionale Erfahrung, die ich bis heute nicht erklären kann.

Es passierte nach einer längeren Periode, in der es mir recht schlecht ging. Ich hatte kein Geld, keine Aufträge, hatte ein paar berufliche Projekte versucht, alle erfolglos, und da saß ich nun und konnte am Ende des Monats kaum die Miete zahlen. Das Konto rutschte immer tiefer ins Minus. Ständig musste ich die Bank und das Finanzamt abwimmeln, die Telefongesellschaft anbetteln, dass sie meinen Anschluss wieder freischalten. Es war die schlimmste Zeit meines Lebens, und es ging über einige Jahre. Ich kann heute noch die Beklemmung im Nacken spüren, wenn ich daran denke.

Diese Zeit hatte auch bestimmte Rituale. Vor allem das Brief-Ritual.

Haufenweise kamen sie an: Rechnungen, die ich nicht zahlen konnte, Mahnungen, Kontoauszüge, dann Mahnungen von der Bank, dann letzte Mahnungen, und am Ende der eingeschriebene Brief, den ich persönlich an der Tür annehmen und den Empfang quittieren musste. Das Ritual war, diese Briefe auf einen Haufen zu schmeißen. Ungeöffnet. Solange ich die Zahlen nicht sah, konnte ich sie ertragen. Ich hatte immer die Hoffnung, meine Situation könne sich ändern, bevor der letzte Brief kam, bevor der Gerichtsvollzieher vor der Tür stand. Dieser Stapel Briefe, die ich nicht öffnen konnte – er verkörperte diese bittere Zeit.

Dann kam meine persönliche Wende. Ich bekam eine Stelle bei einem großen Wirtschaftsblatt. Am Anfang war die Bezahlung schlecht, doch ich war entschlossen, die Schuldenlast abzutragen und nach ein paar Jahren ging sie langsam, ganz langsam zurück. Ich gewöhnte mich daran, die Briefe aufzumachen und die Forderungen zu begleichen. Der Stapel verschwand, auch die Beklemmung im Nacken.

Bis sich irgendwann wieder Briefe angesammelt hatten und als ich sie öffnete, starrte ich ungläubig auf einen Kontoauszug, auf dem schwarz auf weiß zu lesen war, dass ich so weit im Plus war wie zuvor im Minus. Es war genau umgekehrt, genau das, wonach ich mich immer gesehnt hatte, ein ordentlicher Puffer zwischen mir und dem Ruin.

In dem Moment überkam mich dieses seltsame, unerklärliche Gefühl: Ich vermisste die Tage, als ich vor Verzweiflung nicht mehr ein noch aus wusste. Dieses Gefühl der Angst, der Beklemmung, der Dunkelheit um mich herum – ich vermisste auf einmal etwas, was ich nie wieder haben wollte.

Ich war nicht so dumm, sofort meine Arbeit hinzuwerfen und wieder in Schulden zu versinken. Das wollte ich nie mehr erleben. Aber es war doch eine Zeit, in der ich von einer ungeheuren Sehnsucht nach Erlösung erfüllt war.

Das war es, wovon Elstermann sprach, glaube ich: Die Sehnsucht nach der Sehnsucht.

»Ich bin froh, dass ich die Wendeerfahrung gemacht habe«,

sagte Elstermann abschließend. Das überraschte mich ein wenig. »Es ist eine Erfahrung, die wir dem Westen voraushaben. Weil wir sehen, dass die Dinge scheitern, dass es keine großen Lösungen gibt, kein System. Ich habe gesehen, wie sehr man irren kann. Man erlebt nicht alle Tage, dass ein Land verschwindet.«

Antwort:

A. Warum sehnt man sich nach etwas, was man nicht will? Aus Liebe zur Melancholie, denke ich.

GERMANIA
NERVOSA

Wer ist daran schuld, dass die deutsche Frau keine Kinder kriegt?

Ⓐ Die große Koalition ist schuld, weil ihr Elterngeld Hausfrauen sowie arbeitslose und studierende Mütter benachteiligt, so Beatrice Schnoor in einem Vortrag vor der Konrad-Adenauer-Stiftung.

Ⓑ Die Schröder-Regierung ist schuld, weil ihre Familienpolitik Hausfrauen sowie arbeitslose und studierende Mütter besser stellte, so Kritik an Beatrice Schnoor.

Ⓒ Die deutschen Väter sind schuld, weil sie nach der Geburt des ersten Kindes kaum noch einen Finger im Haushalt rühren, selbst wenn die Mutter berufstätig ist, so eine Studie der Uni Bamberg – was zu einer Senkung der weiblichen Empfängnisbereitschaft führt.

Ⓓ Die Frauen sind selber schuld, weil sie zu wählerisch bei ihren Begattungspartnern sind und zu alt, bis sie einen gefunden haben, so Kritik an der Uni Bamberg.

Ⓔ Der Staat ist schuld, da es nicht genug Krippen, Kindergärten und Ganztagsschulen gibt. Laut Statistischem Bundesamt existierte 2004 nur für drei Prozent aller deutschen Kinder ein Krippenplatz.

Ⓕ Die Mütter sind laut dem Mannheimer Zentrum für Europäische Wirtschaftsforschung selber schuld, weil nur ein Bruchteil von ihnen die Möglichkeiten ausnutzt, die der Staat ihnen bietet, um den Wiedereinstieg in die Arbeitswelt zu erleichtern – zum Beispiel Kindergartenplätze und Erziehungsurlaub für Väter –, ganz im Gegenteil zu französischen Frauen, die vergleichbare Möglichkeiten haben und diese auch nutzen.

Ⓖ Das mangelnde Selbstbewusstsein der deutschen Frauen ist schuld, weil sie glauben, sie seien Rabenmütter, wenn sie arbeiten gehen und ihr Kind »fremdbetreuen« lassen.

Ⓗ Die Hausfrauen sind schuld, weil sie arbeitende Mütter schief anschauen.

Ⓘ Die Väter sind schuld, da laut einer Studie der Bundeszentrale für politische Bildung nur ein »verschwindend geringer Anteil« von ihnen in der staatlich finanzierten Elternzeit lieber sein Kind betreut, anstatt arbeiten zu gehen.

Ⓙ Das Lohngefälle zwischen Mann und Frau ist schuld, da eine Familie mehr Geld spart, wenn die Frau zwecks Kinderbetreuung zu Hause bleibt, weil Männer meist mehr verdienen als ihre Frauen.

Ⓚ Hitler ist schuld, weil er die Mütter laut Barbara Vinken in einen »pseudoreligiösen Rassekult« reingezogen hat, Mutterkreuze verteilte und ihnen ständig sagte: »Frauen sollen den Erziehungsauftrag des völkischen Staates erfüllen – im Heranzüchten kerngesunder Körper.«

Ⓛ Hitler ist schuld, weil er laut Beatrice Schnoor durch die »Reichsmütterschulung« eine frühe emotionale Distanz zwischen Mutter und Kind getrieben hat und ihnen solche Sätze gesagt hat wie: »Dein Körper gehört nicht dir, sondern deiner Sippe und durch die Sippe deinem Volk.«

Ⓜ Der Faschismus an sich ist schuld, weil auch andere, ehemals faschistische und faschistoide Länder wie Japan, Italien, Spanien und Österreich heute mit dem gleichen Geburtenproblem kämpfen.

Ⓝ Martin Luther ist schuld, weil er laut Barbara Vinken die weibliche Existenz auf Mutterschaft und Ehe beschnitt, im Gegensatz zum Katholizismus, in dem man wenigstens noch Heilige werden konnte.

Ⓞ Die Arbeitgeber sind schuld, da sie kinderunfreundliche Arbeitszeiten bieten und Babypausen und Teilzeitarbeit hassen, wie eine Studie im *Handelsblatt* 2006 bekräftigte, die bei Banken feststellte, das häufigste Karrierehindernis sei allein die Unterstellung, Frauen hätten keine Zeit für Überstunden, selbst wenn sie erwachsene oder gar keine Kinder hatten.

Ⓟ Ursula von der Leyen ist schuld, weil sie so viele Kinder bekommen und eine so steile Karriere hingelegt hat, dass die Durchschnittsfrau ohne Hausangestellte vor lauter Ärger unfruchtbar geworden ist.

Ⓠ Schuld ist die Emanzipation, wie Susanne Gaschke in ihrem Buch *Die Emanzipationsfalle* darlegt, wo es heißt, der Feminismus habe den Drang in Ausbildung und Beruf gefördert, und je besser ausgebildet und erfolgreicher im Beruf die Frau sei, umso fortpflanzungsunwilliger werde sie.

Ⓡ Schuld ist die mangelnde Emanzipation in Deutschland, denn laut einer Studie des Berlin-Instituts für Bevölkerung und Entwicklung von 2005 werden in jenen Industrienationen die meisten Kinder geboren, wo die Emanzipation am weitesten fortgeschritten ist, also dort, wo die Erwerbsbeteiligung von Frauen am höchsten ist und wo Frauen nach der Geburt ihrer Kinder am häufigsten weiter arbeiten gehen.

Ⓢ Eva Herman ist schuld, weil sie mit Kind Karriere gemacht und genau das später öffentlich bereut hat.

Ⓣ Die deutschen Kindergärtnerinnen sind schuld, da sie völlig andere Arbeitszeiten als der Rest der Bevölkerung pflegen und im Gegensatz zu ihren französischen und schwedischen Kolleginnen die Kinder schon ab 14 Uhr eingewickelt am Zaun zum Mitnehmen aufstellen, und wer dort als Letzter abgeholt wird, hat nichts zu lachen und seine Mutter auch nicht, laut einer bundesweiten Umfrage des Deutschen Industrie- und Handelskammertages (DIHK), die festgestellt hat, dass von rund 1700 Kindertagesstätten nur fünf Prozent auch nach 18 Uhr geöffnet haben und über 60 Prozent während der Schulferien geschlossen sind.

Ⓤ Das »deutsche Stigma« ist laut Georg Knoth, Deutschland-Chef von General Electric, schuld: »Weil hier die Auffassung vorherrscht, dass es keine erfolgreichen Frauen mit glücklichen Kindern geben kann, lassen sich viele abschrecken«, im Gegensatz zu den USA, wo kaum eine Frau kritisiert werde, wenn sie sich für eine Karriere entscheidet.

Ⓥ Berufstätige Frauen, die keine rechte Karriere machen, sind laut der Arbeitsrechtlerin Katrin Haußmann schuld, denn »hier fehlt Frauen – anders als Männern – das Vorbild, an dem sie sich was abgucken können für ihre eigene Karriere«.

Ⓦ Berufstätige Frauen, die Karriere machen, sind schuld, was man daran sieht, dass 40 Prozent aller deutschen Akademikerinnen kinderlos bleiben.

Ⓧ Die DDR ist schuld, denn zwar wurden dort 80 Prozent aller Kinder betreut und zugleich gingen 90 Prozent der Frauen im Erwerbsalter zur Arbeit oder waren in Ausbildung, aber wo kämen wir denn hin, wenn wir der DDR irgendwas nachmachen, nur weil es funktioniert hat?

Ⓨ Konrad von Megenberg ist schuld, der in seinem *Buch der Natur* um 1350 die Raben anklagte: »Die Raben werfen etliche Kinder aus dem Nest, wenn sie der Arbeit mit ihnen überdrüssig sind«, übrigens fälschlicherweise, denn Raben sind fürsorgliche Eltern.

Ⓩ Die deutsche Sprache an sich ist schuld, weil sie im Gegensatz zu den meisten anderen Sprachen der Welt das Wort »Rabenmutter« kennt.

ⒶⒶ Peter ist schuld (laut Kathrin).

Antwort:

Jetzt bin ich überfragt.

Wie viele Kinder kann eine deutsche Frau denn eigentlich gebären, wenn sie sich wirklich Mühe gibt?

Ⓐ 1,4

Ⓑ 53

Ⓒ 69

Ⓓ 244,8

Mit dieser Frage meine ich natürlich nicht Sie, liebe Leserin. Die typische deutsche Frau, falls Sie sich dazu zählen, schafft es offenbar nicht, mehr als 1,4 Kinder zu gebären. Nein, ich meine die ideale, von patriotischer Pflicht beseelte Frau, die bereit ist, auch mal Opfer zu bringen.

Ich kenne mehrere amerikanische Frauen mit 13 Kindern, aber nur eine deutsche, und ich gebe zu, es hat mir imponiert, wie sie das hinbekommen hat. Nicht nur das ständige Gebären, sondern auch wie sie die ständigen Kommentare ihrer 1,4-Kinder-Nachbarn aushielt. Doch was damals zu viel war, ist heute nicht mehr genug.

Um auszurechnen, wie viele Kinder eine deutsche Frau gebären kann, brauchen wir als Erstes ein paar mathematische Parameter:

1. Ab welchem Alter kann eine Frau theoretisch gebären?
Die jüngste bekannte Mutter der Welt heißt Lina Medina und hat am 14. Mai 1939 in Peru als Fünfjährige – ja, die Zahl, die Sie gerade gelesen haben, ist »fünf« – einen gesunden Jungen zur Welt gebracht. Kurz darauf wurde ihr Vater wegen Kindesmissbrauch vor Gericht gestellt, aber der Sachverhalt konnte nie recht aufgeklärt werden. Linas Sohn ist in den 70ern im Alter von 40 Jahren gestorben; die Mutter lebt noch, hat inzwischen einen zweiten, erwachsenen Sohn und spricht nicht mit Journalisten. Obwohl der Fall immer wieder angezweifelt wurde, scheint er tatsächlich stattgefunden zu haben.

Rein theoretisch kann also eine Frau schon mit fünf anfangen, Kinder zu gebären. Allerdings reden wir hier von Frauen, nicht von Mädchen, also bleiben wir bei der Rechnung beim deutschen Mindestalter für Geschlechtsverkehr und gehen davon aus, dass unsere patriotische Frau mit 16 Jahren anfängt.

2. Bis zu welchem Alter kann eine Frau theoretisch gebären?
Die älteste uns bekannte Mutter der Welt heißt Adriana Iliescu. Als sie in Budapest im Januar 2005 per Kaiserschnitt eine Tochter zur Welt brachte, war die Rumänin 66 Jahre alt. Allerdings war sie nur die Leihmutter. Auch die Engländerin Patricia Rashbrook, die 2006 mit 63 Mutter wurde, schaffte es nur mit recht umstrittenen medizinischen Mitteln.

Ich bin schon der Meinung, dass man auch von deutschen Frauen erwarten darf, dass sie, falls nötig, Deutschland auch mittels künstlicher Befruchtung erneuern. Aber vielleicht lese ich zu viele Science-Fiction-Romane. Wir wollen nicht so streng sein. Es darf auch auf natürliche Weise passieren.

Die älteste bekannte Mutter, die ohne medizinische Hilfe ein Kind empfing und austrug, war eine anonyme 50-jährige Japanerin, von der der Mediziner Hidehiko Matsubayashi 2002 auf der Medizinhochschule von Tokai berichtet hat. Seine Patientin hatte 6 Jahre versucht, mittels medizinischer Hilfe schwanger zu werden, gab dann auf ... und wurde prompt auf natürliche Weise schwanger. Also legen wir das Maximalalter auf 50 fest.

3. Wie oft kann eine Frau theoretisch gebären?
Wir wollen die deutsche Proto-Mutter nicht überstrapazieren, also legen wir zwischen den Kindern eine angemessene Atempause ein – sagen wir einen Monat. Das reicht dicke, um ein paar Stunden Rückbildungsgymnastik und einen ordentlichen Großputz zu machen, und auch genug Eintopf für die nächsten neun Monate zu kochen und einzufrieren. Wir wollen keine unrealistischen Ansprüche stellen.

Zwischen 16 und 50 gibt es also 40,8 Zehn-Monats-Zeiträume. Das heißt, die Proto-Mutter kann 40-mal im Leben gebären.

Bleibt zu fragen, wie viele Kinder die Mutter jedes Mal zur Welt bringt.

4. Wie viele Kinder kann eine Frau theoretisch pro Niederkunft gebären?
Die höchste der modernen Medizin bekannte Zahl von Kindern, die bei einer einzigen Niederkunft zur Welt gekommen sind, ist sechs. Die Hochrechnung also:

$$\begin{array}{r} 40{,}8 \\ \times\, 6 \\ \hline 244{,}8 \end{array}$$

Ganz theoretisch also kann jede deutsche Frau 244,8 Kinder kriegen. Das klingt doch schon ganz anders als 1,4!

Andererseits, wenn ich mir das recht überlege, ist das vielleicht nicht ganz realistisch.

244,8 Geburten mal 19,595 092 Millionen in Deutschland lebende Frauen zwischen 16 und 49 … das ist eine Menge Kindergeld. Wer soll das bezahlen?

Also versuchen wir's anders:

5. Was war die Höchstzahl der Kinder, die eine Frau jemals geboren hat?
Die höchste Anzahl von Kindern, die eine der Medizin bekannte Frau je geboren hat, ist 69. Diese Leistung wurde zwischen 1725 und 1765 im Dorf Shuya, rund 80 Kilometer von Moskau, von der anonymen Ehefrau des Bauern Feodor Wassiljew erbracht. Wie sie das geschafft hat? In 27 Teillieferungen. Darunter waren 16 Zwillingspaare, sieben Drillingsschübe und viermal Vierlinge.

Es stimmt, dass von den 69 Kindern nur zwei die Geburt überlebten (die ähnlich gefährlich wie die U-Bahn zur Rushhour gewesen sein muss) und auch diese sind in den nächsten acht Jahren gestorben, aber das hat die Frau offenbar nicht entmutigt, es weiter zu probieren.

Deutsche Frauen sind allerdings keine Russinnen. Das russische Volk hat eine hohe Leidenstoleranz. Wie sieht es bei den Deutschen aus?

Es gibt eine, die nah drangekommen ist: Barbara Stratzmann aus Bonnigheim unweit von Heilbronn hat im 15. Jahrhundert 53 Kinder zur Welt gebracht. Laut einem glaubwürdigen Bericht des Notars Friedrich Deumling von 1498 handelte es sich 18-mal um Einlinge, fünfmal um Zwillinge, viermal um Drillinge, einmal um Sechslinge und einmal um Siebenlinge (dies widerspricht unserer eher zurückhaltenden Annahme von maximal sechs Kindern pro Schwangerschaft und gibt Grund zur Hoffnung).

Es stimmt, dass 19 ihrer Kinder tot zur Welt kamen und sämtliche anderen starben, bevor sie acht Jahre alt wurden, doch muss man bedenken, dass wir heute viel bessere Möglichkeiten haben, die Kinder am Leben zu erhalten.

Die realistische Antwort:

B. 53 Kinder pro Frau.
… mal 19 Millionen Frauen im gebärfähigen Alter hierzulande ergibt das also rein theoretisch … tut mir leid, da steigt mein Taschenrechner aus. Auf jeden Fall ist es mehr als genug!

Hat Deutschland Vorteile durch die Klimakatastrophe?

Ⓐ Ja – das gibt der Regierung eine prima Gelegenheit, die Steuern anzuheben.

Ⓑ Nein – wenn auch nur ein Mensch unter der Klimakatastrophe leidet, leiden alle Deutschen mit.

Ⓒ Nein – ganz Deutschland wird regelrecht wegschmelzen.

Ⓓ He, solange es hier endlich mal warm wird, reicht mir das.

Seit ich die Deutschen kenne, machen sie sich Sorgen. Um das Waldsterben, das Rheinsterben, um nicht abbaubaren Plastik- und Atommüll, um die Verschmutzung der Weltmeere, der Weltwüsten, der Weltstrände, der Weltpole und des Weltalls.

Und nicht erst, seit ich sie kenne. Schon die Nazis waren als nachhaltige Förster und vorbildliche Umweltschützer bekannt ... zumindest bis Ende der 1930er, als sie sich anderen Prioritäten zuwandten. Doch auch sie waren nicht die ersten deutschen »Grünen«. Schon 1910 wurde die Lüneburger Heide zum Naturschutzpark erklärt. Das war lange, nachdem Adolf Just 1896 seinen Klassiker *Kehrt zur Natur zurück!* schrieb. Und bereits im Industriezeitalter lauschte man öffentlichen Vorträgen mit Titeln wie diesem auf den Zweiten Allgemeinen Deutschen Bergmannstagen in Dresden 1883: »Wirkt die in unserem Zeitalter stattfindende Massenverbrennung von Steinkohle verändernd auf die Beschaffenheit der Atmosphäre?« Man munkelt, die allerersten Ansätze zum Schutz des Waldes stammen aus dem Mittelalter, und hat irgendein anderes Land eine größere Öko-Prophetin aufzuweisen als Hildegard von Bingen?

Die Deutschen und die Natur ... das ist fast, als ob Gott, als er die Deutschen aus dem Garten Eden warf, ihnen noch ins Ohr raunte: »Und denkt daran, passt gut auf die Natur auf – die schafft es nicht ohne euch.« Manchmal frage ich mich, ob die Deutschen in ihrem Eifer, der Umwelt Gutes zu tun, nicht etwas übersehen. Zum Beispiel, ob die allgemeine Veränderung der Natur für sie auch Vorteile hat. Was den Klimawandel angeht, muss Deutschland nämlich mit einigen Konsequenzen rechnen:

Tourismus wie im Süden

Heute ist Deutschland weltweit beliebtestes Tourismus-Ziel Nummer fünf, aber stellen Sie sich mal vor, wie beliebt es wäre, wenn es neben lauschigen Biergärten und dem Oktoberfest auch anständig warme Strände bieten könnte. Aufgrund der milderen Winter kühlt die Ostsee nicht mehr jährlich aus und braucht nicht mehr bis zum Hochsommer, um sich wieder auf Badetemperatur aufzuheizen, also kann die Feriensaison an der Küste verlängert werden. In Spanien wird sich die Saison dagegen verkürzen, denn dort wird es künftig im Sommer zu heiß. Da sämtliche Mittelmeeranrainer – die klassischen Urlaubsländer – bald mit Hitzesommern zu kämpfen haben, wird Deutschland als Reiseziel immer attraktiver. Das kommt gerade recht, denn es zeichnet sich ab, dass es bald eine reguläre Klimaabgabe auf Flugreisen geben wird – da bleibt der pfennigfuchsende Deutsche sowieso lieber zu Hause. Jetzt kann er das ohne Nachteile, denn bald gibt's »Ballermann 7« auf Rügen. Na gut, die Ferienhaus-Industrie wird im wahrsten Sinne des Wortes einiges an Flexibilität beweisen müssen, denn der Meeresspiegel wird noch in diesem Jahrhundert um prognostizierte 60 bis 100 cm ansteigen, so Stefan Rahmstorf, Professor für Ozeanographie in Potsdam. Das heißt, dass der Strand sich immer weiter ins Inland verschiebt. Der kluge Deutsche investiert schon heute in Pfahlbauten, Hausboote oder trendbewusst in luxuriöse »Floating Homes«, sofern die Liegeplätze nicht schon alle weg sind. Interessanterweise hat die spanische Ibero-Gruppe, die bisher nur am Mittelmeer investierte, nämlich bereits damit begonnen, Grundstücke an der Ostsee zu erwerben.

Winzer können punkten

Deutsche Winzer meckern doch seit dem Mittelalter, dass ihr Wein zu Unrecht hinter dem französischen und italienischen her hinkt. Nicht mehr lange. Durch milderes Klima und mehr Sonnentage wird der deutsche Wein endlich das Niveau des französischen erreichen. Bisher lagen wir hierzulande an der klimatischen Nordgrenze der europäischen Weinanbauzone. Doch durch die wärmeren Winter können die Weinreben inzwischen zwei Wochen früher austreiben, so Heidrun Jagoutz vom Deutschen Wetterdienst. Die längere Vegetationsperiode käme vor allem Rotweinen wie dem Spätburgunder zugute. Bisher wurden in bestimmten Anbaugebieten im Frühling manchmal noch Heizöfen in den Weinbergterrassen angeworfen, um die Reben vor Frost zu schützen. Solche Methoden sind jetzt passé. Kleiner Wermutstropfen: Eiswein wird es ohne knackige Frostperioden von mindestens minus sieben Grad hier keinen mehr geben.

Der Wirtschaftsminister kann sich freuen
Haben Sie sich je gefragt, warum es in Berlin und anderen Großstädten Jahrzehnte dauert, bis auch die kleinste Baustelle endlich fertig ist? Bauarbeiter arbeiten traditionell ja nur in den warmen Monaten, und davon gibt es in Deutschland ganz wenig. Bis jetzt. Der Bauboom des letzten warmen Winters hat Deutschland ein Wirtschaftswachstum von rund 0,3 Prozent beschert, sagen Ökonomen. Im warmen Februar 2007 gab es im Vergleich zum Vorjahr 826 000 weniger Arbeitslose. »Das ist der stärkste Rückgang innerhalb eines Jahres seit Bestehen der Bundesrepublik«, freute sich der Vorstandschef der Bundesagentur für Arbeit Frank-Jürgen Weise in der Berliner Zeitung.

Der Umweltminister kann sich freuen
Die Klimaerwärmung führt zu einem positiven Rückkopplungseffekt: Die Deutschen werden weniger heizen. Bei entsprechender Förderung werden Niedrig- oder Nullenergiehäuser vielleicht bald zum Standard in unseren Breiten werden. Allerdings kommt das zwar der Umwelt zugute, nicht aber dem Endkunden, denn die (klassische) Energieproduktion wird teurer. Das liegt daran, dass die Flüsse im Hochsommer nicht mehr genug Kühlwasser für die Kraftwerke führen werden und Stürme zunehmend die Überlandleitungen der Stromnetze gefährden. Man kann nicht alles haben.

Die Atomlobby freut sich schon jetzt
Die Atomkraftwerke bessern gerade ihren konstant durch krebserregenden Strahlungsmüll angekratzten Ruf wieder auf, denn es gibt eines, was sie nicht produzieren: klimaschädliches CO_2!

Grüne Energien aus Deutschland erobern den Markt
Höchste Zeit, dass das Volk der Ingenieure mal wieder mit Erfindungen Furore macht. Jetzt kommt ihre Chance. Schon heute sind sie Weltmarktführer bei Entwicklung und Produktion alternativer Energiegewinnungstechniken. Ihren Vorsprung verdanken sie der jahrelangen staatlichen Förderung von Solarenergie, Wind- und Wasserkraft. Diese erleben durch die Klimaerwärmung gerade einen Boom. Die Branche Umwelttechnologie wächst zur Zeit um mehr als das Doppelte wie das traditionelle Zugpferd Fahrzeugbau und viermal mehr als der Maschinenbau. Inzwischen wird bereits jede dritte Solarzelle weltweit in Deutschland produziert sowie fast jedes zweite Windrad. »Selbst wenn GE draufsteht, ist größtenteils Made in Germany drin«, so der Verband Erneuerbare Energien. Internationale Kunden verlassen sich schon heute gern auf deutsche Wasseraufbereitungstechnik wie die der bayerischen Hans Huber AG, und das wird sich mit der prognostizierten weltweiten Wasserknappheit noch verstärken. Vor kurzem ist die deutsche Firma Solarworld groß in den amerikanischen Solaranlagenmarkt eingestiegen, mit der Ambition, dort Marktführer zu werden. Der Exportwert für deutsche Solarstromanlagen ist in den letzten sechs Jahren von einer halben Milliarde auf sechs Milliarden Euro gestiegen. Und ein Ende ist nicht in Sicht, seit Kalifornien, Schweden, China und weitere Staaten beschlossen haben, ihren Energiebedarf zu größeren Anteilen aus erneuerbaren Quellen zu decken. Jetzt brauchen wir nur noch eine Technologie, die die Wolkendecke über Deutschland aufreißt, dann können wir unsere Solarzellen auch zu Hause im großen Stil nutzen.

Tropische Arten siedeln sich an
Seien wir doch ehrlich – Kohlmeise und Nebelkrähe sind ja ganz nett, aber mit einem bunt gefiederten Exoten können sie nicht konkurrieren. Vielleicht fliegen bald Papageienschwärme durch unsere Parks? Vorreiter ist hier der Halsbandsittich aus Indien, der sich vom Schlosspark Wiesbaden-Biebrich bis in die Gärten von Mainz ausgebreitet hat, wo seit Jahren Hunderte der grüngelben Papageien mit dem markanten roten Schnabel gesichtet werden. Am Bodensee brüten bereits mehrere mediterrane Vogelarten. Dort hat der Klimawandel die Anzahl der Vogelarten um 13 neue Arten erhöht. Kleiner Nachteil: Wärmeempfindliche Arten wie das Braunkehlchen verziehen sich nach Skandinavien. Ich persönlich freue mich darauf, morgens von einem bunten Alexandersittich begrüßt zu werden, der vor dem Fenster hockt und mit mir den gleißend hellen Sonnenaufgang genießt, und, sollte es regnen, gemeinsam mit mir schimpft.

Eiswerke werden sich freuen
Bilden Sie sich nichts ein: Nur, weil kein Schnee mehr in Deutschland fällt, wird man nicht gleich auf Wintersport verzichten. Man wird einfach verstärkt auf Schneekanonen setzen, um den Betrieb auf den schmelzenden Pisten aufrechtzuerhalten. Mit dem Rückgang der Gletscher wird sich Skifahren mehr und mehr in Indoorhallen verlagern, die natürlich mit ihrer künstlichen Kühlung auch jede Menge CO_2 produzieren. Laut einer OECD-Studie wird es Schneesicherheit bald nur noch in Lagen über 1500 Meter geben. Umweltbewussten Skitouristen bleibt nur ein sicheres Ziel: Skandinavien. »Das Problem dort ist nur, dass es sehr früh dunkel wird«, so Klimaexperte David Viner, Professor an der University of East Anglia in Norwich. Wahrscheinlich erleben wir bald die Geburt eines neuen Trendsports namens »Night-Skiing« mit leuchtenden Skianzügen und Neonstöcken.

Die Landwirtschaft hat mehr zu tun

Schluss mit den faulen Landwirten, die winters hinterm Ofen sitzen und die Scheinchen von der EU zählen. Endlich wird auch im Winter der Anbau frostempfindlicher Pflanzen auf freiem Felde möglich. Vielleicht kann man hier bald subtropische Früchte ernten, die dann nicht mehr importiert werden müssen. Allerdings bekommt der Bauer nichts geschenkt. Der Temperaturanstieg wird nicht konstant sein, sondern extremen Schwankungen unterliegen und von Stürmen und Sturzregen begleitet sein. Wasserknappheit und Überflutungen werden sich abwechseln. Ab einer Temperatur von 27 °C steigt auch die Hurrikan-Wahrscheinlichkeit. Darauf muss sich die Landwirtschaft einstellen. Aber wenn die fleißigen Bauern in Iowa und Kansas mit Tornados leben können, dann schaffen das die deutschen auch.

Weniger Winterdepressionen

Zwar wird die Zahl der Sonnenstunden im Winter immer noch deprimierend niedrig liegen, was manche Menschen in jahreszeitlich bedingte Trübsal versetzt. Es wird aber nicht mehr so kalt sein, dass man sich wochenlang daheim verkriechen muss. Die Menschen werden sich auch im Winterhalbjahr mehr im Freien aufhalten, und jeder eingefangene Sonnenstrahl senkt das Depressionsrisiko. Ärgerlich ist nur: Auch Mücken- und Zeckenlarven lieben warme Winter – sie erhöhen ihre Überlebenschancen. Dies ist bereits im Winter 2006/7 augenfällig geworden. Ob die Malariagefahr auch für unsere Breiten steigt, ist noch umstritten.

Hitzebekämpfung

Da im Sommer die Gefahr durch Hitzschlagtod besonders in Altenheimen und Krankenhäusern steigt, werden Klimaanlagen immer beliebter werden. Extreme Hitzetage im Sommer sind nämlich auch der Produktivität ganz normaler Arbeitnehmer nicht förderlich, sie sinkt dann bis zu zwölf Prozent, was einen volkswirtschaftlichen Verlust von bis zu zehn Milliarden Euro ausmachen kann. Das schafft mehr Arbeitsplätze in einer Industrie, die ich aus Hawaii kenne und liebe, die aber in Deutschland so gut wie unbekannt ist: Klimaanlagen. Na gut, Klimaanlagen produzieren besonders viel CO_2, aber dafür gibt es bereits eine neue Generation, die mit Solarkraft arbeitet.

Nette neue Nachbarn
Weil der Klimawandel vor allem Ländern Schaden zufügt, in denen es jetzt schon sehr heiß ist, werden vermehrt Afrikaner aus ihrer von Dürren geplagten Heimat nach Europa fliehen und sich auch in Deutschland niederlassen. Diese Entwicklung ist vermutlich nicht aufzuhalten. Allerdings könnte man ihnen ein Geschäft vorschlagen: Wir vermieten ihnen hier kühle Wohnungen, wenn sie uns ihr Land verpachten, damit wir dort hocheffektive Solaranlagen-Parks errichten können. Wenn Deutschland den Zukunftsmarkt erneuerbarer Energien auf lange Sicht beherrschen will, muss es groß denken.

Antwort:

D. Wenn es tatsächlich eine so verheerende Klimaerwärmung geben wird wie vorhergesagt, ist Deutschland im Vergleich zu Bangladesch, Tuvalu und meiner Heimat Hawaii auf jeden Fall besser dran – denn die werden langsam, aber sicher versinken. Wissenschaftler sagen schon jetzt voraus, dass die kleineren, unbewohnten Inseln im Norden der hawaiianischen Kette bis zum Jahr 2100 unter Wasser stehen werden, was für die vielen seltenen Tierarten, die dort leben, keine gute Nachricht ist. Deutschland ist eben (noch) nicht Hawaii.

Gibt es überhaupt noch richtige Deutsche in Deutschland?

Ⓐ Na klar – die stehen alle vor der kanadischen Botschaft mit Ausreisepapieren in der Hand.

Ⓑ Na klar – man findet sie ganz leicht in den russisch-orthodoxen Kirchen.

Ⓒ Na klar – aber sie heißen alle Kowalski.

Ⓓ Nein, sie sind alle ausgestorben … und Sie, mein Freund, sind adoptiert.

In den glorreichen 70ern amüsierte ich mich prächtig über eine Komödie mit dem Titel *Reichtum ist keine Schande*, in der Steve Martin einen Weißen spielt, der in einer schwarzen Familie aufgewachsen ist. Nicht gerade schlau, glaubt Martin, auch er sei schwarz, bis ihn sein Adoptivvater irgendwann beiseite nehmen und aufklären muss: »Wusstest du das nicht? Du bist gar kein Schwarzer. Du bist adoptiert.« Da bricht Steve Martins Welt zusammen.

Damals, noch etwas naiv, dachte ich, in Wahrheit kann so was nicht passieren.

Bis ich die Deutschen kennenlernte.

Seit ich hier bin, diskutiert man darüber, ob Deutschland ein Einwanderungsland sei oder nicht. Dabei geht es, ob man es zugibt oder nicht, nie um die Frage der Einwanderung allein, also um Arbeitskräfte und Einwohnerzahlen, sondern um das uralte Thema »Überfremdung«. Die wirkliche Frage lautet immer: Wann ist Deutschland nicht mehr deutsch? Und warum sollte man diese Frage nicht mal stellen? Seien wir doch ehrlich – wir alle haben ein bisschen Angst davor, das Deutsch-Sein (bzw. in meinem Fall das Amerikaner-Sein) zu verlieren. Komisch, dass wir es nicht schon längst verloren haben. Wie hat Deutschland es überhaupt bis jetzt geschafft, »deutsch« zu bleiben?

Wir sprechen immerhin von einem Land, das mitten in Europa liegt. Wer seine Zelte in einem Bahnhof aufschlägt, lernt irgendwann ein, zwei Fremde kennen, ob er will oder nicht. Die Deutschen jedoch starren jeden Fremden, der bei ihnen aussteigt, so verwundert an, als ob er ein grundsätzlich neues Phänomen, ja, eine Laune der Natur sei. Es dauert jedes Mal wieder eine Weile, bis sie sich an ihn gewöhnen.

Dieses Land ist bevölkerungsmäßig ähnlich gestrickt wie eine dieser Frauen, die ständig zwischen extremem Übergewicht einerseits und Bulimie andererseits schwanken – und zwar von Anfang an. Einer der radikalsten Gewichtsverluste fand bereits nach dem Dreißigjährigen Krieg statt, als man überrascht feststellte, dass rund ein Drittel der Menschen in den deutschen Territorien irgendwie verschwunden waren.

So wurden so genannte »Werber« hinaus in alle Welt geschickt, um potenzielle Einwanderer nach Deutschland zu locken. Sie boten reisewilligen Schweizern, Österreichern, Flamen, Böhmen und Franzosen zahlreiche Privilegien, von kostenlosem Siedlungsland bis zu freiem Brennholz ... ja, sogar religiöse Freiheit!

Die damaligen Wanderungsbewegungen waren für unsere Verhältnisse noch bescheiden. »Sie überschreiten selten 200 Kilometer«, sagt Jochen Oltmer, Professor für Neueste Geschichte an der Universität Osnabrück. »Das führte durchaus mal auf lokaler Ebene zu Anpassungsproblemen, aber nie in dem Maße wie heute. Erst im 19. Jahrhundert wurden die Distanzen größer, die man überwinden konnte.«

Trotzdem waren die Einwanderer keine kleine, bedeutungslose Gruppe. Zwischen 1640 und 1786 ließen sich eine halbe Million Ausländer allein in Brandenburg-Preußen nieder (wo sie die stolzen Vorfahren der heutigen brandenburgischen Neo-Nazis wurden). Dabei zählte die Bevölkerung von ganz Deutschland 1648 nur noch 12 Millionen. »Direkt nach dem Dreißigjährigen Krieg war ein Viertel der Bevölkerung in Mitteleuropa nicht mehr am Orte«, sagte Oltmer.

Als etwa um 1700 die großen Bevölkerungsverluste endlich ausgeglichen waren, warteten bereits neue Probleme. Jetzt wurde die deutsche Dame – Überraschung! – wieder dick. In den nächsten hundert Jahren wuchs die Einwohnerzahl rasant auf rund 23 Millionen.

Die Abspeckungskur kam von selbst. Diesmal war kein Krieg vonnöten. Es reichte schon, dass es zu wenig Arbeit gab und im Ausland bessere Möglichkeiten. Um deutsche Auswanderer wurde bald regelrecht gebuhlt. Zum Beispiel versprach 1762 die Zarin Katharina die Große, die selbst mehr oder minder aus Preußen stammte, den Deutschen kostenloses Land sowie Kredite und jahrelange Steuerfreiheit. Da wird der aufrechteste Patriot schwach.

Die Obrigkeit reagierte schnell – mit einem sofortigen, absolut nutzlosen Auswanderungsverbot. Hätten sie lieber eine Mauer bauen sollen – aber da fehlte ihnen die Phantasie späterer Generationen. Also musste sie hilflos zusehen, wie vor allem Süddeutschland sich immer mehr leerte. Es sollte noch schlimmer kommen: Mitte des 19. Jahrhunderts tauchte auch noch Amerika als Wunschziel auf. Auswandern wurde zur Massenbewegung. Rund fünf Millionen Deutsche bestiegen Schiffe nach New York. Ab 1890 waren die Deutschen zur stärksten ethnischen Gruppe in Amerika angewachsen und wer rechtzeitig in Bier, Kraut und Würstchen investiert hatte, wurde reich.

Nichts schien die Abmagerung aufhalten zu können ... bis die deutsche Dame auf den letzten Drücker noch ein hochmodernes Wundermittel, nämlich die Industrie, entdeckte und flott wieder zulegte. Plötzlich gab es wieder Jobs zuhauf, und die Auswandererschiffe machten kehrt.

Von heute auf morgen wurde das entleerte Deutschland weltweit zum zweitwichtigsten Einwanderungsland. Arbeitswillige strömten aus Polen, Masuren und Italien und siedelten sich im Ruhrpott an. Während in den Jahren zuvor viele Deutsche nach Holland ausgewandert waren, wanderten jetzt viele Holländer nach Deutschland ein. (Wer weiß: vielleicht waren es Nachkommen derselben Familien und wussten es nicht.) 1914 arbeiteten weit über eine Million Ausländer in Deutschland als Kartoffelbuddler, Rübenzieher, Ziegelbrenner ... und als Kulturkritiker, die sich hauptberuflich Sorgen über die Folgen der Einwanderung machten. Die abgemagerte Dame hatte im Rekordtempo wieder zugelegt, und die Deutschen bekamen schon wieder Angst. (Wenn ich das richtig sehe, gab es in der deutschen Geschichte nur wenig angstfreie Zeiten.) Diesmal war es Angst vor der »Polnisierung.«

»Die Polen waren die Türken des 19. Jahrhunderts«, meinte

Oltmer. »Bis zum Ersten Weltkrieg gab es lange Diskussionen darüber, dass die Deutschen immer weiter durch die Polen mit ihren hohen Geburtenraten verdrängt werden. Schließlich bestanden etwa zehn Prozent der preußischen Bevölkerung aus Polen. Man hielt mit ›Germanisierung‹ dagegen. In Schulen wurde die polnische Sprache irgendwann nicht mehr geduldet. Bismarck versuchte, polnische Landbesitze aufzukaufen und Deutsche anzusiedeln.«

Diese Bemühungen waren kostspielig und so gut wie erfolglos. Die Deutschen im Westen wollten vielleicht theoretisch die Polnisierung des Ostens verhindern, aber so ganz konkret umziehen, um die Zahl der Deutschen dort aufzupäppeln, so weit wollten sie es dann auch nicht treiben. An den Polen ging das natürlich nicht vorüber. »Bis dahin gab es unter ihnen viele verschiedene Gruppen, die über kaum mehr als eine regionale Identität verfügten«, so Oltmer. »Aber nun hörten sie: ›Du bist Pole und musst deutsch werden.‹ Das hat erheblich dazu beigetragen, dass sich eine polnische Identität herausbildete.«

Nicht mal Krieg konnte Deutschland ohne Hilfe von Ausländern führen. Schon der Erste Weltkrieg wäre ohne Zwangsarbeiter nicht möglich gewesen. Die Nachfrage an Arbeitskräften in Rüstung, Bergbau und Landwirtschaft war kaum zu stillen, also wurden Arbeiter aus dem »feindlichen Ausland« zwangsrekrutiert. Bei Kriegsende lag die Zahl der Zwangsarbeiter bei 1,5 Millionen. Dazu kam etwa eine Million Gastarbeiter.

Kaum war der Krieg vorbei, begann die Abspeckungskur erneut. Die meisten Ausländer flohen außer Landes, schon wegen der anschließenden Wirtschaftskrise, und viele Deutsche auch. Das war recht unpatriotisch von ihnen, denn ohne ihre Arbeitskraft war Hitler gar nicht in der Lage, einen Zweiten Weltkrieg zu führen. Also kalkulierte er schon in der Planungsphase des Krieges den Einsatz von ausländischen Zwangsarbeitern ein. Bis 1944 arbeiteten fast acht Millionen Russen, Polen, Franzosen und andere für das Dritte Reich, darunter sechs Millionen verschleppte Zivilisten, der Rest waren Kriegsgefangene.

Nach dem Krieg stand Deutschland mal wieder da wie ein Strich in der Landschaft, und es sah aus, als ob das Wort »Wirtschaftswunder« niemals erfunden werden würde. Doch zum Glück ergossen sich kurz darauf Ströme von Menschen aus den verlorenen Ostgebieten in den Westen, ganz zu schweigen von mehreren Millionen Zuwanderern aus der DDR. Doch das Land war diesmal ganz schön vom Fleisch gefallen – erst, als man noch mehr Arbeitskräfte aus Italien und der Türkei importierte, konnte es wieder ein bisschen Speck ansetzen.

Keine Frage, Deutschland ist ganz einfach eine wirtschaftliche Dampfwalze, die immer mehr produzieren will, als mit den eigenen Einwohnern alleine zu schaffen ist. Um seinen Lebensstil aufrechtzuerhalten, musste das mit seinem Erscheinungsbild kämpfende Land schon immer massenhaft Arbeitskräfte anlocken und festhalten.

Das heißt natürlich nicht, dass die Deutschen über ihre dringend benötigten Arbeitskräfte nicht gehörig meckern dürfen. Meckern ist das Vorrecht einer ständig mit ihrem Gewicht kämpfenden Frau. Und eines kann ich Ihnen versichern: Nach so vielen Jahrhunderten Diät kriegen Sie diesen Jojo-Effekt nie wieder weg.

Was fehlt, ist Steve Martins Adoptivvater, der sagt:

Die Antwort:

D. »Wusstest du das nicht? Du bist gar kein Deutscher. Du bist adoptiert.«

Was müssen die Deutschen tun,
um definitiv auszusterben?

Ⓐ Weiterhin so wenige Kinder bekommen

Ⓑ Eine Tschernobyl-Katastrophe mitten in Deutschland auslösen

Ⓒ Ihre Nachbarländer so lange ärgern, bis sie mit kriegerischen Absichten über Deutschland herfallen.

Ⓓ Dafür sorgen, dass ihnen ein Meteorit auf den Kopf fällt.

Die Nachricht schlug wie eine Bombe ein. An jenem Tag standen die Deutschen auf wie an jedem anderen Tag, tranken ihren Kaffee, weckten ihre Kinder, butterten ihre Brötchen, im vollen Glauben, dass die Welt in Ordnung sei. Dann warfen sie nichtsahnend einen Blick in die Zeitung und da stand es:

Die Deutschen sterben aus!

Ebenso gut hätte man schreiben können, der Atomkrieg sei ausgebrochen. Noch nie hatte es dermaßen düster für Deutschland ausgesehen. Das Thema war in aller Munde. Kein Politiker, der nicht mit irgendeinem Plan an die Öffentlichkeit trat, um die Deutschen zu retten. Kein Kommentator, der nicht irgendeine kluge Anmerkung zum Thema hatte.

Es war auch kein verrückter Verschwörungstheoretiker, der das behauptete, sondern der Leiter des Amtes für Statistik selbst. Er hatte die derzeitige Geburtenrate angeschaut und errechnet, dass die Deutschen, wenn sie weiterhin so wenig Kinder bekämen, alle paar Jahrzehnte um mehrere Millionen schrumpfen würden. Und damit nicht genug: Bald würde es mehr alte als junge Leute geben. Die jungen Leute würden mehr und länger arbeiten müssen, um die Rente der Alten zahlen zu können – wenn es denn überhaupt zu einer Rente reichen sollte.

Wer kann diese Schreckensnachricht je vergessen? Es war eine Meldung wie die von John F. Kennedys Ermordung. Heute noch weiß jeder Deutscher, wo er sich befand, als er die Meldung hörte, bestimmt auch Sie, lieber Leser, liebe Leserin. Erinnern Sie sich noch an das Jahr, an dem die Deutschen erfuhren, dass es sie bald nicht mehr gibt?

Richtig: 1929.

Genau dann brachte der Präsident des Statistischen Reichsamtes Friedrich Burgdörfer sein schockierendes Werk *Der Geburtenrückgang und seine Bekämpfung – eine Lebensfrage des deutschen Volkes* heraus. Es war ein Riesenhit. Ein paar Jahre später schrieb er einen weiteren Bestseller: *Volk ohne Jugend.*

»Das war nicht irgendjemand«, betonte Jochen Oltmer, Professor für Neueste Geschichte an der Universität Osnabrück, »sondern einer der wichtigsten Bevölkerungswissenschaftler des Landes. In den 20er Jahren beginnt man die Frage zu stellen, ob die Deutschen aussterben. Die Geburtenraten nehmen ab, es gibt weniger junge Leute, weniger Kinder. Auch die Nazis haben dies als klare Gefahr gesehen und versucht dagegen zu steuern, was nicht erfolgreich war.« Vermutlich war es nicht einmal die erste Vorhersage des großen deutschen Aussterbens in der Geschichte. Während andere Völker ganz einfach von sich selbst fasziniert sind, sind die Deutschen von ihrem eigenen Aussterben fasziniert. Wenn ich einen richtigen Bestseller schreiben wollte, würde ich Burgdörfers Buch einfach abschreiben, ein paar Zahlen hie und da ändern, sonst nichts. Vielleicht dem neuen Buch noch einen coolen Titel verpassen: »Das Lazarus-Syndrom«, meinetwegen, oder »Das Rumpelstilzchen-Projekt«, und schon schmeißt man mir das Geld hinterher.

Warum es so schlimm sein soll, wenn Deutschland schrumpft, weiß ich auch nicht. Selbst fünf Millionen Arbeitslose, die finanziert werden mussten, konnten Deutschland bis jetzt nicht davon abhalten, die führende Wirtschaftskraft in Europa zu bleiben; nicht mal, als Deutschland einen anderen Staat mit Schulden wie die eines Landes der Dritten Welt schluckte, war diese Position gefährdet. Auch wenn in den nächsten 50 Jahren die Bevölkerung auf 60 Millionen sinken sollte und die jungen Menschen ein wenig mehr für die Alten ausgeben müssen, ist also stark anzunehmen, dass der Lebensstil der Deutschen nicht davon beeinflusst wird. Und wer gar nicht erst geboren wird, kann nicht klagen, da er, was Lebensstil angeht, über keinerlei Vergleich verfügt.

Dazu kommt, dass es kaum etwas weniger Vorhersehbares als die deutsche Zukunft gibt. Zwischen Wahrsagerei und Vorhersage liegt bekanntlich nur ein schmaler Grat. Als

Burgdörfer den Bevölkerungsrückgang vorhersagte, ging er von einer kontinuierlichen, jahrhundertelangen Senkung der Geburtenrate aus. Nun, Burgdörfer hatte recht – die Bevölkerung ist in den Jahren zwischen 1929 und 1945 schon maßgeblich gesunken – aber aus Gründen, die er sich nie erträumt hätte.

Die neueste Voraussage einer schrumpfenden Bevölkerung basiert auf einer Hochrechnung aus dem Bundesamt für Statistik 2006, die mit einem Schwund von zehn bis 15 Millionen Deutschen bis zum Jahre 2050 rechnet, wenn nichts dazwischen kommt. (Wenn ich das richtig zu Ende rechne, dauert das Aussterben dann insgesamt mindestens bis zum Jahr 2300.) Ich gebe zu, es ist zwar möglich, dass hundert Jahre lang nichts passiert, aber das letzte Mal, dass das meines Wissens nach vorgekommen ist, war bei Dornröschen. Im letzten Jahrhundert hat Deutschland zwei Weltkriege erlebt, massive Migrationsbewegungen und die Anti-Baby-Pille. Die nächsten hundert Jahre werden genauso ereignisreich sein. Wer weiß, vielleicht erfindet sogar endlich jemand die Pro-Baby-Pille?

»Ohne Zweifel haben wir uns in der Vergangenheit vielfach geirrt«, gesteht Karl Schwarz in *Demographische Vorausschätzungen – Grenzen und Möglichkeiten, Methoden und Ziele*, herausgegeben 2002 vom Bundesinstitut für Bevölkerungsforschung. »Es trifft allerdings auch zu, dass in der sich rasch verändernden Welt von heute die Voraussehbarkeit der Zukunft geringer geworden ist. Weniger als früher kennen wir das gesellschaftliche und materielle Umfeld sowie den Zeitgeist, mit dem wir eines Tages leben werden.«

Das ist ein bisschen wie der Spielsüchtige, der sagt: »Endlich weiß ich, was ich falsch mache. Ich setzte immer auf Rot! Aber keine Sorge, es soll keiner sagen, ich lerne nicht aus meinen Fehlern – diesmal setze ich auf Schwarz.«

Trotzdem scheint das nahende Aussterben den Deutschen sehr am Herzen zu liegen. Sie haben sich schon so darauf eingeschossen, sie denken, reden und schreiben so gern darüber, dass es irgendwie schade ist, dass gar nichts dergleichen passieren wird.

Vielleicht kann ich helfen. Ich hörte mich mal um: Wenn man unbedingt aussterben will, was ist dazu notwendig?

Es muss doch zu schaffen sein. So vieles auf dieser Welt ist ausgestorben: die Dinosaurier, zahllose Volksgruppen, Sprachen, Pflanzen und Tierarten … Trotzdem: Laut den Experten ist es schwieriger, als man glaubt.

Es gibt berühmte Beispiele, die das Bewusstsein der Welt für das Schicksal mancher Völker sensibilisierten. Eines der Traurigsten war das der Tasmanier. Als die riesige Insel Tasmanien südlich von Australien 1642 entdeckt wurde, lebten hier zwischen 5000 und 20 000 Ureinwohner. Bis 1876 waren alle tot. Die wichtigsten Faktoren ihres Untergangs waren: Bevölkerungsgröße und Krankheit. Es handelte sich nämlich um ein extrem kleines Volk, das vor allem durch die Krankheiten eines einfallenden, größeren Volkes ausgemerzt wurde.

Wir Amerikaner kennen kein dramatischeres Beispiel als das der Indianer. Wie viele Indianer es zur Zeit von Kolumbus' Landung gab, ist umstritten – die Schätzungen reichen von fünf bis 18 Millionen (zum Vergleich: Nach dem Dreißigjährigen Krieg gab es rund 12 Millionen Deutsche). Schon bei der Gründung der USA gab es nur noch eine Million und bis 1900 war ihre Zahl auf eine Viertelmillion geschrumpft. Auch hier handelte es sich größtenteils um ein Massensterben durch die Einführung europäischer Krankheiten, gegen die die Indianer nicht immun waren.

Der berühmteste Vertreter der aussterbenden Indianer heißt Ishi, der letzte Yahi.

Im August 1911 tauchte ein ausgehungerter Indianer bei einem Schlachthof am Rande des Waldes bei Oroville in Kalifornien auf. Er erschien wir ein Geist – bis dahin hatte man geglaubt, es gäbe keine Indianer mehr in der Region. Man brachte ihn zum Sheriff und von dort zur Universität in Berkeley, wo Ethnologen den armen »Wilden« aufnahmen, mit zivilisierter Kleidung ausstaffierten und neugierig studierten. Man stellte fest, dass der Indianer, Ishi genannt, das letzte Mitglied des Yahi-Stammes war, von dem man dachte, er sei längst ausgestorben.

Fünf Jahre lang wurde Ishi studiert, in der Gesellschaft und den Medien herumgereicht und rundum gefeiert. Er trat in Theatern auf, beantwortete alle Fragen der Ethnologen und brachte ihnen seine Sprache bei. Er sagte, sein Stamm sei durch die Weißen bis auf ihn vollständig vernichtet worden. Am Ende waren es mit ihm nur noch vier Männer, die sich in den Bergen versteckt hielten. Als alle außer ihm gestorben waren, entschloss er sich, dem Tod nicht alleine entgegenzutreten. So ging er, um unter den Weißen zu leben, bis er 1916 an Tuberkulose starb, wie so viele andere Mitglieder seines Stammes.

Warum er ausgerechnet unter seinen Mördern leben wollte, wurde nie geklärt. Warum er ihnen niemals auch nur den kleinsten Vorwurf machte, ebenfalls nicht. Einer der Ethnologen sagte einmal sogar, Ishi wäre »sein bester Freund« geworden. Dabei kannte er noch nicht einmal seinen Namen. Der blieb ein Geheimnis. »Ishi« bedeutet »Mann« in der Sprache der Yahi. In seinem Kulturkreis nannte man den eigenen Namen nur den allerintimsten, geliebtesten Freunden. Unter den Weißen war nicht einer, dem Ishi seinen wahren Namen anvertraut hätte.

Doch man kann noch weiter zurückgehen. Was das Aussterben anderer Völker angeht, hatte bereits der Cro-Magnon-Mensch, von dem wir heute alle abstammen, einiges auf dem Kerbholz. Vor 160 000 Jahren waren die Neandertaler noch überall in Europa zu Hause. Vor rund 30 000 Jahren gab es keinen Einzigen mehr. Mit Sicherheit ist es nicht zu sagen, aber man hat heute die starke Vermutung, dass es die Krankheiten unserer Cro-Magnon-Vorfahren waren, die den Neandertalern den Garaus machten.

Ich fragte Jochen Oltmer, Professor für Neueste Geschichte an der Universität Osnabrück und Experte in Sachen Bevölkerung, welche Bedingungen mindestens erfüllt sein müssen, bevor es ans Aussterben gehen kann. »Erstens müsste es eine sehr kleine Gruppe sein«, meinte er. »Zweitens müsste es faktisch in einem Wohlstandsstaat stattfinden, weil jemand, der in einer Agrargesellschaft keine Kinder hat, selbst nicht überlebt. Die Kinder sind die Altersversorgung und helfen in der Landwirtschaft. Nur in einem Wohlstandsstaat entschließt man sich, kinderlos zu bleiben. Und die Entwicklung muss über Jahrzehnte oder Jahrhunderte laufen.«

Auch andere Experten hoben hervor, die wichtigste Bedingung sei eine sehr kleine Gruppe, ein paar tausend nur. Nun, es gibt 82 Millionen Deutsche.

Mehr und mehr scheinen Ethnologen in Frage zu stellen, dass das Aussterben so häufig ist, wie wir es uns vorstellen. »In Afrika ist mir kein Fall von einem ausgestorbenen Volk überhaupt bekannt«, sagte Dr. Peter Junge vom Ethnologischen Museum in Berlin. »Völker werden meist nur an den Rand des Aussterbens gedrängt, und zwar deswegen, weil andere Völker über sie hergefallen sind, mit Krieg und vor allem mit Krankheiten. Es gibt keine mir bekannten historischen Vorbilder für ein Volk, das komplett durch Geburtenrückgang ausstirbt. Da brauchen die Deutschen keine Angst zu haben.«

Während die Welt 1876 den hochsymbolischen Tod der letzten Tasmanierin Truganini betrauerte, gab es ein paar Menschen, die die Aufregung nicht verstanden: ihre Kinder. Nur wenige außerhalb Australiens wissen von ihnen. Sie waren bei Weißen aufgewachsen und haben sich in ihre Gesellschaft eingefügt. Truganinis Nachfahren existieren noch heute.

Selbst im Falle von Ishi besteht die Möglichkeit, dass die Yahis nicht so komplett ausgestorben sind, wie man lange Zeit glaubte. Ganz klar, er war der Letzte seines Stammes, aber es sieht heute so aus, als ob zumindest das Yahi-Erbgut nicht mit ihm verschwand. Wissenschaftler der Stanford University haben festgestellt, dass Ishi nicht nur Yahi-, sondern auch Wintu- und Nomlaki-Vorfahren hatte. Als der Stammestod näher rückte, hatten sich diese drei vormals verfeindeten Stämme in der Not zusammengeschlossen. Das war nicht unklug, denn Wintu und Nomlaki gibt es noch heute.

Inzwischen wackelt sogar die Lehre vom verschwundenen Neandertaler. »Bis heute ist es nicht eindeutig nachzuweisen, dass der Neandertaler ausgestorben ist«, betonte Gerd-Christian Weniger, Direktor des Neanderthal Museums in Mettmann unweit von Düsseldorf.

»Lange Zeit glaubte die moderne Forschung, dass keine große Vermischung zwischen dem Neandertaler und dem Cro-Magnon-Menschen hätte stattfinden können. Man hat Dutzende von Exemplaren untersucht und kleine Teile der DNS rekonstruiert. Es kam heraus, dass die Neandertaler eine gut abgeschlossene Gruppe bildeten, die nur wenig mit unseren Vorfahren zu tun hatte. Viele Paläontologen glauben, dass eine Vermischung sehr unwahrscheinlich ist. Allerdings behaupten andere, dass es doch ab und zu passierte. Das Gen Mikrozephalin, das für die Entwicklung des Hirnwachstums wichtig ist, ist erst seit rund 36 000 Jahren im modernen Genpool vorhanden und seitdem schnell dominant geworden – rund 70 Prozent aller Menschen haben heute dieses Gen. Der Neandertaler aber besaß es bereits vor uns – wir könnten es also mit hoher Wahrscheinlichkeit von ihm haben.«

Zugegeben, die Neandertaler-Kultur mit ihren Tänzen, ihrer Religion, Politik, und ihren phantastischen Comics ist unwiederbringlich dahin, aber wie es aussieht, ist es gar nicht so leicht, den Kern eines Volkes, seine DNS, auszulöschen. »In der Regel wird immer irgendwas hinübergerettet«, sagte Weniger. »Aber es sind Dinge, die sich nicht unbedingt sichtbar weiter entwickeln.«

Als Christoph Kolumbus zum ersten Mal einen Fuß auf eine karibische Insel setzte, wurde er vom Stamm der Taino-Indianer willkommen geheißen. Ende des 18. Jahrhunderts existierten sie nicht mehr. Sie waren durch Krankheiten und Versklavung ausgerottet worden. Hin und wieder, wenn die Entdeckung Amerikas durch Kolumbus gefeiert wird, ehrt eine Zeitung die ausgestorbenen Taino. So auch 1998, als die *New York Times* einen langen und traurigen Artikel über das kleine, untergegangene Volk brachte, dessen Name »die Edlen« bedeutet.

Ein paar Wochen später erreichte die Redaktion folgender Brief aus der Karibik:

> Wir, das Volk der Taino, finden es bemerkenswert, dass man außerhalb der Karibik immer noch behauptet, es gäbe uns nicht mehr. Die heutigen Gemeinden der Taino leben seit langer Zeit in El Oriente de Cuba, Baracoa und Caridad de Los Indios, trotzdem hat uns bis jetzt kein Wissenschaftler besucht.
> Hochachtungsvoll,
> *Arocoel Pedro Guanikeyu Torres*, Stammesratsältester

Es gibt zwei Probleme, die die Deutschen beim Aussterben haben werden: ihre hohe Bevölkerungszahl (sorry) und ihre hochentwickelte Medizintechnik (die das Leben weiter verlängern kann, als es manchem lieb ist). Noch nie war die Weltbevölkerung so hoch und so schwer zu eliminieren wie heute, und noch nie konnten sie sich so gut schützen vor aufdringlichen Kriegern oder Krankheiten – zumindest in der westlichen Welt.

Selbst der Schwarze Tod schaffte es nicht, die Deutschen im 14. Jahrhundert auszurotten, obwohl er an die 25 Millionen Menschen in weniger als zehn Jahren hinwegraffte. Das war ein Drittel der Bevölkerung Europas. Das wäre *die* Gelegenheit gewesen – trotzdem sind die Deutschen noch da. Heute heißt die Epidemie Aids. Sie hat weltweit seit 1980 auch etwa 25 Millionen Menschen getötet, aber die Deutschen sind gegen Krankheiten so gut gerüstet, dass es seit 1980 nur rund 26 000 deutsche Aids-Tote gab. Es sterben jedes Jahr mehr Menschen durch Autounfälle als durch Aids. In ihrem Drang auszusterben, können sich die Deutschen nicht mehr allein auf Krankheiten verlassen.

Was gibt es sonst noch für Möglichkeiten?

Was auf jeden Fall immer geht, ist natürlich ein Super-GAU. Die Tschernobyl-Katastrophe hat damals, je nach Schätzung, bis zu 100 000 Opfer gefordert. Man nehme diese Zahl und rechne sie hoch: um auszusterben, bräuchte man rund 820 tschernobylartige Nuklearkatastrophen gleichmäßig über ganz Deutschland verstreut. Alle beteiligten Kernkraftwerke müssten ziemlich schlecht in Schuss sein und von lauter Homer Simpsons bedient werden, wo doch jeder weiß, dass die Homer Simpsons Deutschlands alle schon viel lukrativere Jobs in den oberen Etagen der Deutschen Bahn und der Telekom haben. Außerdem besitzt Deutschland heute erst 36 Kernreaktoren. Wer soll die restlichen 784 Atomkraftwerke bezahlen?

Da ist Krieg aus wirtschaftlichen Gründen eher zu empfehlen, weil das Ausland immer die Hälfte der Kosten trägt. Blicken wir zurück: 1933 hatte Deutschland eine Bevölkerung von 79 Millionen, fast so viel wie heute. Nach dem Krieg war die Bevölkerung auf 69 Millionen geschrumpft – doch was heißt hier geschrumpft? Es hat nur bis 1973 gedauert, bis dieser Rückstand aufgeholt war (und das trotz Pillenknick!). Es gab vielleicht irgendwann einmal ein glorreiches Zeitalter, als es noch möglich war, durch Krieg auszusterben (damals, als es erst ein paar germanische Stämme in Deutschland gab, hätten es die Römer vielleicht geschafft, hätten sie die Atombombe gehabt). Doch um heute durch Krieg auszusterben, müssten die Deutschen achtmal hintereinander in schneller Folge Weltkriege anzetteln. Ich will ja kein Spielverderber sein, aber das schaffen sie nie.

Ich sehe hier nur eine einzige wirklich realistische Möglichkeit für die Deutschen, auszusterben.

Ein Meteorit muss her. Und zwar nicht irgendeiner, es muss schon ein riesiger Meteorit sein, wie der, der die Dinosaurier ausgelöscht hat. Wichtig dabei ist: Der Meteorit muss genau in der Mitte Deutschlands einschlagen – gar nicht so leicht, weil es doch eine Menge Fläche auf der Erde gibt. Also muss der Meteorit speziell designt und ganz genau gesteuert sein – am besten von Aliens.

Doch warum sollten Aliens ausgerechnet etwas gegen Deutschland haben? Auch dafür habe ich eine Antwort: Fernsehen. Schon seit vielen Jahren strahlen die Deutschen Tausende von Stunden unglaublich langweiliger Talkshows ins Weltall hinaus. Wenn Aliens da draußen tatsächlich eine höhere Intelligenz besitzen, dann sind sie schon jetzt genervt. Am besten gründen die Öffentlich-Rechtlichen noch ein, zwei reine Talkshow-Sender, damit es schneller geht. Man könnte auch direkt nach dem Wort zum Sonntag eine kleine »Hallo Alien«-Sendung einbauen, in der immer wieder eine verschlüsselte Weltkarte mit einem riesigen »X« auf Deutschland ausgestrahlt wird. Irgendwann werden die Aliens die Nase so gestrichen voll haben, dass sie eine Meteoriten-Attacke aushecken, um all dem endlich ein Ende zu setzen.

Das ist die einzige realistische Chance, die die Deutschen haben, auszusterben. Sorry!

Antwort:

D. Meteorit. Von Aliens.
Übrigens, ich fragte Weniger, ob die Neandertaler die Einzigen waren, die von unseren Vorfahren, den Cro-Magnons, umgebracht oder assimiliert worden sind. Die Neandertaler sind die Berühmtesten unter den ausgestorbenen Urvölkern, aber längst nicht die Einzigen. »Auf dem Wege zum Menschen gab es bedeutend mehr Spezies als heute. Heute gibt es nur eine Spezies. Die Evolution hat mehrfach versucht, Hominiden zu entwickeln, und mehrere dieser Arten haben es nicht geschafft.«

»Wie lange haben sie denn jeweils so durchgehalten?«, fragte ich.

»Einige von ihnen überlebten 1,2 Millionen Jahre, bevor sie verschwunden sind.«

»Oh … und wie lange sind wir schon da?«

»Wir sind erst vor rund zweihunderttausend Jahren entstanden«, sagte er.

»Wenn es die Deutschen erst seit zweitausend Jahren gibt, was glauben Sie, wie lange sie es noch schaffen werden?«

»Ach, nochmal zweitausend Jahre schaffen sie schon«, meinte Weniger. »Da bin ich eher positiv.«

Wird Deutschland islamisch?

Ⓐ Ja – durch die hohe Geburtenrate der Migranten wird es bald mehr arabisch- als deutschsprachige Menschen geben und die leeren christlichen Kirchen werden in Moscheen umgewandelt … und die Priester, die heute vor leeren Bänken predigen, werden zum Islam konvertieren und auch mal ein paar Zuhörer kriegen … und deutsche Mädels werden zum Dirndl Kopftuch tragen … und dann gibt es auch schon lange einen türkischen Papst!

Ⓑ Nein; aber dafür wird der Islam deutsch.

Hand in Hand mit der Befürchtung, dass die Deutschen aussterben, geht die noch erschreckendere Angst, dass die hiesige türkische Bevölkerung nicht die geringste Absicht hegt, mit auszusterben. Das ist mehr als unfair den Deutschen gegenüber.

Dieser apokalyptischen Vorstellung liegt eine weit verbreitete Annahme zugrunde, die besagt, dass das typische muslimische Ehepaar im Durchschnitt acht Kinder produziert. Über den Daumen gepeilt heißt das, dass die türkische Bevölkerung sich mit jeder Generation um 300 Prozent vergrößert und das schrumpfende christliche Abendland dem Untergang geweiht ist. Bis 2050, wenn die weiße Bevölkerung in den letzten Zügen liegt, hat Kreuzberg bereits eine höhere Bevölkerungsdichte als China und mehr Minarette als Istanbul.

Das Erschreckende daran ist jedoch nicht die Rechnung selbst, sondern die klare Gewissheit, dass die Deutschen etwas dagegen unternehmen könnten, wenn sie nur wollten. Wenn sie sich so viele Sorgen um ihre christliche Kirche machen, könnten sie sonntags mal hingehen. Und wenn sie sich um ihren christlichen Nachwuchs sorgen, könnten sie samstags mal welchen produzieren. Aber was sage ich da? Das wäre eine zu einfache Lösung, und einfache Lösungen sind den Deutschen suspekt. Es bleibt nur zu hoffen, dass sich das Problem von selbst erledigt.

Und siehe da: Das wird tatsächlich passieren.

»Deutschland wird kein muslimisches Land werden«, sagte Michael Bommes, Professor für Soziologie und Migrationsforschung an der Universität Osnabrück. »Das ist Unsinn. Erstens: In 50 Jahren kriegen auch Türken weniger Kinder. Schon heute übernimmt die zweite Generation von Einwanderern die Idee einer modernen Kernfamilie mit höchstens zwei Kindern. In 50 Jahren wird man Türken nicht mehr als Türken erkennen können – so wie man die Polen im Ruhrgebiet heute nicht mehr erkennt. Zweitens: Man vergisst, dass der Islam sich jedem Land anpasst, in dem er zu Hause ist. Auch europäischen Verhältnissen.«

»Heißt das, dass der Islam in Europa irgendwie ... christlich wird?«

»Nein«, meinte Bommes, »aber europäisch.«

Als Beispiel nannte er die Forderung vieler deutscher Muslime nach islamischem Religionsunterricht in der Schule. Das wird kommen, prophezeite er, aber damit einher ginge auch ein tiefer Einschnitt in die Strukturen – nein, nicht der Schulen, sondern des Islam. »Der Staat hat die Aufsicht über den Religionsunterricht«, erklärte er. »Er passt auf, dass er kindgerecht ist. Da darf die Trennung von Kirche und Staat zum Beispiel nicht in Frage gestellt werden. Für so was werden Lehrer auf Universitäten ausgebildet.«

Das heißt, auch für islamischen Religionsunterricht an deutschen Schulen braucht es hierzulande ausgebildete Religionspädagogen. Das aber wäre etwas ganz Neues für diese Religion. »Das setzt eine Art islamische Theologie von westlicher Art voraus. Das hat es bisher so nicht gegeben – der Islam ist nicht zentralisiert wie die katholische Kirche. Sobald der Islam aber auf die Universität kommt, fügt er sich in eine europäische Tradition«, so Bommes. »Eine theologische Elite entsteht, und der Islam wird europäischer. Das gibt es schon in Frankreich und Dänemark.«

Und was die Säkularisation von Religion angeht, gibt es kaum einen Staat, der so gut darin ist wie der deutsche. Im Mittelalter waren die katholischen Kirchenfürsten gleichzeitig Landesfürsten. Diese enge Verflechtung von Kirche und Staat wurde nie zerschlagen. Schon wenige Jahre, nachdem Luther die Macht der katholischen Kirche brach, wurden auch die neuen protestantischen Kirchen in den Staat aufgenommen und viele Territorialfürsten waren nun protestantische Kirchenherren. Heute lernen die meisten deutschen Kinder Religion nicht in der Kirche, sondern in der Schule kennen; der Staat installiert Kirchenvertreter in Kulturgremien und Rundfunksendern; er bezahlt die Kirchen, damit sie Krankenhäuser und Kindergärten betreiben. Deutschland ist neben Dänemark und der Schweiz eines der wenigen Länder auf Erden, das für die Kirche auch noch Steuern eintreibt. Alles sehr praktisch für die Kirche, möchte man meinen – doch andererseits hat sie kaum noch direkten Einfluss auf den Einzelnen; alles wird über den Staat gelenkt und kontrolliert. Genau dasselbe wird dem deutschen Islam passieren, folgert Bommes.

»Ich sprach einmal vor einer islamischen Versammlung und sagte ihnen, ›ihr wollt Religionsunterricht haben, und ihr werdet ihn kriegen – aber dann fangen die Probleme erst richtig an. Es wird euch genauso ergehen wie der katholischen Kirche, die sich schon lange nicht mehr an ihre alten Traditionen von Familie und Sexualität hält, sondern weltliche Vorstellungen übernehmen musste.‹ Der Islam wird sich modernisieren müssen.«

Die Rezitation des Korans darf theoretisch nur in der Sprache erfolgen, in der er verfasst wurde, also auf Arabisch, da das Wort Gottes nicht verändert werden soll. Bommes glaubt jedoch: »Genau wie die katholische Kirche ihre Liturgie heute in den Nationalsprachen abhält, wird man auch den Koran irgendwann auf Deutsch lesen. Das hat Folgen. Dann kann man keine Imame mehr aus dem Ausland importieren, die werden die Kids hier nicht mehr verstehen. Die Kids werden sie auslachen. Schon jetzt begreifen die Imame aus dem Ausland die Welt der Kinder in Deutschland nicht mehr.«

Diese Entwicklung lässt sich bereits in vielen westlichen Ländern beobachten. In einem Artikel der *New York Times* von 2007 wurde der junge Imam Sheikh Fazaga beschrieben, der direkt von seiner kalifornischen High School in die amerikanisch-islamische Theologie wechselte. Am internationalen Aids-Tag rezitiert er nicht nur irgendwelche Suren, sondern predigt Toleranz für Menschen mit nichtislamischen moralischen (sexuellen) Werten, und am Internationalen Frauentag engagiert er sich gegen Misshandlung von Frauen in der Familie. Kommt Valentinstag, spricht er über romantische

Liebe (platonische, natürlich). In Saudi-Arabien dagegen verteufeln die Imame den Feiertag der Liebenden noch immer als satanischen Ritus.

»Es gibt überhaupt keinen Grund, Misstrauen gegenüber den gesellschaftlichen Strukturen der Bundesrepublik zu haben«, schloss Bommes. »Sie sind viel stärker als man glaubt. Es lohnt sich, ein wenig mehr Vertrauen in sie zu setzen. Das würde die Sache schon erleichtern. Aber sie werden so oder so halten.«

Antwort:

B. Deutschland wird nicht islamisch. Dafür aber wird der Islam deutsch.

Glauben Sie mir, das ist für einige Muslime sicherlich erschreckender als für die Deutschen der Gedanke, ihr Land werde islamisch. Diesen Muslimen steht ein echter Kulturschock bevor. Stellen Sie sich das vor: Bald werden evangelische und katholische Kirchenvertreter in den Sonntagspolittalkshows nicht wie heute für mehr Toleranz gegenüber fremdem Glauben plädieren; sie werden die hochgestellten Vertreter des deutschen Islam zur Rede stellen, warum sie denn die Mischehe heute noch verbieten, und sie fragen, wann der Islam endlich in der modernen Welt ankommt und Frauen die gleichen Rechte zugesteht wie Männern. Und der islamische Vertreter wird kontern, dass seine Religion nachgerade modern sei, im Gegensatz zur katholischen Kirche, die ja nicht mal die Scheidung erlaube.

Das will ich sehen.

Wie fühlt sich das an, diese seltsame deutsche Angst, irgendwann die eigene Seele zu verlieren?

Wie fühlt sich das an: deutsch sein?
Sie könnten jetzt sagen, »Och, das fühlt sich genauso an wie Amerikaner sein.« Stimmt aber nicht. Amerikaner haben andere Erwartungen, andere Selbstbilder und auch andere Ängste. Die Ängste der Deutschen werde ich nie ganz verstehen: Angst vor der Umweltkatastrophe, dem Rückfall in den Faschismus, dem Urteil anderer Länder, der Konkurrenz mit anderen Ländern; Angst vor dem Aussterben; Angst davor, irgendwann nicht mehr … deutsch zu sein.

Wie fühlt sich das an: nicht mehr deutsch zu sein?
Es gibt nur eine Möglichkeit, das zu erfahren. Indem es mir ein Deutscher so beschreibt, dass ich es verstehe. Also rief ich den Autor Wolfgang Jeschke, ehemaliger Heyne-Lektor und Vater der deutschen Science-Fiction, an und bat ihn, mir auf

ein paar Seiten zu erklären, wie es sich anfühlt, diese seltsame Angst, die Identität zu verlieren. Eine Woche später schickte er mir folgende Geschichte.

Danke, Wolfgang Jesckke.

Antwort:

*Postoperativ**
von Wolfgang Jeschke

Ich komme zu mir, als mein Bett bewegt wird. Die vergangene Nacht habe ich im so genannten Aufwachraum verbracht, einer Art Intensivstation. Zwei Röhrchen stecken in meinen Nasenlöchern und befächeln meine Lunge mit kühlem Sauerstoff. Links in meinem Blickfeld baumelt eine Infusionsflasche; ein Plastikschlauch führt zu meiner Armbeuge. Ich blicke nach oben. Jemand Weißgekleidetes schiebt mich durch den Korridor. Am Aufzug sehe ich, dass es eine hübsche junge Schwester ist, mit kurzgeschnittenem schwarzem Haar und einem zarten Anflug von Bartwuchs über der Oberlippe. S. Gynäkologu steht auf dem Schildchen über ihrer rechten Brust.

»Sie bringen mich aber schon in die richtige Abteilung«, erkundige ich mich munter, noch etwas euphorisch von der Anästhesie. Der Scherz kommt nicht an. Na ja, denke ich mir, so zündend war er ja auch nicht. Wahrscheinlich wird sie tagtäglich von einem Späßchen dieser Art heimgesucht.

»Ich bringe Sie in Ihr Zimmer«, erklärt sie mir in hervorragendem Deutsch mit einer Spur türkischem Akzent.

Sie rächt sich, indem sie das Bett an den Türrahmen prallen lässt. Ein Stich durchfährt meine frische Operationsnarbe, der mir kurz die Luft abstellt.

»'tschuldigung«, murmelt sie und bugsiert mich ins Zimmer.

Ich habe inzwischen einen Nachbarn bekommen. Er mustert mich mit traurigem Blick aus dunklen Augen.

»Frisch Operation?«, fragt er mitfühlend.

»Ja«, ächze ich, während mein Bett arretiert wird.

»Milz?«, forscht er.

»Leber«, erwidere ich.

Er nickt mir kameradschaftlich aufmunternd zu und hebt den Daumen.

»Ich Milz«, klärt er mich auf mit einer schneidenden Bewegung der Handkante, gefolgt von einem Wurf aus der hohlen Hand schräg nach oben, mit der er die Nichtigkeit seines Verlustes demonstriert. Eindeutig: Er ist Grieche.

»Total«, fügt er hinzu.

Ich bringe ein mitfühlendes Nicken zustande.

Besuch. Eine junge Frau Mitte zwanzig, zwei lebhafte Jungen, vielleicht sechs und vier, die sofort das Bett entern und auf ihrem Papa herumzuklettern beginnen, was er mit Leidensmiene, aber klaglos über sich ergehen lässt.

Die Sonne scheint warm zum Fenster herein. Die Nachwirkungen der Medikamente überwältigen mich. Das Plätschern des Fernsehers lullt mich ein.

Als ich erwache, ist es fast dunkel im Zimmer. Der Fernseher, inzwischen von den Hellenen mit Beschlag belegt und von mir weg gedreht, zeigt – dem Geballer und dem Kreischen von Autoreifen nach zu urteilen – einen Krimi. Die Jungs sitzen fasziniert auf der Bettkante, große Augen, anfeuernde Bewegungen. Die junge Frau auf der anderen Seite streichelt tröstend die Hand ihres Mannes, den Blick versonnen auf die Mattscheibe gerichtet. Ich sehe auf die Uhr. Der Besuch harrt bereits seit vier Stunden aus. Mich überkommt der bange Gedanke, dass in griechischen Krankenhäusern die Verwandten über Nacht zu bleiben pflegen. Ich zerre unauffällig die Urinflasche unter die Bettdecke.

Draußen auf dem Gang sind laute Männerstimmen zu hören; offenbar ist ein Streit ausgebrochen. Ich verstehe kein Wort.

»Was sind das für Leute?«, frage ich.

»Albaner«, sagt mein Zimmergenosse geringschätzig.

»Weshalb streiten sie so laut? Das hier ist eine Klinik. Hier sind Dutzende von Kranken, die Ruhe brauchen.«

»Albaner immer laut«, gibt er mir mit derselben wegwerfenden Handbewegung zu verstehen, mit der er den Verzicht seiner Milz begleitet hatte.

»Worüber streiten sie?«, will ich wissen.

Er zuckt die Achseln. Seine Frau springt ein, offenbar des Albanischen mächtig.

»Geschäfte, Politik«, erklärt sie »Albaner immer sprechen über Geschäfte und Politik. Immer laut.«

Eine Schwester kommt ins Zimmer, blond, energisch, mit flinken blaugrauen Augen, verteilt Tabletten.

»Bitte, Sie verlassen jetzt das Zimmer.« Sie zieht eine Spritze auf, fasst mich ins Auge und schlägt meine Bettdecke zurück. »Das ist für Thrombose«, weiht sie mich mit kühlem Blick ein, desinfiziert und jagt mir vier Zentimeter Nadel subkutan in den Schenkel.

S. Spacovszky steht auf dem weißen Schildchen, das über ihrer üppigen Brust wippt.

»Gleich bringe ich Essen. Wenn Sie später noch was brauchen, Nachtschwester kommt vorbei.«

Der Besuch ist verschwunden. Die Stimmen auf dem Gang sind verstummt. Fernes Klirren von abgeräumtem Geschirr. Der Fernseher murmelt. Die Nachtschwester erlebe ich nicht mehr bewusst. Der Sauerstoff fächelt mich sanft kühlend in die Gefilde des Schlafs. Dann und wann glaube ich das nahe Grollen eines herzhaften Schnarchens zu hören.

Am Morgen weckt mich ein Engel, misst mit einem Plastiktrichterchen, das sie mir sanft in die Ohrmuschel drückt, die Temperatur, schlingt mir mit sanfter Hand die Blutdruckmanschette um den linken Oberarm und legt zwei schmale kaffeebraune Finger auf mein Handgelenk. Sie ist mittelgroß und gertenschlank – und sie lächelt. Auf dem Schildchen über der kaum zu erahnenden Brust steht S. Amirpur. Sie mustert mich aufmerksam mit ihren rehbraunen Augen.

»Brauchen Sie etwas?«, fragt sie in perfektem Deutsch.

›Danke, nein‹, will ich sagen, bringe aber nur ein heiseres Krächzen zustande.

Frag mich bitte nicht solche Sachen, Kind, denke ich und schließe die Augen. Mir ist, als nähme ich den Duft von Zimt und Cardamom wahr.

Kurz darauf entdecke ich ein blau-weißes Gespenst im Zimmer. Wie ist es hereingekommen? Diesmal ein blauer Kittel, kein Schildchen. Geschlechtslos. Ein weißes Kopftuch straff über die Stirn gezogen, straff über die Wangen gefältelt. Sie putzt das Waschbecken, wischt routiniert den Fußboden, jeden Blickkontakt vermeidend. Sie verschwindet so lautlos wie sie erschienen ist.

»Türkisch«, klärt mich mein Hellene auf mit der wegwerfenden Handbewegung nach oben, jedoch etwas temperiert durch einen versöhnlichen Anklang in der Stimme, als er meinen kritischen Gesichtsausdruck wahrnimmt. »Viele Putzfrau. Viele, viele.«

S. Vukovic – eine kesse Blondierte und alles andere als geschlechtslos – serviert uns das Frühstück.

»Jugoslawien?«, frage ich so munter wie unbedacht.

»Ach ja, das gab's auch mal«, erwidert sie schnippisch. »Bosnien«, klärt sie mich auf. »Bosnien. Wissen Sie, wo das liegt?«

»In etwa.«

An den Tischen auf dem Flur sind wieder laute Stimmen zu hören – Albaner bei Politik und Geschäften. Sind es Besucher? Patienten? Jedenfalls scheinen sie wieder den ganzen Clan mobilisiert zu haben.

Die Schwester hat die Tür offen gelassen. Das Lärmen ist lästig.

Eine kleine korpulente Frau gesellt sich zu den Männern. Scheußlich blau-grün gemustertes Kopftuch, schlammfarbener Staubmantel von der Größe eines geräumigen Zweimannzeltes, knöchellang, weiße Perlonsöckchen. Sie hebt beide Arme und lamentiert mit schriller Stimme.

Mir wird's zu viel; dem Hellenen auch.

»Skase, gamotti!«, ruft er mit lauter Stimme und scheuchender Handbewegung. »Malakka!«

Sechs oder sieben dunkle Augenpaare blicken neugierig in unser Zimmer, fragend offene Münder.

»Türe zu!«, rufe ich ungehalten.

Die Frau dreht sich um. Sie hat rot verweinte Augen, wischt sich mit dem Zipfel des Kopftuchs die tränenfeuchten Wangen. Augenblicklich tut mir meine Schroffheit leid.

Schwester Vukovic erscheint, mahnt gebieterisch Ruhe an und schließt die Tür.

»Es ist ja auch wirklich eine Zumutung«, sage ich entschuldigend.

Mein Zimmergenosse hebt unschlüssig den Unterarm und lässt ihn wieder fallen. Das Wort scheint er nicht zu kennen.

»Gibt es denn keinen Arzt hier auf der Station?«, frage ich.

»Samstag, Sonntag kein Arzt« erklärt er mir. »Schon Arzt, aber andere Station. Wenn Notfall kommen. Montag Doktor Stielecke wieder da.«

Kurz nach eins findet sich die griechische Familie ein zum Fernsehnachmittag. Mama packt aus. Knoblauchduft erfüllt das Zimmer – welch eine Labsal nach dem ewig gleichen Geruch von muffiger, lauwarmer Schonkost!

Ich schließe die Augen zu einem Nachmittagsschläfchen.

Der Besuch geht. Der Tag auch. Die Nacht kommt. Schwester Gynäkologu wacht über uns und löscht das Licht. Ruhe kehrt ein.

Montag. Die Visite trappelt ins Zimmer. Ein hochgewachsener schlanker Schwarzer mit schmaler Nase – Äthiopier? Amhare? Zwei Jungärzte zwei Schritte hinter ihm Posten beziehend wie Bodyguards. Ich kann ihre Brustschildchen nicht erkennen. Jedenfalls Europäer. Einen weiteren Schritt dahinter Schwester Spacovszky, die Kladde an die Brust gestemmt; schräg hinter ihr zwei Studentinnen, devot fast mit der Wand verschmelzend. Strenge Hackordnung.

»Ich bin die Vertretung von Doktor Stielecke«, sagt er sachlich. Sein Deutsch ist fehlerlos. Dr. Nkaaga besagt das

Schild auf der Brust seines offenen Mantels. »Doktor Stielecke wird im OP gebraucht.«

Die Zeremonie nimmt ihren Lauf. Als die Kavalkade wieder hinausgetrabt ist, kommt Schwester Amirpur ins Zimmer.

Sie mustert mich besorgt.

»Fehlt Ihnen etwas?«, fragt sie und lässt ihre schmale Hand sanft über meine Wange gleiten. Erst jetzt bemerke ich, dass sich eine Träne aus meinem Augenwinkel gestohlen hat.

Ich schüttle tapfer den Kopf.

»Es ist alles in Ordnung mit mir, Schwester, danke. Ich ... ich hoffte nur ... na ja, ich dachte, heute vielleicht einem lebenden Deutschen zu begegnen. Oder bin ich der Letzte hier?«

ZWÖLFJÄHRIGES
REICH

Gibt es ein Nazi-Gen?

Ⓐ Ja, das Dritte Reich steckt uns einfach im Blut und kann jederzeit ausbrechen.

Ⓑ Nein, das Dritte Reich hängt mit gesellschaftlichen Faktoren zusammen und hätte überall passieren können.

Ich erinnere mich gut an eine äußerst interessante Diskussion mit einem Philosophenpaar in Würzburg.

Irgendwann nach dem dritten Glas Wein kamen wir, wie das bei interessanten Diskussionen hierzulande häufig der Fall ist, auf den Holocaust zu sprechen, und bald spaltete sich das Philosophenpaar in zwei Lager – und nicht einfach in zwei simple gegensätzliche Lager wie du und ich es tun würden, nein, es musste schon das behavioristische und das biologische sein.

Sie meinte, der Holocaust hätte unter vergleichbaren Umständen überall passieren können. Die Umstände in Deutschland waren zufällig perfekt für eine Katastrophe: Die Wirtschaft war im Eimer, die Arbeitslosigkeit Schwindel erregend hoch, man lebte zum ersten Mal in einer Demokratie und wusste nicht so recht damit umzugehen, zudem hatte man gerade einen Krieg verloren, fühlte sich durch den unfairen Versailler Vertrag gedemütigt und hatte auch noch eine tausendjährige Tradition des Antisemitismus im Rücken. Jedes Volk in dieser Situation hätte das Gleiche tun können.

Das klang alles recht logisch, aber auch ein wenig nach Ausrede: Wir konnten nichts dafür, es waren einfach die Umstände.

Er dagegen meinte, es hätte nur in Deutschland passieren können. Schließlich hatten alle Länder der westlichen Welt damals ähnliche Voraussetzungen: Sie waren ebenso antisemitisch geprägt und litten genauso unter verheerenden wirtschaftlichen Schwierigkeiten. Trotzdem fand der Holocaust nur in Deutschland statt. Er erzählte, wie einmal ein Franzose zu ihm sagte, »ihr Deutschen wisst nicht, wann ihr Halt machen sollt. Auch wir Franzosen haben die Juden gehasst, aber sie umzubringen ist einfach unanständig.« Sein Hauptargument war: Nur unser Volk besaß die notwendige Obrigkeitsgläubigkeit und Beamtenmentalität. Schon vom Organisatorischen her hätten die Italiener und Franzosen das gar nicht hingekriegt; wenn Amerikaner oder Engländer die KZs geführt hätten, hätten sie irgendwann einen gewissen zivilen Ungehorsam an den Tag gelegt und Fotos aus den Lagern an Zeitungen herausgeschmuggelt.

Seine Argumente klangen schon besser. Ich konnte da keine versteckte Ausrede heraushören: Ja, wir Deutschen haben es getan, nur wir hätten es tun können, wir nehmen die Schuld an.

Das hörte sich eher richtig an.

Erst später am Abend, wieder allein, fiel mir auf, was mir eigentlich an seiner Theorie so zusagte:

Wenn der Holocaust den Deutschen im Blut lag, wenn es nur hier hätte passieren können – dann kann so etwas bei uns in Amerika nie geschehen. Damit sind wir und der Rest der Welt aus dem Schneider.

Danach fühlte ich mich nicht mehr so gut.

Wie hatte er es ausgedrückt? »Nur wir Deutschen schaffen es, einen Massenmord zu organisieren.« Einen Moment mal. Nur weil ihr Deutschen insgeheim noch stolz auf eure preußischen Tugenden seid, heißt das noch lange nicht, dass andere Völker es euch nicht gleich tun können. Organisation? Wir Amerikaner haben nach dem Angriff auf Pearl Harbor eine so effiziente und riesige Militärmaschine aus dem Boden gestampft, dass sie noch heute die mächtigste militärische Kraft auf Erden ist. Als John F. Kennedy im Mai 1961, nur einen Monat nach Gagarins Erdumrundung, bekannt gab, dass die USA bis zum Ende des Jahrzehnts einen Mann auf den Mond schicken und heil wieder zurückbringen werden, schickten wir auch 1969 einen Mann auf den Mond (und brachten ihn heil wieder zurück, was der viel schwierigere Part war). Das nenne ich Organisation. Mitläufertum? Haben Sie eine Ahnung, wie lange ganz normale Amerikaner zwischen 1776 und 1861 geduldet haben, dass Afrikaner in unserem freien Land geknechtet werden? Wie lange die ehemaligen Südstaaten den Schwarzen noch Rechte verweigert haben? Oh nein, auch wir können mitlaufen. Indoktrination? Ich bin als Mormone erzogen worden – glauben Sie mir, ich weiß, was Indoktrination ist.

Nein, solche kriminellen Profis sind die Deutschen nicht, dass sie ihre Verbrechen so viel abgebrühter durchziehen als wir unsere.

Trotzdem bleibt die Frage: Haben allein die Deutschen unter allen Völkern einen ganz eigenen, exklusiven Knacks, der sie immer wieder zu Faschismus und Massenmord treiben könnte?

Es muss doch eine Möglichkeit geben, diese Frage zu beantworten. Wir leben schließlich im Zeitalter der DNS-Analyse. Das menschliche Genom ist entschlüsselt, also ist auch das deutsche Genom kein Geheimnis mehr. Wenn der Holocaust nur in Deutschland hätte passieren können, dann gibt es hier vielleicht so etwas wie ein Nazi-Gen.

Ich rief Gerhard Roth an – Hirnforscher und Professor für Neurobiologie an der Universität Bremen – und fragte ihn geradeheraus: »Haben die Deutschen ein Nazi-Gen?«

»Es gibt kein Nazi-Gen«, schnaubte er. »Das ist absurd.«

»Aber es gibt doch Verbrechergene und Krankheitsgene«, argumentierte ich. »Warum nicht auch welche für Xenophobie und Mordlust?«

»Es gibt inzwischen große Untersuchungen dazu«, sagte er. »Manche dieser Merkmale sind vererblich – bestimmte Krankheiten zum Beispiel, aber in unterschiedlichem Maße. Generell ist Intelligenz vererbbar. Das ist das Persönlichkeitsmerkmal, das am häufigsten angeboren ist. Dann kommt Kreativität, die ist etwa zu fünfzig Prozent angeboren. Manche Geisteskrankheiten sind zum Teil erblich – Schizophrenie etwa zu fünfzig Prozent.«

»Und ein Verbrechergen?«

»Eine gewisse Tendenz zu Gewalt ist genetisch bedingt«, gab er zu. »Aber das ist noch kein Verbrechergen. Laut diverser Studien benötigt die Entstehung von Kriminalität eine ganz bestimmte Mischung. Zu den genetischen Hirnentwicklungsfaktoren muss auch eine entsprechende Umwelt kommen. Ein Mensch wird nicht allein aufgrund seiner Gene kriminell, sondern weil er als Kind so sozialisiert wurde. Menschen, die ein solches Merkmal haben, können – müssen aber nicht – kriminell werden.«

»Es gibt ein Gerücht über Mörderchromosomen. Ich kann Ihnen versichern, dafür gibt es keinerlei empirische Beweise«, sagte Ursula Gasch, eine forensische Psychologin und Kriminologin, als ich ihr die gleiche Frage stellte. »Außerdem«, scherzte sie, »wenn es ein Nazi-Gen gibt, ist es jetzt zu spät: Wir Deutschen sind überall! Aber Spaß beiseite. In Studien mit Kindern krimineller Eltern kommt man immer wieder zu dem Ergebnis, dass Sozialisation, Bildung und ähnliche Faktoren ausschlaggebend sind für die Entwicklung einer kriminellen Karriere.«

Daneben spielen Hirndefekte eine Rolle. »Bei fast allen Gewalttätern stellt man hirnbiologische Veränderungen fest«, betonte Roth. »Ein Drittel der Tendenz zu Gewalt insgesamt geht auf die Gene und die teilweise angeborenen Hirndefekte zurück; zwei Drittel auf die Umwelt. Das bedeutet: Meistens kann dieses Potenzial durch günstige Umwelteinflüsse zum Guten gewendet werden.«

Na ja, dachte ich, aber auch ein Drittel-Nazi-Gen ist ein Nazi-Gen. Wenn die Deutschen nur zu 30 Prozent zur Gewalt neigen, reicht das, um mir Angst einzujagen. Es sei denn ... »Diese dreißigprozentige Gewaltneigung«, fragte ich, »handelt es sich da um ein spezifisch deutsches Phänomen?«

»Die Antwort ist eindeutig«, meinte er. »Nach allem, was wir wissen, gibt es in den menschlichen Genen zwischen den Bevölkerungsgruppen keine signifikanten Unterschiede zwischen Amerikanern und Deutschen oder Afrikanern oder sonstwem.«

»Wollen Sie sagen, auch wir Amerikaner tragen eine dreißigprozentige Neigung zur Gewalt in uns?«

»Natürlich«, sagte er. »Alle tun das.«

»Das wollte ich nicht hören«, sagte ich.

»Das Gewaltpotenzial ist überall auf der Welt vorhanden«, bestätigte Gasch. »Dafür müssen Sie nicht bis zum Dritten Reich zurückgehen, das zeigt auch die Welt von heute.«

»Es gibt natürlich hoch aggressive und weniger aggressive Völker, doch die Unterschiede sind nicht genetisch bedingt«, erklärte Roth, »sondern haben etwas mit der Erziehung innerhalb der Gesellschaft zu tun. Wir wissen das aus folgendem Grund: Wenn wir ein Kleinkind aus einer hoch aggressiven Gesellschaft in Afrika nehmen (wo es zum Beispiel Kindersoldat werden könnte) und in den USA erziehen, fällt das hohe Gewaltpotenzial weg. Das funktioniert auch umgekehrt. Männer haben überall auf der Welt eine Tendenz zu körperlicher Gewalt.«

»Männer?« Das fand ich jetzt aber männerdiskriminierend, und das sagte ich ihm auch. Doch es geht fast immer um Männer – vor allem ihr Gewaltpotenzial ist es, das in einer aggressiven Gesellschaft zum Leben erweckt wird, so Roth.

»Ob das Potenzial freigesetzt wird, hängt von der frühen Sozialisierung ab. In den frühesten Lebensjahren stellt sich das heraus. Studien in Neuguinea, aber nicht nur dort, haben das gezeigt. In manchen Gesellschaften dort bekommen die Jungs mit vier Jahren einen Speer in die Hand gedrückt und werden auf Krieg getrimmt, und die Frauen lernen, die Männer zum Kampf anzutreiben. Die Nazis haben diese Tendenz nur ausgereizt. Einen ganz normalen Menschen zu einer Blutbestie zu machen, ist übrigens gar nicht so schwer. So was geht schnell – innerhalb weniger Wochen.«

»Wie das denn?«, fragte ich. »Sie reden, als gäbe es da ein Rezept.«

Gibt es.

»Sie müssen nur bestimmte Menschen mit Autorität und Macht haben, die das wollen«, sagte Gasch, »und die Neigung, diesen Menschen zu folgen, ist da. Es hat etwas mit Deprivation zu tun. Wer letztendlich etwas zu verlieren hat, kämpft darum.«

»Es müssen junge Männer zwischen 15 und 25 Jahren

sein«, ergänzte Roth. »Sie haben das aggressive Potenzial. Das sind die Männer, die die Diktatoren der Welt brauchen. Diese Männer können sehr leicht gewaltbereit gemacht werden und sie sind auch sehr schwer friedlich zu stimmen. Das ist bei allen Säugetieren festzustellen. Man muss die jungen Leute isolieren und indoktrinieren, ein Feindbild schaffen und ihnen eintrichtern, dass die Feinde kommen und sie umbringen werden. Man muss dazu an das Gruppengefühl appellieren: ›Denkt nicht an euch selbst, wir müssen alle zusammenhalten.‹«

Als ich aufgelegt hatte, blieb eigentlich nur noch eine Frage offen: Ob Hirnforscher in ihrer Freizeit wohl Drehbücher für Horrorfilme schreiben?

Antwort:

B. Nein, es gibt kein Nazi-Gen. Aber bevor Sie jetzt aufatmen, bedenken Sie: Es gibt 3,2 Milliarden Männer auf der Welt.

Wer hat den Hitlergruß erfunden?

Ⓐ Hitler

Ⓑ Die Italiener

Ⓒ Die Germanen

Ⓓ Die Amerikaner

Das war vielleicht ein Schock, das kann ich Ihnen sagen:

Eines Tages betrachtete ich ein paar alte Schwarzweißfotos aus meiner Heimat und staunte bei einem Bild ganz besonders: Da stand eine komplette amerikanische Schulklasse in Reih und Glied und zeigte fröhlich den Hitlergruß.

War das ein Foto einer geheimen Nazi-Enklave irgendwo in der amerikanischen Wüste? Nein, es stammte aus einer ganz normalen Schule.

War Hitler vielleicht irgendwann in Amerika auf Staatsbesuch und wurde dort begrüßt, wie er es gewohnt war? Ich drehte das Foto um. Es stammte aus den 20er Jahren. Der Hitlergruß existierte in Amerika, bevor es ihn in Deutschland gab. Das wirft natürlich Fragen auf.

Die Nazis waren so stolz darauf, das wahre, unverfälschte Deutschtum in die Welt hinauszutragen, nur leider war ein Großteil von dem, was sie als »deutsch« ausgaben, alles andere als deutsch, wie heute jedermann weiß. Auf jeden Fall war es ihnen nicht markig genug, sich einfach die Hand zu geben oder gar fröhlich zu winken.

Der Hitlergruß wurde bereits vor der Machtergreifung als Parteigruß eingeführt, und schon damals zweifelte manch aufgeweckter NSDAP-Bonze am deutschen Ursprung der Geste. Selbst Rudolf Heß erkannte leicht frustriert, dass das Nichtdeutsche aus dem Deutschen nicht ganz zu tilgen ist und versuchte, den Gruß als etwas universell Natürliches zu rechtfertigen: »An sich ist Hochstrecken des Armes mit gestreckter Hand der natürlichste Gruß«, schrieb er 1928 hoffnungsvoll. »Man beobachte doch Kinder und Erwachsene, die z. B. Vorüberfahrende schnell grüßen.«

Die Natürlichkeit des Hitlergrußes überzeugte zwar niemanden, aber man konnte den Gruß auch nicht einfach verwerfen. Das war gefährlich. Er verbreitete sich schlagartig nach der Machtergreifung und wurde bald zum offiziellen

»deutschen Gruß«. Wer ihn überging, musste mit Ärger rechnen.

Wer weder den Gruß noch den Ärger wollte, musste eine Variante finden, die das Gegenüber im Unklaren ließ, was man damit meinte. Meist ging es um die begleitenden Worte: oft nuschelte man das »Heil Hitler«, aber man probierte auch witzige Variationen wie ›Ein Liter‹, obwohl dies deutlich riskanter war. Die so genannten »Swing Kids«, die heute oft als Widerständler eingestuft werden, sagten »Swing Heil«. Einige Künstler spielten mit dem eigenen Leben, als sie den Gruß parodierten – zum Beispiel, als die Schausteller-Familie Petter ihren dressierten Affen den Hitlergruß beibrachte. Daraufhin erging der Befehl, alle Affen, die den Arm zu weit oben hielten, abschlachten zu lassen. Allerdings wurden recht viele Affen dabei übersehen.

Hitler selbst war es wohl jedenfalls nicht, der den Gruß für alle zur Pflicht machte.

»Ich habe keine Quelle gefunden, die eindeutig nachweist, dass Hitler sich je für den Gruß eingesetzt hat«, betont Tilman Allert, Professor für Soziologie an der Johann-Wolfgang-Goethe-Universität in Frankfurt/Main und Autor des Buches *Der deutsche Gruß*.

»Es waren vielmehr kleine, selbsternannte Führer in den Ministerien, die den Gruß immer mehr als Pflicht durchgesetzt haben. Es waren Leute, die sich in ihrer Striktheit gegenüber Hitler und den Verantwortungsträgern hervortun wollten. Der generelle Erlass kam dann vom Reichsinnenministerium.«

Das Geniale an dem Gruß war, dass Hitler alle Deutschen dazu brachte, jeden Tag mehrmals seinen Namen wie ein Gebet in den Mund zu nehmen. Selbst im alten Rom wurde mit »Ave Cäsar« nur der Kaiser gegrüßt, nicht jeder x-Beliebige auf der Straße. Vor Hitler hat das im Grunde nur Gott geschafft: Es war lange Zeit üblich, beim Grüßen Gottes Namen zu erwähnen – eine Tradition, die noch in »Grüß Gott«, »Goodbye« (von »God be with you«) und »Adieu« steckt.

Allert wusste von keinem anderen Diktator der Welt, der das sonst noch erreichte.

Doch je beliebter der Gruß wurde, desto mehr trat zutage, was schon Heß aufgefallen war: Dass die Italiener genau den gleichen Gruß hatten. Genau genommen verübte das gesamte Dritte Reich ein Grußplagiat.

»Mussolini hat den Gruß vom alten Gruß der Römer hergeleitet, um den imperialen Anspruch des italienischen Faschismus zu unterstreichen, und die deutschen Faschisten haben ihn übernommen«, so Allert. »Sie sind dadurch aber arg in Zwiespalt geraten – ihnen hat die römische Herkunft des Grußes nicht gepasst und sie haben eine Reihe von Historikern beschäftigt, die beweisen sollten, dass der Gruß germanischen Ursprungs sei.« Was auch geschah – und sicher weder das erste noch das letzte Mal, dass ein Wissenschaftler im Namen der Karriere ein wenig übertreibt. In Wahrheit hat kein Germane je so etwas wie den Hitlergruß gezeigt ... es sei denn, er hatte sich als Gladiator bis nach Rom hochgekämpft und grüßte vor dem Kampf den Kaiser persönlich.

Und wie steht es nun mit Amerika?

Seit 1892 stand jedes amerikanische Schulkind morgens vor der amerikanischen Flagge und schwor mit ausgestrecktem rechten Arm den Eid auf die Fahne. Es ist genau derselbe Eid, den ich in der Schule schwor. Klar, es war damals noch kein Hitlergruß, sondern eher eine Demonstration, wie ernst man es mit dem Eid meinte. Das Ritual begann mit der Hand auf dem Herz; man sagte: »I pledge allegiance«, streckte dann den Arm erst beim »... to the Flag« in Richtung der Fahne aus und fuhr fort im Text.

Zum Glück scheint Hitler sich wenig für Amerika interessiert zu haben: »Es gibt keinerlei Hinweise, dass Hitler oder Mussolini von dem amerikanischen Gruß wussten«, sagte Allert.

Nachdem Hitler sein Grußmonopol einführte – na ja, eigentlich erst, nachdem er den Zweiten Weltkrieg anzettelte – wurde uns klar, wie viel Ähnlichkeit der Fahneneid doch mit dem Hitlergruß hatte, und wir machten eine kleine kosmetische Änderung: Seitdem bleibt die Hand liegen. Auf dem Herzen.

Antwort:

B. Der Hitlergruß ist ein wenig wie Nutella: beide kommen aus Italien, beide kamen erst in Deutschland zur Weltruhm.

Darf ich auf den Straßen Tel Avivs ungestraft ein Hakenkreuz tragen?

Ⓐ Ja, aber keinen roten Stern

Ⓑ Nein, Nazi-Symbole sind in fast allen demokratischen Staaten der Welt verboten.

Ⓒ Nein, außer, Sie gehören zur königlichen britischen Familie und sind bei Ihrem Besuch in Israel zu Späßchen aufgelegt.

Ⓓ Ja, selbst in Israel darf man ein Hakenkreuz tragen.

Als der englische Jungprinz Harry 2005 auf einem Kostümball als Nazi verkleidet erschien, fanden die Engländer das nur mäßig lustig. Die Deutschen überhaupt nicht. Der Prinz, der den europäischen Sinn für Humor naiverweise falsch eingeschätzt hatte, musste sich entschuldigen.

Das ging den Deutschen nicht weit genug. Das ist doch eine gute Gelegenheit, dachten sie, ihren Gesetzesvorschlag für ein europaweites Verbot für das Tragen von Hakenkreuzen und anderen Nazisymbolen zu präsentieren. Doch statt dass dies als ein Schritt in ein neues Zeitalter frei von allem Bösen (und seinen Symbolen) begrüßt wurde, stieß es auf scharfen Widerspruch seitens der englischen, aber auch anderer Regierungen. Der Protest hat die Deutschen ehrlich überrascht. Wieso protestierte ausgerechnet England, das im Krieg von den Nazis so schlimm heimgesucht wurde, gegen ein solches Verbot?

Bei näherer Erkundung stellte sich heraus, dass in anderen Teilen Europas Meinungsfreiheit ziemlich hochgehalten wird. Deutschland ist eines der wenigen Länder weltweit, die das Hakenkreuz, den Hitlergruß, das Vertreiben von *Mein Kampf*, das Leugnen des Holocausts und Ähnliches verbietet.

Das Hakenkreuz erfüllt außerhalb Deutschlands scheinbar sehr vielseitige Zwecke, und das nicht nur in Indien. Ein Hakenkreuzverbot in Kanada hätte für eine kleine Stadt in Ontario verheerende Folgen: Sie heißt nämlich Swastika (Hakenkreuz). In Großbritannien wäre ein Hakenkreuzverbot sogar mit dem Denkmalschutz in Konflikt geraten. Dort gibt es einen uralten Stein, in den die Kelten vermutlich um die Zeit der römischen Besatzung ein Hakenkreuz eingemeißelt hatten.

Auch in meiner Heimat Amerika kommt irgendein Politiker auf Wählerfang regelmäßig auf die Idee, das Hakenkreuz zu verbieten, und der Streit um die Meinungsfreiheit wird neu entfacht. So war es auch vor kurzem: 2006 verbot der scheidende Gouverneur des Bundesstaates New York das Hakenkreuz wie auch das brennende Kreuz, das Symbol des Ku-Klux-Klans. Das Gesetz ist im Staate New York noch in Kraft – noch ist das Thema nicht (wie schon einmal) vor dem obersten Gerichtshof gelandet – trotzdem regt sich schon jetzt Widerstand, und zwar aus einer Ecke, von der man es am wenigsten erwartet. Die Amerikanische Bürgerrechtsvereinigung ACLU kämpft im Namen der verfassungsmäßigen Rechte von Minderheiten normalerweise gegen Rassismus. Doch eine Verletzung der Meinungsfreiheit zählt auch als Angriff auf die Verfassung, und das bringt ACLU-Vertreter in die unangenehme Lage, zugunsten des Ku-Klux-Klans und der Neo-Nazis zu argumentieren.

»Ein Symbol öffentlich zur Schau zu stellen ist eine Form der Meinungsäußerung«, sagte Donna Lieberman, Leiterin der New Yorker ACLU. »Das Prinzip der freien Meinungsäußerung verbietet jeden Versuch, eine Äußerung zu kriminalisieren. Inwieweit eine Gesellschaft die freie Meinungsäußerung hochhält, erkennt man nicht daran, ob sie die Verbreitung ›guter‹ Ideen erlaubt, sondern daran, ob sie auch die Äußerung der verabscheuungswürdigsten Ideen erlauben kann.«

Das soll aber nicht heißen, dass die meisten Länder, die eine so radikale Redefreiheit pflegen, wie die ACLU sie anstrebt, Rassismus und Volksverhetzung hilflos ausgeliefert sind.

Der Bürgermeister von Moskau verbot 2006 auch ohne ein Anti-Hakenkreuz-Gesetz eine Demonstration von Nationalisten, die unter anderem das Hakenkreuz vor sich hertragen wollten. Der belgische Innenminister verbot 2007 das Tragen von Fußballtrikots mit den Nummern 18 und 88 (in Neo-Nazi-Deutsch steht »18« nach den ersten und achten Ziffern des Alphabets für »Adolf Hitler« und 88 bedeutet »Heil Hitler«). 2004 wurde ein Konzert der kroatischen Neo-Nazi-Band Thompson in Amsterdam ohne viel Federlesen abgesagt, nachdem der Sänger den Hitlergruß zeigte. 2006 wurde ein Brite aus demselben Grund festgenommen, die Polizisten wurden vom Innenminister dafür mit einer »besonderen Vollmacht« versehen.

Trotzdem lässt es den Deutschen keine Ruhe, dass einige Länder das Hakenkreuz nicht verbieten. Als 2007 die deutsche Präsidentschaft in der Europäischen Union begann, hat Angela Merkel nicht nur angekündigt, dass sie Deutschland zum Vorreiter in Sachen Umweltschutz machen will, ihr Team hat auch ein europaweites Gesetz vorbereitet, das die Leugnung des Holocaust und die Aufforderung zum Rassismus verbieten soll. Der Gesetzesentwurf ist im Wesentlichen der Gleiche wie damals, nur in anderen Worten. (Diesmal behauptet das deutsche Justizministerium, das Hakenkreuz werde in keinem der beiden Gesetzesvorschläge ausdrücklich erwähnt.)

Haben die Deutschen eine Chance? Kaum.

Allerdings fällt auf, dass andere Länder nichts dagegen haben, dass das Verbot in Deutschland weiterhin gilt. Auch die Deutschen, die sonst so lautstark auf ihre Bürgerrechte pochen, haben nichts dagegen. In Gegenteil – sie hängen daran wie Linus an seiner Schmusedecke.

»Es wird in Deutschland erstaunlich wenig darüber diskutiert, inwiefern das Hakenkreuz mit dem Recht auf Meinungsäußerung vereinbar ist«, kommentiert Tatjana Hörnle, Professorin für Strafrecht, Strafprozessrecht und Rechtsphilosophie an der Universität Bochum. »Kaum eigentlich. In den gängigen Rechtskommentaren, die ich zu dem »Verbotene-Kennzeichen«-Paragraphen 86a gelesen habe, taucht das Wort ›Meinungsfreiheit‹ nicht einmal auf.«

Wie so viele ihrer Entscheidungen, die die Deutschen selbst für sachlich, durchdacht und logisch halten, ist das Hakenkreuzverbot in Wahrheit eine rein emotionale Reaktion auf das Dritte Reich: es zu kippen wäre heute zwar faktisch harmlos, aber emotional wäre es ein Gefühl, als ob man mit geschlossenen Augen von einer Klippe springt und hofft, dass jemand da unten einen auffängt.

»Das Tabu ist zu stark verwurzelt«, sagte Hörnle. »Es ist eines der stärksten Tabus in Deutschland überhaupt.«

Wenn es außer Deutschland und Österreich ein Land auf der Welt gibt, das das Hakenkreuz eigentlich verbieten müsste, ist es Israel.

Also rief ich die israelische Botschaft in Berlin an und fragte, ob ich denn, rein rechtlich gesehen, in ihrem Land ungestraft mit einem Hakenkreuz am Arm herumlaufen dürfe. Die erstaunliche Antwort: aber sicher. Selbst Israel verbietet das Hakenkreuz nicht. Auch nicht den Hitlergruß, *Mein Kampf* oder Goebbels' Propaganda-Filme wie *Jud Süß*. Na gut, die Leugnung des Holocaust ist verboten, jedoch erst seit 1986. Da wunderte sich selbst die Botschaftssprecherin, dass das so lange gedauert hatte.

Gerade diese Frage – soll man, soll man nicht das Hakenkreuz verbieten? – ist eine der spannendsten Verfassungsfragen, die gerade jetzt, während ich diese Worte schreibe, in Israel diskutiert wird.

Der Knesset liegt seit einiger Zeit nämlich ein neuer Gesetzesvorschlag vor, der das öffentliche Zurschaustellen des Hakenkreuzes doch noch verbieten soll. Ironischerweise gibt es ausgerechnet in Israel gute Argumente dafür, dass das Hakenkreuz nicht nur als äußerst verletzendes Hasssymbol, sondern auch dem legitimen politischen Dialog dienen kann. Das letzte Mal wurde es in Israel nämlich nicht von Neo-Nazis verwendet, sondern von zionistisch geprägten Israelis, und zwar als Ausdruck eines demokratischen Protests gegen die Räumung ihrer Siedlungen im Gazastreifen unter Sharon. Damit wollten sie nicht zum Judenhass aufrufen, sondern die Aktion mit den alten Nazi-Pogromen gleichsetzen. Nun kann man behaupten, ein solcher Vergleich sei doch ein wenig übertrieben, dennoch lässt sich nicht leugnen, dass es eine starke und durchaus legitime demokratische Meinungsäußerung war.

Und was Deutschland angeht, wird das verbotene Hakenkreuz sowieso regelmäßig von zehn- bis zwölftausend Menschen ungestraft genutzt, und zwar von Hindus. »Sollte uns das Hakenkreuz verboten werden, würden wir uns nicht daran halten«, grollte Sajan Kakar, stellvertretender Vorsitzender des Hindutempels in Köln. »Wir praktizieren den Hinduismus, da fängt jede Zeremonie damit an. In afghanischen Hindutempeln ist das Zeichen aufgestellt, vor jedem wichtigen Gebet wird es mit Sand auf den Boden gemalt. Auch Hochzeiten beginnen mit dem Hakenkreuz.«

Das ist auch der Grund, warum die Briten gegen den Gesetzesvorschlag sind. Gerade in England gibt es viele Hindu-Gemeinden, deren Hakenkreuz-Tradition zum Teil Tausende von Jahren zurückreicht. Einige von ihnen haben empörte Internet-Aktionen gestartet, die das Hakenkreuz wieder salonfähig machen sollen, zum Beispiel »Reclaim the Swastika«. In Deutschland nutzen ein halbes Dutzend afghanischer Hindutempel das Zeichen. Die hiesige Staatsanwaltschaft hat sich die Hindu-Gemeinde zwar noch nicht vorgeknöpft, aber wahrscheinlich schlicht aus Zeitmangel. Bisher waren sie wohl zu sehr damit beschäftigt, Antifa-Aufkleber mit durchgestrichenen Hakenkreuzen verbieten zu wollen, weil sie, na ja, einfach zu sehr wie Hakenkreuze aussehen, um sie anschließend, weil sie, nun ja, eindeutig durchgestrichen waren, wieder erlauben zu müssen.

Allerdings eröffnet der Hinduismus in Deutschland tolle Möglichkeiten für Neo-Nazis. Wenn sie wirklich ungestraft ihr geliebtes Hakenkreuz umhertragen wollen, müssen sie nur zum Hinduismus übertreten. Oder noch besser: ein nettes Hindu-Mädchen heiraten. Der Schritt ist zwar ein wenig ungewöhnlich, doch er zahlt sich aus: Wie viele Neo-Nazis können schon von sich behaupten, in aller Öffentlichkeit im Zeichen des Hakenkreuzes geheiratet zu haben?

Antwort:

D. Solange der neue Gesetzesvorschlag von der Knesset nicht angenommen wird, darf man ungestraft in den Straßen von Tel Aviv ein Hakenkreuz tragen. Das bedeutet aber nicht, dass es empfehlenswert wäre.

Hier die aktuelle Verbotsliste:

	Hitler-gruß	Haken-kreuz	Roter Stern	Musso-lini-Gruß	Brennen-de Kreuze
Deutschland	Verboten	Verboten		Erlaubt*	
Österreich	Verboten	Verboten			
Schweiz	Verboten	Verboten			
Italien	Verboten			Verboten	
Ungarn		Verboten	Verboten		
Tschechien	Verboten				
Staat New York		Verboten			Verboten

* Glaube ich jedenfalls. Probieren Sie es doch mal selber aus, würde mich interessieren, was passiert!

Hätte Hitler mit Hilfe der Juden den Zweiten Weltkrieg gewonnen?

Ⓐ Ja, aber er war zu doof dazu.

Ⓑ Ja, aber sie hätten ihm nicht geholfen.

Ⓒ Nein, aber mit Hilfe der Palästinenser schon.

Ⓓ Natürlich nicht!

Im Nachhinein kommt es mir vor wie eines der größten Mysterien des Zweiten Weltkrieges überhaupt: Was hat sich der »Führer« nur dabei gedacht, als er sich ausgerechnet die Juden zum Sündenbock erkor?

Wohl eine der allerersten Führungsqualitäten, die man lernt, ist: Du brauchst die Besten auf deiner Seite. Dieses einfache Prinzip haben wir doch alle schon als Kinder erfahren – in der Schule, beim Mannschaftssport, wenn die Teams zusammengestellt werden, sucht sich doch der jeweilige Mannschaftskapitän immer die Besten zuerst aus, oder?

Wenn ich Staatschef wäre und vorhätte, der halben Welt den Krieg zu erklären, würde ich als Erstes die Elite um mich scharen: Nicht nur unerschrockene Soldaten, sondern auch kluge Generäle, gewiefte Finanzmanager, erfahrene Diplomaten und last but not least verdammt gute Wissenschaftler, die es verstehen, Waffen zu konstruieren. Die Liste der herausragenden jüdischen Wissenschaftler in Deutschland um 1930 war lang – in fast jeder Disziplin.

Allerdings gibt es eine weitere Frage: Wie hätte Hitler denn die Juden um Hilfe bitten können? Er schuldete ja dem Antisemitismus einen Großteil seiner Popularität. Wäre er weiterhin so mächtig geblieben, wenn er seine antisemitische Propaganda nach der Machtergreifung einfach fallen gelassen hätte? Aber klar doch. Nach dem Reichstagsbrand und dem Ermächtigungsgesetz war er so mächtig, dass er sich alles hätte leisten können. Es ist alles andere als ungewöhnlich, dass sich ein Politiker nach der Wahl sein Parteiprogramm anders überlegt. Wenn es um Soldaten an der Front ging, hatte er kein Problem damit. Hitler hatte auch viele »Halbjuden« und »Vierteljuden« zu »Ehrenariern« ernannt, damit sie in der Wehrmacht dienen konnten.

Aber hätten die jüdischen Wissenschaftler solch einen Vorschlag angenommen?

Wieso nicht?

»Hätten sie für Deutschland gearbeitet? Natürlich«, sagte Alfons Söllner, Professor für politische Wissenschaft an der Technischen Universität Chemnitz. »Genau wie im Ersten Weltkrieg. Da haben die Juden für Deutschland gekämpft, das steht außer Zweifel.«

Erst, als klar wurde, wie viel schlimmer es für deutsche Juden unter Hitler noch werden würde, begann die Emigration: der massive *Brain Drain* des Dritten Reichs.

»Die Frage ist, wie groß war der Aderlass?«, überlegte Söllner. »Die Schätzungen schwanken zwischen zehn Prozent der publizierenden Wissenschaftler in einzelnen Fachbereichen, bis zu dreißig Prozent in anderen. Der Verlust an Professoren in vielen Wissenschaftszweigen betrug bis zu zwanzig Prozent. In manchen Bereichen war es ein richtiger Ausverkauf.«

Interessanterweise betraf der *Brain Drain* vor allem die hoch modernen, fortschrittlichen Bereiche wie Kernphysik.

»Der Anteil der Juden an der Kernphysik war sehr hoch im Vergleich zu Flugtechnologie und anderen konventionellen Technologien«, erklärte Söllner. »Sie waren neugieriger, moderner und fortschrittlicher als die meisten anderen.« Teilweise hatte das auch damit zu tun, dass ein antisemitischer Numerus clausus sie aus den traditionell begehrten Bereichen heraushielt – deswegen hatten sich auffällig viele auf neuere, noch nicht so stark besetzte Fächer wie Kernphysik spezialisiert.

Hätte nun Hitler mit Hilfe der Juden vor 1945 die Atombombe bauen können?

»Es sind wesentlich mehr Vertreter der neuen Gebiete der Physik emigriert als aus den alten Gebieten wie Mechanik«, bekräftigte Klaus Fischer, Professor für Wissenschaftsforschung an der Universität Trier. »Die Spanne reicht von vier Prozent in der Akustik bis zu dreißig Prozent in der Kernphysik und Quantentheorie. Vor allem in der Entwicklung von Kernwaffen zeigt sich gleich deutlich ein starker Abfall.« Vor 1933 erschienen fast 50 Prozent aller wissenschaftlichen

Publikationen zur Kernphysik weltweit auf Deutsch. Bis 1943 sank der deutsche Anteil auf 14 Prozent. »Wenn man die Namen der emigrierten Physiker mal etwas näher anschaut, sieht man, dass von den hochrangigen Namen wesentlich mehr emigriert sind. Es war ein Elitenphänomen.«

»Am Manhattan Project waren etliche deutsche Emigranten führend beteiligt«, ergänzte Söllner.

Nicht nur das: Ohne die jüdische Emigration wären die Amerikaner möglicherweise gar nicht auf die Idee gekommen, eine Atombombe zu bauen. Es waren Eugene Paul Wigner, Edward Teller und Leó Szilárd, die Albert Einstein überzeugten, sich in einem Brief an den US-Präsidenten Franklin D. Roosevelt zu wenden und ihn davor zu warnen, dass die Deutschen die Kernspaltung zum Bau einer Atombombe nutzen könnten. Das war der entscheidende Schritt, der das amerikanische Kernwaffenprogramm – das Manhattan Project – startete. Einstein war 1933 bereits in Princeton und ist wegen Hitler nicht nach Deutschland zurückgekehrt; Wigner, Teller und Szilárd jedoch sind alle erst nach 1933 geflohen.

»Wenn man überlegt, ob Hitler die Atombombe vor Amerika hätte haben können, wenn jüdische Wissenschaftler für ihn gearbeitet hätten …«, spekulierte Söllner, »ja, das hätte er, da bin ich sicher. Es ist nur spekulativ, aber die deutsche Waffentechnologie wäre auf jeden Fall sehr viel besser gewesen.«

Allerdings wäre es für Hitler nicht ausreichend gewesen, die Juden auf seine Seite zu bringen. Er hätte insgesamt lernen müssen, ein bisschen modern zu denken.

»Es gab ja schon ein großzügig finanziertes Projekt in Peenemünde, das so viel gekostet hat wie das Manhattan Project«, sagte Fischer. »Aber da ging es um den Bau von konventionellen Raketen. Wenn man dieses Geld in die Entwicklung der Atombombe gesteckt hätte, hätte man es wahrscheinlich auch ohne die Emigranten geschafft. Doch stattdessen gab es eine ganze Reihe unabhängiger Kernforschungsprojekte, die alle in Konkurrenz zueinander standen – auch wenn es um finanzielle Mittel und den Zugang zu Uran ging. Wenn man die gebündelt hätte, hätte man die Atombombe vor 1945 schaffen können.«

Doch abstrakte Wissenschaften und nationalsozialistische Ideologie waren nicht kompatibel.

»Theoretiker waren in Deutschland nicht gut angesehen«, erklärte Fischer. »Ein Wissenschaftler sagte damals: ›Bei uns in Deutschland kommen die Theoretiker gleich hinter den Juden und Zigeunern.‹ Das Dritte Reich hing noch der anschaulichen Vorstellung von Naturwissenschaft aus der Zeit der Romantik nach. Dies widersprach der theoretischen Forschung. Der politische Wille zur Förderung der Physik und Mathematik war nicht vorhanden. Was nicht anwendungsorientiert war, wurde abgebaut«, resümierte er. »Die Förderung der Wissenschaft sank nach 1933 sehr stark ab. Die Zahl der Mathematikabsolventen ging um neunzig Prozent zurück, die der Physik- und Chemiestudenten um über fünfzig Prozent. Die Anzahl der Lehrenden sank ebenso. Ein Physiker der TU Berlin wurde mit der Begründung nach Göttingen zwangsversetzt, dass man auf einer technischen Universität doch keinen Theoretiker braucht.«

Kernphysik war etwas, was man im Grunde nur in Kreide auf einer Tafel sehen konnte. Dem misstrauten die Nazis. Sie stempelte das Theoretische als jüdisches Zeugs ab. Und bekamen dabei Schützenhilfe von zwei Nobelpreisträgern.

Philipp Lenard hatte 1905 den Nobelpreis für Physik für seine Arbeit über Kathodenstrahlen gewonnen; Johannes Stark 1919 für seine Entdeckung des Dopplereffektes. Zusammen gründeten sie die so genannte »Deutsche Physik«, die natürlich viel besser war als die jüdische Physik und große Teile der theoretischen Physik als »dogmatisch-dialektisch« ablehnte. Im Vorwort zu seinem *Deutsche Physik in vier Bänden* schrieb Lenard 1936, »›Deutsche Physik?‹ wird man fragen. Ich hätte auch arische Physik ... sagen können. In Wirklichkeit ist die Wissenschaft, wie alles, was Menschen hervorbringen, rassisch, blutmäßig bedingt.« Physik sollte sich nicht um Mathematik, sondern um das Experiment drehen und »auf dem festen Boden der klassischen Physik« stehen. Einsteins Relativitätstheorie wurde als jüdischer Betrug deklariert.

Der politisch Aktivere von beiden war Stark. Er biederte sich bei der Partei an und wetterte gegen jüdische Kollegen, sie seien weniger an der Wahrheit interessiert als daran, sich selbst zu profilieren. Viel hat es nicht bewirkt: Obwohl sie so deutsch war, wurde auch die »Deutsche Physik« von den Nazis kaum gefördert. (Nicht alle in Deutschland gebliebenen Physiker hingen einer rassistischen Wissenschaftstheorie an. Hinter vorgehaltener Hand ging ein Spruch über Lenard und Stark um: »Was man nicht verstehen kann, sieht man drum als jüdisch an.«)

Wenn ich sehe, wie die Nazis Medien und Propaganda einsetzten, wie sie die Massen manipulierten oder auch Krieg führten – von ihren fesch geschnittenen Uniformen ganz zu schweigen – kommen sie mir auf unheimliche Weise modern vor. Da mutet es merkwürdig an, wie sehr sie alles Moderne verachteten – und das zu ihrem eigenen Nachteil.

»Nach dem Krieg hatte Deutschland sehr starke Defizite in manchen Bereichen«, so Söllner. »In der Psychoanalyse hatte es einen Großteil seiner Kompetenz verloren, auch in der von den Nazis verfolgten Sexualwissenschaft. Progressive Sparten der Medizin waren zum Teil jüdisch geprägt, das ging ebenfalls verloren. Es gibt Bereiche wie Kunstgeschichte und Musikwissenschaft, da sind deutsche Emigranten in England und den USA dann zu Begründern des Faches geworden. Die jüdische Kultur war sehr stark musikalisch orientiert. Es gab einen großen Anteil jüdischer Musiker, Komponisten, Sänger und Opernschaffende. Es ist falsch zu sagen, dass es in Hitlerdeutschland keine Kultur gab, natürlich gab es alles. Aber ein signifikanter Ausschnitt davon – auch nichtjüdische Deutsche – verschwand in die Emigration.«

Dass Deutschland den Verlust nach dem Krieg heute weitgehend wieder eingeholt hat, hat teilweise mit einer unerwarteten Wendung zu tun: Viele Emigranten fühlten sich immer noch mit Deutschland verbunden.

»Kurzfristig war die Emigration in kultureller Hinsicht ein gewaltiger Verlust, der Deutschland in fast allen Bereichen zur Provinz gemacht hat«, sagte Söllner. »Aber langfristig gibt es ein erstaunliches Phänomen – die Re-Integration der jüdischen Emigranten, besonders in und aus den USA. Es kehrten zwar höchstens fünfundzwanzig Prozent zurück – das ist wenig – doch sehr viele von ihnen hatten das Bedürfnis, Deutschland wieder aufzubauen. Als die Emigranten in Übersee erfolgreich waren – und ich denke an Marcuse, Hannah Arendt, Thomas Mann und andere –, hatten sie wiederum Einfluss auf Deutschland, weil da eine neue Synthese aus alter deutscher und neuer amerikanischer Kultur entstand«, erklärte er. »Langfristig gibt es einen großen Erfolg, der von bestimmten Emigranten in den Fünfzigern und Sechzigern auf Deutschland zurückwirkt. Nach dem Krieg gab es eine grandiose Rückkehr der neuen Musik, vor allem durch Adorno. Fast alle prominenten Emigranten haben Vorlesungen gehalten und Auszeichnungen gewonnen. Viele kamen aus den USA zu Gastvorträgen rüber, und es gab eine große literarische Remigration. In der DDR bestand die ganze Führungsschicht zeitweise aus remigrierten Kommunisten. In den Naturwissenschaften war die Remigration allerdings wesentlich geringer.«

Das sagt eine Menge aus über die Deutschen. »Es gab zwar keine systematische Rückholung. Im Gegenteil, es gab auch Abwehr. Als Willy Brandt aus dem Exil zurückkam, wurde er zum Teil als Vaterlandsverräter angefeindet. Aber mit der Studentenbewegung änderte sich das. Sie entdeckte die Emigranten wieder. In bestimmten Bereichen der Kultur gab es eine große Bereitschaft, sie wieder aufzunehmen. Marcuse wurde eine Leitfigur der Studentenbewegung. Er kam zu Vorträgen nach Berlin und war mit Rudi Dutschke auf Du und Du. Der Mai '68 ist ohne Marcuse nicht denkbar. Das waren die jüdischen Großväter. Das ist die Heimkehr«, sagte Söllner.

»Ohne die Remigration wäre Deutschland sehr viel trauriger und provinzieller geblieben und hätte es schwer gehabt, in der Kulturszene international anerkannt zu werden. Nach dem Krieg war es zwar sofort wieder eine starke wirtschaftliche Macht, kulturell aber nicht. In Wissenschaft, Literatur, Kunst und Musik waren die Emigranten die Mediatoren. Langfristig, so paradox es klingt, haben sie wie Missionare gewirkt. Ihr Einfluss, ob vor Ort oder aus der Ferne, hat zu einer Internationalisierung Deutschlands geführt. Das ist paradox. Das hat Hitler nicht gewollt.«

Antwort:

A. Ja, vermutlich schon.

Woher stammt der Spruch »Und es mag am deutschen Wesen einmal noch die Welt genesen«?

Ⓐ Joseph Goebbels

Ⓑ Paracelsus

Ⓒ Otto von Bismarck

Ⓓ Emanuel Geibel

Diese Deutschen können einfach nicht mal fünfe gerade sein lassen. Entweder gehen sie in Sack und Asche und hassen sich selbst, oder sie haben tolle Ideen und sind davon so begeistert, dass sie alle Welt überzeugen wollen, es ihnen nachzutun: Trennt euren Müll! Liebt euren Wald! Schützt eure Tiere! So ein Zwischending, nein, das ist nichts für dieses Volk – wenn die Deutschen die Lösung gefunden haben, ist es immer gleich die Lösung für die ganze Welt. Was glauben sie eigentlich – dass sie Amerikaner sind?

Antwort:

D. Weder die Einstellung noch der Spruch sind neu. Das Zitat stammt aus der Zeit der deutschen Identitätsfindung um 1861, und zwar von einem der populärsten Dichter seiner Zeit. Die Zeile ist aus dem Gedicht *Deutschlands Beruf* von Emanuel Geibel. Darin geht es um den Wunsch nach Einigung Deutschlands unter preußischer Führung. Als Belohnung wird in Aussicht gestellt, dass ein vereintes Deutschland so viele tolle Tugenden hätte, dass es quasi auf ganz natürliche Weise die moralische Weltführung übernehmen würde. Geibel stellte Deutschland als eine Art Supernanny für die Welt dar – streng, aber fair:

»Macht und Freiheit, Recht und Sitte,
klarer Geist und scharfer Hieb
zügeln dann aus starker Mitte
jeder Selbstsucht wilden Trieb,
und es mag am deutschen Wesen
einmal noch die Welt genesen!«

MYTHEN

A.Ur

Von wem stammt der Spruch
»Mich wundert, dass ich so fröhlich bin«?

Ⓐ Heinrich der Zänker

Ⓑ Friedrich Nietzsche

Ⓒ Martinus von Biberach

Ⓓ Johannes Mario Simmel

Wer, außer einem Deutschen, würde sich wundern, wenn er mal fröhlich ist?

Die Ambivalenz dieser Zeile hat deutsche Dichter und Denker schon lange fasziniert. Johannes Mario Simmel hat daraus einen Buchtitel gemacht, Bertolt Brecht und Heinrich Kleist haben den Text abgewandelt. Und sie waren nicht die Ersten. Bereits Martin Luther regte sich über den Vers auf, dem die Zeile entstammte, nannte ihn einen »Reim der Gottlosen«, weil ein Gläubiger ja grundsätzlich fröhlich zu sein habe. Er korrigierte ihn folgendermaßen:

Ich lebe, so lang Gott will,
ich sterbe, wann und wie Gott will,
ich fahr und weiß gewiß, wohin,
mich wundert, dass ich traurig bin!

Ich vermute aber, es war ihm klar, dass seine Version der Beliebtheit des Originals keinen Abbruch tun würde.

Antwort:

C. Martinus von Biberach war ein Mönch wie Luther, aber vielleicht etwas ehrlicher, was die Zweifel und Ungewissheiten angehen, mit denen auch Gläubige auf dieser Erde wandeln müssen. Angeblich befanden sich diese Zeilen auf dem Grabmal des ansonsten recht unbekannten Theologen aus Biberach bei Heilbronn, der 1498 starb. Wenn ich bedenke, dass sie für einen Grabstein geschrieben wurden, kommen sie mir auf einmal gar nicht mehr so melancholisch vor:

Ich leb und weiß nicht, wie lang;
Ich stirb und weiß nicht, wann;
Ich fahr und weiß nicht, wohin;
Mich wundert, dass ich fröhlich bin.

Warum werden die großen deutschen Mythen nie von Hollywood verfilmt?

Ⓐ Weil deutsche Mythen intellektuell viel zu anspruchsvoll sind für einen Hollywood-Film.

Ⓑ Weil deutsche Mythen kein kitschiges Happy End haben.

Ⓒ Weil die Amis kein Deutsch können.

Ⓓ Weil ein Hollywood-Produzent immer, wenn ein Drehbuch über einen deutschen Mythos auf seinem Schreibtisch landet, fragt: »Geht das auch mit Nazis?«

Die drei Musketiere sind französisch. Genau wie der Graf von Monte Christo, Captain Nemo und Phileas Fogg. Robin Hood ist englisch, König Artus, Sherlock Holmes, James Bond und natürlich Harry Potter auch.

Zorro ist spanisch wie El Cid und Don Quixote. William »Braveheart« Wallace und Nessie sind Schotten. Pippi Langstrumpf ist schwedisch und die wilden Wikinger auch. Unzählige Zwerge, Trolle und Elfen sind schottischer und irischer Herkunft. Herkules, Jason und die Gladiatoren stammen aus der griechischen und römischen Antike. Sindbad ist arabisch.

Hm ... was fehlt auf dieser Liste? Da war doch was ... mitten in Europa, mit tausendjähriger Geschichte ... ach ja, Deutschland. Komisch – von all den wichtigen Kulturnationen haben nur die Deutschen keine großen Mythen vorzuweisen. Entschuldigung, ich meine natürlich: Nicht, wenn man nach Hollywood-Verfilmungen geht.

Wie die meisten Kinder habe auch ich die großen Mythen der Welt durch Hollywoodfilme kennengelernt. Klar, Grimms Märchen waren darunter und natürlich auch die unheimliche Story des Dritten Reichs. Aber das war's. Ich war also ziemlich überrascht, als ich als junger Mann nach Deutschland kam und zum ersten Mal von Agnes Bernauer, Störtebeker dem Piraten, Siegfried und den Nibelungen, Hermann dem Cherusker und natürlich Winnetou, dem roten Gentleman, hörte. Was für großartige Stoffe! Wieso hat Hollywood die links liegen lassen? Was haben Romeo und Julia, was die Bernauerin nicht hat? Was hat König Artus, was Barbarossa nicht hat? Was hat Superman, was Siegfried nicht hat?

Das wurde für mich zu einem der großen Rätsel der globalen Populär-Kultur.

Die Frage beschäftigt nicht nur mich, glauben Sie mir. Wolfgang Petersen, einer der großen Hollywood-Regisseure, der aus dem Norden Deutschlands stammt, will *Störtebeker* schon ewig in Hollywood verfilmen, konnte aber keinen Produzenten für seine Drehbücher begeistern. *Troja* hingegen durfte er sofort drehen. Selbst Arnold Schwarzenegger war nicht in der Lage, eines seiner Lieblingsprojekte, *Winnetou*, an ein Studio zu verkaufen. *Conan* jedoch war kein Problem.

Mochte man in Hollywood die deutschen Geschichten einfach nicht? Das kann nicht sein. Hollywood ist ständig auf der Suche nach großen Abenteuer-Geschichten. Sie lechzen geradezu nach neuem Stoff, sind süchtig danach, als hinge ihr Leben davon ab. Tut es ja auch.

Deutsche Stoffe werden reihenweise verfilmt: Aschenputtel, Dornröschen, Rapunzel und weitere Figuren aus Grimms Märchen tauchen nicht nur in ihren eigenen Filmen auf, sondern auch als »Gaststars« in Komödien wie *Shrek*. Die Gebrüder Grimm landeten selbst in einem Fantasy-Abenteuer von Terry Gilliam, der auch schon *Baron Münchhausen* verfilmt hatte. Der Riesenhit *Amadeus* basierte auf dem Leben des immerhin deutschsprachigen Genies Mozart, und wo wir von Genies sprechen: Das Leben von Beethoven und Freud wurde auch von Hollywood verfilmt und Einstein geistert durch die verschiedensten Filme, sogar Komödien wie *IQ – Liebe ist relativ*.

Nur wenn es um große dramatische Stoffe geht, um Mythen eben, lässt man von Deutschland lieber die Finger.

Lange Zeit konnte ich mir das nicht erklären, bis ich eines Tages durch Zufall über die Antwort gestolpert bin. In einer Kneipe – wo so viele große deutsche Geheimnisse ausgeheckt, abgestritten und gelüftet werden.

Es war in meiner Lieblingskneipe in München-Schwabing, die irgendwo zwischen »urig« und »studentisch« rangierte, wo ich mit einem jungen Mann ins Gespräch kam. Er war, glaube ich, Student, und zwar der Sorte »ewig«, was bis vor kurzem auch auf mich zugetroffen hatte. Wir kamen ins Gespräch über Schreiben, Kunst und Philosophie. (Ein großer

Vorteil des etwas laxen deutschen Hochschulsystems, das – noch – die ewige Studiererei erlaubt, ist: Man trifft echte Philosophen in den deutschen Kneipen. Jene Art Student belegt nur deshalb Philosophie, weil er im Hinterkopf hat, zu einem ernsthaften Fach wechseln zu können, wenn er mal erwachsen ist. Sollte die Anzahl an Hochschulsemestern irgendwann begrenzt werden, würden diese Jungphilosophen von vornherein ein anständiges Fach wählen. Was schade wäre.) Obwohl solche Gespräche recht intensiv und, so scheint es mindestens in dem Moment, unglaublich wichtig für mein Leben insgesamt gewesen sind, erinnere ich mich meistens am nächsten Tag nicht mehr daran. Das gehört sich so – sonst würden sie ja irgendwann ihren Reiz verlieren. Doch diesmal war es anders. Ich erinnere mich sehr gut daran, weil ich an jenem Abend ein Versprechen abgegeben habe.

Irgendwann mitten im Gespräch neigte er sich konspirativ zu mir herüber, sodass kein anderer mithören konnte, und sagte so nebenher: »Wenn du versprichst, es nicht selber zu verwenden, erzähle ich dir meine Idee für einen Roman.« Weil ich auch einige gute Ideen für Romane hatte, die ich wildfremden Menschen keinesfalls mitteilen würde, wusste ich eine solche Ehre zu schätzen. Ich versprach es.

Nun, das ist viele Jahre her, auf jeden Fall mehr als zehn, und laut BGB § 214 und § 195 verjähren Ansprüche dieser Art nach drei bis maximal zehn Jahren, und bis jetzt habe ich niemandem von der Idee erzählt. Wir sind beide älter geworden, denke ich (obwohl ich nicht mal weiß, wie er heißt und ob er noch lebt). Ich habe die Idee zwar nicht verwendet und werde es auch nie tun, aber aus Erfahrung weiß ich, wenn er den Roman bis jetzt nicht geschrieben hat, wird er ihn nie schreiben. Also wage ich an dieser Stelle, die Idee weiterzugeben, allerdings unter der Bedingung, dass Sie, lieber Leser und liebe Leserin, sie niemals in einem Roman verwenden. Wenn Sie glauben, Sie könnten in der Hinsicht schwach werden, dann bitte ich Sie, die nächsten Absätze zu überspringen. Anstandshalber.

Dann erzählte er mir seine Idee: »Ein Künstler ist verliebt in sein eigenes Scheitern«, sagte er. »Er romantisiert es richtiggehend. Dann, mit dreißig, ändert er seine Meinung. Er will leben und das Leben genießen. Doch es ist zu spät – er ist tatsächlich schon gescheitert.«

Ich fand die Idee wirklich gut und kam nicht umhin zu bemerken, dass der junge Mann in der Kneipe auch schon um die Dreißig war, vielleicht schon etwas darüber, und außerdem der Typ zu sein schien, der einen solchen viel versprechenden Roman über das Scheitern doch lieber leben würde, anstatt ihn zu schreiben.

Und auf einmal verstand ich: Die Deutschen sind verliebt ins Scheitern.

Während wir Amerikaner nichts so sehr bewundern wie Erfolg, ehren die Deutschen das Scheitern. Erfolg ist für sie oberflächlich; Scheitern aber hat etwas Tiefgründiges, moralisch Überlegenes. Ob Indianer, ob Germanen: Jedes Grüppchen anständiger, freiheitsliebender Menschen, die nicht gegen eine Übermacht ankommen können, sind Helden in ihren Augen. Bill Gates in seiner Garage mit nichts als einem großen Traum, war auch für die Deutschen ein Held. Der reichste Mann der Welt ist es nicht mehr. Für uns Amerikaner ist Bill Gates gerade deshalb noch ein Held, weil er seine Träume verwirklichte. Sobald ihm das gelang, dachte man hierzulande: Der muss aber Dreck am Stecken haben.

Aus diesem Grund ist das Scheitern der Helden so wichtig: Es macht sie liebenswert. Und darum werden von den deutschen Mythen in Hollywood auch nur ein paar Märchen verfilmt – die mit dem Happy End. Aschenputtel leidet nicht umsonst. Schneewittchen, Opfer der bösen Hexe, wird wieder zum Leben erweckt und das Böse wird besiegt.

Am Ende des Films *Gladiator* rächt sich der Gladiator am Tyrannen. Ja, er befreit gleich ganz Rom von der Tyrannei. (Ich gebe zu, hier war Hollywood etwas übereifrig, aber ich frage Sie, wie sonst hätte man den Tod dieses Helden veredeln können?) Am Ende der Arminius-Story stirbt Hermann der Cherusker, nachdem er alles verloren hat, und die Römer kommen ungestraft davon.

Robin Hood stürzt am Ende den Despoten und gewinnt das Mädchen, Störtebeker dagegen wird von dem kapitalistischen Pack gefangen und geköpft. Die Missstände, gegen die Störtebeker kämpfte, dauern nach seinem Tode an – pragmatisch gesehen hat der Typ nichts erreicht. Doch was heißt, nichts erreicht? Immerhin hat er zeit seines Lebens keine Kompromisse mit dem Big Business gemacht! Ich sehe die Diskussion zwischen dem amerikanischen Produzenten und dem deutschen Drehbuchautor über den Stoff direkt vor mir:

Produzent: »Einen Moment – Sie wollen sagen, der Pirat stirbt und alles ist wieder wie zuvor – er hat nichts bewirkt?«
Drehbuchautor: »Ja genau, aber es geht darum, dass er sich selber treu war.«
Produzent: »Klar war er sich selbst treu. Er ist ja auch der Held. Aber eins verstehe ich nicht: Sie wollen sagen, er stirbt, und das war's? Sein Leben hat keine Bedeutung?«
Drehbuchautor: »Sein Leben hat eine ideelle Bedeutung – er stirbt als Rebell, als Nicht-Angepasster ...«
Produzent: »Klar, verstehe ich. Aber eins verstehe ich nicht ...«

Romeo und Julia sind zwar auch am Ende tot, aber sie sterben, weil keiner von ihnen ohne den anderen leben wollte. Ihr Tod ist eine Art Triumph der Liebe über das Leben – ihre Familien wollten sie auseinanderreißen, doch jetzt sind sie vereint. Ihr Tod hat eine Art Sinn. Agnes Bernauer wird von ihrem adligen Schwiegervater, der sie schon mehrmals hinauskomplimentieren wollte, kaum, dass ihr Mann aus dem Haus ist, als Hexe verurteilt und hingerichtet. Ihr Mann kehrt zurück und ist dermaßen wütend, dass er gleich eine andere heiratet, die ihm sein Papi empfohlen hat.

Versuchen Sie mal, Leonardo DiCaprio für die Rolle des Ehemannes zu begeistern.

Ein Störtebeker als blutrünstiger Freibeuter ist ein romantischer Rebell; ein Störtebeker als reicher Expirat und Kaufmann in einem großen Haus, geachtet von der Gesellschaft, ist ein heuchlerischer Spießer und Ausbeuter. Eine Agnes Bernauer aus der Unterstadt, die sich in einen Adligen verliebt, das ist romantisch; eine Agnes Bernauer, die sich gut in die adlige Familie einfügt und lauter kleine Snobs zur Welt bringt, die allesamt niemals unter ihrem Stand heiraten würden, ist eine Ernüchterung.

Das Happy End ist den Deutschen suspekt. Wer happy ist, muss seine Ideale verraten haben. Er ist ein glücklicher, gefährlicher Idiot. Hierzulande ist nur der Underdog romantisch, der seinem Schicksal treu bleibt. Der Underdog, der Erfolg hat, verliert die Liebe der Deutschen.

Antwort:

B. Die großen deutschen Mythen werden nie in Hollywood verfilmt, weil kein Mensch außerhalb Deutschlands wirklich versteht, was am Scheitern so toll ist.

Gibt es Urwälder in Deutschland?

Ⓐ Nein, seit dem Waldsterben nicht mehr

Ⓑ Ja, in Form von Kohleflözen

Ⓒ Ja, aber sie sind alle sehr klein und werden in botanischen Gärten gehalten.

Ⓓ Ja, aber sie sind alle nagelneu.

Urwälder? In einem der am höchsten industrialisierten, am dichtesten besiedelten Länder der Welt? Bewohnt von Leuten, die, wie man weiß, ständig alles verwalten, aufräumen und bewirtschaften müssen? Hier werden die Forstbäume durchnummeriert, die Feldwege mit dem Lineal gezogen, und wenn mal ein Braunbär über die grüne Grenze irrt, wird zur Flinte gegriffen. Urwälder mit jahrhundertealten, krummen Bäumen, Schlingpflanzen, Orchideen und toten Urwaldriesen, aus denen Farne und bizarre Pilze sprießen, haben da keine Chance.

Oder doch?

Gerade die deutsche Gründlichkeit war es, die Urwälder wieder entstehen ließ. »Vor 3000 Jahren war der menschliche Einfluss auf den Wald noch gering«, so Professor Stefan Ruge von der Hochschule für Forstwirtschaft in Rottenburg. »Dann kamen die Römer und Germanen.« Seitdem stand die Säge nicht mehr still. »Da wurde gerodet und gerodet. Im Mittelalter trieb man sein Vieh in den Wald, das die jungen Sprösslinge wegfraß – das war das erste europäische Waldsterben. Vor 200 Jahren war der Höhepunkt erreicht: Der Wald war übergenutzt.«

Erstmals regte sich das deutsche Umweltbewusstsein. Man begann aufzuforsten. Überall sprossen Forstschulen und Forstpolizei aus dem Boden. »In der Art wie in Deutschland gab es das in den meisten anderen Ländern nicht«, betont Ruge. Seit den 1990ern hat ein weiterer Trend eingesetzt: »Zurück zum Urwald«.

Wer heute von »Urwald« spricht, meint eigentlich den ganz und gar merkwürdigen Begriff »naturnaher Wald«. (Das wirft natürlich Fragen auf, zum Beispiel: Gibt es einen »naturfernen« Wald?) Hier greift man so wenig wie möglich ein, auf Kahlschlag wird verzichtet. Man pflanzt mehr heimische Baumarten, vor allem Buchen, statt schnell wachsender Kiefern und Fichten. »Dadurch wird der Wald stabiler«, so Ruge. Sogar Schädlingsplagen kann er aus eigener Kraft überstehen. Der Trend, der weite Teile Europas ergriffen hat, hat seinen Ursprung in Deutschland. Schon 1950 wurde die Arbeitsgemeinschaft Naturgemäße Waldwirtschaft ins Leben gerufen – 20 Jahre, bevor die Amerikaner und Kanadier Greenpeace gründeten.

Ironischerweise überlebt gerade der »naturnahe Wald« in der freien Natur nicht ohne menschliches Eingreifen. Ohne natürliche Feinde wie Wölfe und Bären vermehrt sich das Rotwild viel zu schnell, und Rehe finden frische Baumsprösslinge besonders lecker. Wenn der »moderne Urwald« also nicht intensiv bejagt wird, stirbt er. Doch was ein echter Jäger ist, lässt sich auch von Urwäldern nicht schrecken. Zu den bekanntesten gehören:

- der Reinhardswald in Hessen
- die Insel Vilm vor Rügen
- die Insel Greifswalder Oie vor Usedom
- die Halbinsel Darß an der Ostsee
- der Hainich in Thüringen
- der hessische Kellerwald am Edersee
- der Au-Urwald Taubergießen am Oberrhein
- die Schluchtwälder der Sächsischen Schweiz
- der Brandenburger Nationalpark Müritz
- der Alpenurwald Berchtesgaden
- der Nationalpark Bayerischer Wald

Die meisten dieser Wälder kommen der Natur heute nur deswegen so nah, weil irgendwer sie für sich allein behalten wollte. Der Kellerwald wurde schon vor über 100 Jahren vom örtlichen Fürsten eingezäunt, damit es sich leichter in ihm jagen ließ. Im Darß, wo noch bis 1945 die letzten wilden Wisente Deutschlands grasten, schossen sich noch Hermann Göring und Erich Honecker gerne einen Braten. Der Reinhardswald war schon im Mittelalter Hutewald, dort trieb man sein Vieh zum Weiden hinein. Das fraß die jungen Bäume weg, während die alten immer größer wurden – die ältesten Eichen dort sind heute 600 Jahre alt.

Andere dieser Wälder waren einfach unzugänglich – auf steilen Bergrücken, in engen Schluchten wie in der Sächsischen Schweiz, oder im Sumpf wie der Taubergießen. Manche waren jahrzehntelang militärisches Sperrgebiet. Auf der Insel Oie hat schon Hitler seine V2-Raketen getestet. Wieder andere wurden bereits früh von Naturfreunden unter Schutz gestellt – wie der Reinhardswald vor 100 Jahren, auf die nicht ganz uneigennützige Initiative eines Landschaftsmalers hin, der sämtliche Motive aus dem Wald bezog.

Wer bei einem Flug nach London aus dem Fenster schaut und den Anblick der englischen Wälder (fließend, organisch, natürlich) mit denen in Deutschland (streng, geometrisch, exakt) vergleicht, mag die deutsche Forstverwaltung für kleinkariert halten. Doch was er nicht sieht: Hierzulande gibt es heute mehr Bäume pro Hektar als in jedem anderen Land Europas. Während Deutschland zu gut 30 Prozent aus Wald besteht, hat England nur noch 10 Prozent. Inzwischen kehren sogar die Wölfe zurück, und damit sie sich auch willkommen fühlen, werden die Förster extra für den rechten Umgang mit ihnen fortgebildet. Heute geht man manierlicher mit dem Wald um als zu den Zeiten, als der Mensch angeblich noch eng mit der Natur verbunden war.

Antwort:

D. Um den Urwald, der noch nie von Menschenhand berührt wurde, von dem Urwald, den der Mensch vor der weiteren Berührung durch menschliche Hand schützt, zu unterscheiden, empfehle ich die Begriffe *Alt-Urwald* und *Neu-Urwald.*

Gab es je in Deutschland Sklaverei?

Ⓐ Ja, aber die Sklaven arbeiten nur 40 Stunden die Woche, haben 30 Tage Urlaub und Weihnachtsgeld.

Ⓑ Die Sklaverei in Deutschland ist eines der bestgehüteten Geheimnisse des Landes.

Ⓒ Nein – die Gewerkschaft der Leibeigenen hat immer wieder dafür gesorgt, dass die Sklaven ihre Jobs nicht übernehmen konnten.

Ⓓ Ja, aber nicht genug, dass man davon reich werden konnte.

Aber ja: Warum sollte es das nicht gegeben haben, wenn alle anderen europäischen Staaten Sklaverei betrieben?

Schon die Germanen waren eifrige Sklavenhalter und -händler. Was sollte man auch sonst mit all den Kriegsgefangenen aus den ständigen Scharmützeln mit den Nachbarn anfangen? Das dauerte von der Antike bis zur Zeit Karls des Großen und darüber hinaus an. Noch im 10. Jahrhundert kauften deutsche Fernhändler Sklaven beispielsweise von Wikingern und verkauften sie wieder auf großen Sklavenmärkten in Mainz und Koblenz. Hier deckten sich auch die örtlichen Adligen gern mit Haussklaven ein – je exotischer, desto besser.

Dann besann sich die Kirche auf das Gebot der christlichen Nächstenliebe und verbot den Sklavenhandel – natürlich nur, was christliche Sklaven betraf. Flugs verschob sich der Sklavenmarkt auf Ungetaufte aus slawischen Gebieten (das Wort »Sklave« kommt von »Slawe«). Vor allem die Sachsen waren an der Grenze zu den slawischen Ländern sehr aktiv – bis die Slawen sich hinterlistigerweise zum Christentum bekehrten und der Markt zusammenbrach.

In Südeuropa war Sklaverei viel weiter und länger verbreitet. Ab dem 15. Jahrhundert verdienten die Portugiesen und Spanier sich dumm und dämlich am Sklavenhandel, und als die beiden Amerikas kolonialisiert wurden, schlossen sich die meisten anderen Europäer dem lukrativen Geschäft an. In seinem Buch *The Slave Trade* listet Hugh Thomas die Zahlen auf:

Land	*Anzahl importierter Sklaven*
Portugal	4,6 Millionen
England	2,6 Millionen
Spanien	1,6 Millionen
Frankreich	1,2 Millionen
Holland	500 000

USA	300 000
Dänemark	50 000

Wie man sieht, war Deutschland nicht darunter. Nun, Afrika war weit (wenn auch erstaunlicherweise nicht für die Dänen).

Natürlich gibt es Ausnahmen. Kaum jemand weiß, dass Venezuela ein Vierteljahrhundert in deutscher Hand war. Die mächtige Augsburger Kaufmannsfamilie der Welser übernahm das Lehen 1528 von den Spaniern und hat dort Sklaven sowohl eingesetzt als auch mit ihnen gehandelt. Die berühmten Fugger haben vermutlich Kriegsgefangene als Sklaven in ihren Minen in Ungarn schuften lassen. Kriegsgefangene waren zu dieser Zeit zwar offiziell keine Sklaven mehr, hatten aber praktisch genauso wenig Rechte. Das betraf auch Kriminelle. Im Schwaben des 16. Jahrhunderts konnten mehrfach rückfällige Straftäter nach Venedig als Galeerensklaven verkauft werden. Zwar wurden sie offiziell als Soldaten »vermietet«, doch kaum in Venedig angekommen, wurden sie mit einem »S« gebrandmarkt und in den Galeeren angekettet, wo die durchschnittliche Lebenserwartung drei Jahre betrug.

Der ehrgeizigste deutsche Versuch, in den lukrativen transatlantischen Sklavenhandel einzusteigen, fand in den 1680ern statt. Kurfürst Friedrich Wilhelm von Brandenburg baute mit Hilfe eines Kaufmanns und dessen Flotte eine Reihe kleiner Kolonien auf. Vor allem »Großfriedrichsburg« an der Küste von Ghana verschiffte Sklaven auf die Westindischen Inseln, wo Brandenburg einen zweiten Stützpunkt hatte, und verkaufte sie dort an die Dänen für profitable 60 Taler pro Mann. Doch die etablierten Kolonialmächte mochten keine Konkurrenz, was sie mit wiederholten Schiffskaperungen deutlich zu verstehen gaben, und nach 35 Jahren wurde Großfriedrichsburg an die Holländer verkauft. Als kleine Entschädigung verlangte König Friedrich I. von Preußen neben dem regulären Kaufpreis auch »12 Negerknaben, derer 6 mit goldenen Ketten geschmückt sein sollen«. Die Jungen kamen als Militärmusiker in des Königs Heer, untergebracht wurden sie in der Berliner Mohrenstraße, die noch heute so heißt.

Doch abgesehen davon hat der moderne Sklavenhandel Deutschland kaum berührt. »Rein technisch war die Möglichkeit, Sklaven einzuführen, gegeben«, bekräftigt der Historiker Dr. Ludolf Pelizaeus von der Mainzer Universität. Wieso wurde sie nicht genutzt? Vielleicht, weil die deutsche Wirtschaft eine Alternative gefunden hatte, die sie noch Hunderte von Jahren beibehielt: die Leibeigenschaft, in der die Bauern als Eigentum ihres Grundherrn galten. Sie waren nicht ganz so rechtlos wie afrikanische Sklaven und trotzdem für den Grundherrn als Arbeitskräfte noch genauso lukrativ. Im frühen Mittelalter scheint in Deutschland die Sklaverei genau zu der Zeit zu verschwinden, als die Leibeigenschaft sich etablierte. Laut Professor Dr. Franz Irsigler von der Universität Trier besteht da ein ganz klarer Zusammenhang.

Wie anderenorts die Sklaverei, blieb auch die Leibeigenschaft in Deutschland teilweise bis ins 19. Jahrhundert bestehen. Da bleibt nur eine Frage offen: Gibt es überhaupt einen Unterschied zwischen diesen beiden Formen der Unfreiheit, oder ist das reine Augenwischerei? Darüber streiten sich noch immer die Gelehrten.

Antwort:

D. Ja, es gab Sklaverei in Deutschland, aber nicht in dem Ausmaß, dass es sich für irgendwen rentiert hätte.

Warum wollen alle Deutschen lieber Indianer sein?

Ⓐ Weil sie einfach nie erwachsen werden.

Ⓑ Weil sie nicht den Mumm haben, der Cowboy zu sein.

Ⓒ Weil sie glauben, Indianer seien die cooleren Germanen.

Ⓓ Weil sie keine Eskimos sein wollen.

Für einen Amerikaner gibt es nichts Lustigeres als einen käseweißen Deutschen mit Halbglatze und Designerbrille, der der Welt klarmachen will, er gehe gleich mit seinem Tomahawk auf den Kriegspfad. Ich rede natürlich von den Indianervereinen, wo sich normale, erwachsene Menschen am Wochenende als Cherokees und Apachen verkleiden und irgendwo in der Pampa in Tipis übernachten.

In Amerika gibt es ein paar Indianerstämme, die sich regelmäßig für zahlende Touristen (oft aus Deutschland) in Schale werfen. Aber freiwillig? Das bringen nur die überzivilisierten Deutschen fertig. Wenn ich mich umhöre, warum sie ausgerechnet auf Indianer abfahren, überrascht sie diese Frage. Sie halten ihr Faible eigentlich für ganz normal. Sie grübeln eine Weile und dann antworten sie: »Tja, das wird wohl was mit Karl May zu tun haben.«

Doch der hiesige Indianerwahn hat lange vor Karl May begonnen. Deutsche Ethnologen fassten den Indianer schon ins Auge, bevor es die Vereinigten Staaten gab. 1733 untersuchte Baron Philipp Georg Friedrich von Reck den Stamm der Muskogee. Nicht authentisch genug für den Utopisten Christian Gottlieb Prieber aus Zittau – er lebte von 1736 an unter den Cherokee und versuchte, ihre Lebensweise anzunehmen. Die Indianermanie machte auch vor dem Adel nicht halt. Einer der wichtigsten Forscher war Maximilian zu Wied-Neuwied, der 1832 Süd- und Nordamerika bereiste und über verschiedene Stämme berichtete, mit Hilfe detaillierter Illustrationen des Schweizers Karl Bodmer. Die Prinzessin Therese von Bayern besuchte als Ethnologin ab 1893 die Plains-Indianer und brachte kistenweise Kunstwerke mit, die heute noch das Münchner Völkerkundemuseum schmücken.

Schon kurz nachdem James Fenimore Coopers Romane in den 1820er Jahren mit großem Erfolg ins Deutsche übersetzt wurden (Goethe war ein Fan, zog es aber vor, die Romane im

Original zu lesen), erschienen die ersten Indianerromane in deutscher Sprache. Während eines eher kurzen USA-Aufenthalts erwarb der Österreicher Karl Postl die amerikanische Staatsbürgerschaft und schrieb ab 1831 unter dem Pseudonym Charles Sealsfield Indianer- und USA-Romane mit einem starken politischen und nationalistischen Unterton. Ein eher ethnologisches Indianerbild wollte Friedrich Gerstäcker, nach langen USA-Reisen, in seinen Romanen ab 1846 vermitteln. Auch nach Karl May haben sich andere deutschsprachige Autoren ans Thema getraut, darunter der Schweizer Ernst Herzig (alias Ernie Hearting) und der Österreicher Franz Xaver Weiser. Immer wieder wurde es politisch. Der im Dritten Reich beliebte Autor Fritz Steuben schrieb über Tecumseh.

Auch als geteiltes Volk behielten die Deutschen ihr Indianerfieber bei. Die Nazi-Widerstandskämpferin und ostdeutsche Professorin Liselotte Welskopf-Henrich unternahm mehrere Reisen zu den Dakota-Indianern und stellte sie in ihrem Romanzyklus *Die Söhne der großen Bärin* als Urkommunisten dar. Den Dakotas gefiel das so gut, dass sie ihr den Titel »Lakota-Tashina« (Schutzdecke der Dakota) verliehen. Es war jener Roman, der den Auftakt für die DDR-Indianerfilme mit Gojko Mitic, dem »Winnetou des Ostens« gab.

Karl May dagegen wollte man dem sozialistischen Leser bis in die 1980er nicht zumuten. Folglich blühte ein reger Handel mit seinen Büchern, die zwar nicht verboten waren, aber auch nicht gedruckt werden konnten. Sie waren so beliebt, dass ein besonders phantasievoller Mann in Thüringen in einer Zeitungsannonce einen Satz von 50 Bänden im Tausch gegen einen Trabi anbot. Um die in der BRD gedrehten und in der DDR verbotenen Winnetou-Filme sehen zu können, fuhr man gern nach Prag. Im Museum des Geburtshauses von Karl May in Hohenstein-Ernstthal ist noch heute ein seltsames Exponat zu sehen: Karl-May-Texte auf Tausenden von Schreibmaschinenblättern. Dabei handelt es sich nicht um das Originalmanuskript! Ein Fan, der die Bücher nur von anderen Fans ausleihen konnte, hatte mehrere Werke Wort für Wort abgetippt, um sein eigenes Exemplar zu besitzen.

Nein nein, das deutsche Faible für die edlen Wilden reicht tiefer als die erotische Anziehungskraft eines Pierre Brice und weiter zurück als die Liebe zu einem hochstapelnden Bestsellerautor. Und sie nahm zeitweilig seltsame Formen an. Da es nicht so leicht war, mal eben einen Abstecher in den Wilden Westen zu machen, um echte Indianer zu sehen, importierte man sie einfach nach Deutschland. Im 19. Jahrhundert wurden ganze Indianerfamilien samt Haushalt in den beliebten »Völkerschauen« ausgestellt, oft in Zoos, Tierparks oder auf dem Oktoberfest. Vor Publikum verrichteten sie dann ihre Alltagsarbeiten, brieten sich ein Huhn, tanzten und bedrohten die Zuschauer mit echten Indianerwaffen (ebenfalls sehr beliebt waren afrikanische Familien). Ein Riesenerfolg war hierzulande auch Buffalo Bills Wild West Show, die mehrmals durch Europa tourte, und in der sich echte Cowboys mit echten Indianern falsche Kämpfe und nervenzerreißende Planwagenrennen lieferten.

Die Frage ist jedoch nicht, wie beliebt die Indianer in Deutschland sind, sondern warum?

»Mitleid mit einem Volk, das untergeht, spielt eine große Rolle«, meinte Andreas Barth, Karl-May-Fan und Geschäftsführer des Karl-May-Fördervereins Silberbüchse. »Diese Freundschaft zwischen Old Shatterhand und Winnetou über alle Grenzen hinweg – über Wissensgrenzen, Rassengrenzen … Er hat bei den Deutschen das Bewusstsein für die Indianer geweckt. Das waren edle Gestalten, die es in Wirklichkeit nicht gab. Vielleicht liegt es auch daran, dass die Deutschen vor der Reichsgründung 1871 das Gefühl hatten, zu kurz gekommen zu sein. Vielleicht sahen sie eine Parallele zum Schicksal der Indianer. Genauso wie Karl May die meisten Bösewichte im Wilden Westen als Yankees darstellt, so fühlten sich die Deutschen wirtschaftlich zurückgedrängt von der anglo-amerikanischen Weltmacht.«

In der Tat, seinerzeit schrieb schon Schiller in seiner »Nadowessischen Totenklage« (ein Gedicht, das Goethe zu Schillers besten zählte) über die vom Aussterben bedrohten Indianer, und schuf damit eine Metapher für die vom Identitätsverlust bedrohten Deutschen:

Seht, da sitzt er auf der Matte,
Aufrecht sitzt er da,
Mit dem Anstand, den er hatte,
Als er's Licht noch sah.

Auch der österreichischer Dichter Nikolaus Lenau bereiste 1832 Amerika, verliebte sich in die Niagarafälle, den Urwald und seine Bewohner. In Gedichten wie »Der Indianerzug« und »Die Drei Indianer« verfluchte er die imperialistischen Weißen, die das hilflose Naturvolk vertrieben: »Kommt, ihr Kinder, kommt, wir wollen sterben!«, schrieb er, und:

Fluch den Weißen! ihren letzten Spuren!
Jeder Welle Fluch, worauf sie fuhren,
Die einst Bettler unsern Strand erklettert!

Selbst Kafka verfasste eine Indianer-Erzählung mit dem Titel *Wunsch, Indianer zu werden*. Sie war allerdings nur einen Satz lang.

»Die Liebe der Deutschen zu den Indianern ist ein Produkt aus Romantik und Aufklärung«, sagte Johannes Zeilinger, Vorsitzender des Freundeskreises Karl May Berlin-Brandenburg und Kurator einer Karl-May-Ausstellung im Deutschen Historischen Museum Berlin. »Man unterschied zwischen edlen und unedlen Wilden. Das ist ein sehr feiner Rassismus. Die Afrikaner hat es schlecht getroffen, während die Indianer gute Karten hatten«, bemerkte er. Auch er hob die deutsche Reichsgründung hervor, als man anfing, eine gemeinsame deutsche Identität zu suchen und diese in den Germanen fand.

»Tacitus beschrieb die Germanen als sittenrein und freiheitsliebend, das passte. So sehen sich die Deutschen gern. Die Rolle der Germanen war der Kampf der wilden, aber freien Stämme gegen die Zivilisationskultur, gegen die Übermacht Roms. Das Bild von den Germanen wurde auf das Bild der edlen Wilden, der Indianer, bezogen«, erklärte er. »So hat man Sympathien für die Indianer entwickelt, die ebenso freiheitsliebend waren und auch Opfer der Zivilisation wurden. Meiner Meinung nach ist Winnetou ein deutscher Mythos, einer der wenigen echten, die es noch gibt.«

Antwort:

C. Indianer sind eben die cooleren Germanen und sie haben einen weiteren großen Vorteil – es gibt sie noch heute.

Wollen auch Indianer insgeheim gern Deutsche sein?

Ⓐ Ja, aber das ständige Blutsbrüderschaftschließen laugt sie ganz schön aus.

Ⓑ Nein, dafür sind ihnen die Sitten und Gebräuche der Germanen zu exotisch – doch sie preisen ihre Spiritualität und Gastfreundschaft.

Ⓒ Nein: Welcher Indianer kommt auf so eine Idee?

Ⓓ Nein, zwischen Weißen und Roten wird es niemals Frieden geben!

Vielleicht ist es Ihnen noch nicht aufgefallen, aber Indianer immigrieren nicht gerade scharenweise nach Deutschland.

Trotzdem, ein, zwei gibt es schon. Manche kommen mit der amerikanischen Armee hierher. Einige heiraten deutsche Frauen und lassen sich mit der Familie in Deutschland, Frankreich oder Italien nieder. Sie sind da, aber sie sind gut getarnt.

Ich rief den kanadischen Blackfoot-Indianer Murray Small Legs in Potsdam an. Er tritt in Indianer-Shows und Tanzperformances auf und bietet Managern Trainingsseminare an, darunter traditionelle Konfliktlösungsstrategien oder organisierte Schatzsuchen – alles Fertigkeiten, die man als Manager gut gebrauchen kann. Als Erstes stellte er klar, dass er 200 Euro pro Interview wollte. Schon nach meinem ersten »Äh …« legte er auf.

Ich probierte es bei ein paar anderen, doch sie waren nicht zu erreichen. Telefonnummern führten ins Nichts. E-Mails kamen zurück. Nicky Buffalo Child rief nicht zurück; meine nächste Kontaktperson war nicht mehr aufzuspüren. Die Website des Künstlers Jim Poitras war nicht fertig und hatte keine Kontaktadresse.

Ich wandte mich an die Native American Association of Germany. Die meisten Indianer, die in Deutschland auftauchen, werden irgendwann von der NAAOG betreut oder vermittelt. Ich wollte wissen, ob die Indianerliebe der Deutschen auf Gegenseitigkeit beruht.

»Es ist wirklich gemischt«, sagte die deutsche Vorsitzende Carmen Kwasny. »Es gibt Native Americans, die sehr gern hier sind, weil sie das Gefühl haben, sie werden hier mehr respektiert als daheim. Sie schätzen auch die soziale Absicherung – hier können sie sich diese leisten, in den USA dagegen nicht. Und wenn es Künstler sind, haben sie einen viel besseren Markt als drüben.«

Die Vorteile eines Indianerlebens in Deutschland liegen auf der Hand: Man wird als Exot angesehen und bewundert – doch das kann auch ein Nachteil sein. »Einige Indianer sagen, ›Okay, ich nutze das Interesse der Deutschen für mein Geschäft‹«, meinte Kwasny. »Sie sind Künstler oder Reiseunternehmer, knüpfen hier Kontakte und kommen gut zurecht. Andere kommen überhaupt nicht damit klar. Ein Freund von mir hatte plötzlich überhaupt keine Zeit mehr, als die Leute mitbekommen haben, dass er Indianer ist und anfingen, ihn ständig einzuladen. Irgendwann stieg ihm das total zu Kopf. Er musste nach Amerika zurück, wo er ein ganz normaler Typ ist, und wo die alten Leute ihn necken: ›Du führst dich auf wie ein Rockstar‹, damit er wieder runterkommt.«

Es kommt nämlich vor, und gar nicht so selten, sondern praktisch ununterbrochen, dass ein Deutscher von einem Indianer etwas lernen will, was man hierzulande längst verloren glaubt: Spiritualität.

»Deutsche haben zum Teil eine recht komische Vorstellung von Natives«, räumte Kwasny ein. »Die Indianer wollen meist nur Deutschland sehen und Paris und Rom, und die Deutschen belagern sie sofort mit Fragen über Spiritualität. Dabei kann es durchaus sein, dass diese Indianer Christen sind. Sie werden gebeten, Vorträge über Indianerspiritualität zu halten, kommen zu mir und sagen, ›Du, ich weiß nicht, was ich sagen soll‹, und ich antworte, ›egal – sie werden hören, was sie hören wollen.‹ Einige erzählen im Hollywood-Kostüm das Blaue vom Himmel. Ich kenne einen Indianer, der eine ganz neue Art Meditationskurs erfunden hat, so ein Mischmasch aus allem, den er als Indianer-Tradition ausgibt.«

»Was ist daran so komisch?«, fragte ich. »Machen das nicht alle fernöstlichen Religionen?«

»Indianer kommen nicht aus dem fernen Osten«, erinnerte sie mich.

Kwasny erzählte, wie sie als Deutsche eine Spinne in der Wohnung sorgsam in ein Glas locken und heraustragen würde, um sie freizulassen. »Manche meiner indianischen Freunde dagegen machen Klatsch! und weg. Alle glauben, die Indianer sind tolle Naturschützer, die jede Biene mit ›Schwester Biene‹ ansprechen, während die Indianer selbst eher praktisch veranlagt sind. Wenn ein Nutztier nicht mehr nützlich ist, wird es geschlachtet, genau wie bei uns. Die Deutschen überhören das. Sie denken wirklich, die Indianer kommunizieren alle mit den Tieren.«

Für viele Menschen ist ein Indianer nichts anderes als Esoterik zum Anfassen.

»Aus den Native-Religionen macht man hier einen großen Mischmasch«, sagte Kwasny. »Es gibt wahnsinnig viele Gruppen in Deutschland, die Sweat Lodges betreiben. Das ist schon eine Art Religion, hat aber nicht viel gemein mit den Schwitzhütten der Indianer. Zum Teil werden da Vorstellungen aus dem keltischen Gedankengut mit germanischen Göttergeschichten oder buddhistischen Lehren vermengt«, grummelte sie. »Und das Krafttier! Es gibt zwar Indianerreligionen, die einen spirituellen Bezug zu Tieren haben, doch nicht so, wie man sich das hier vorstellt. Hier gibt es extra Workshops dafür. Beim Meditieren suchen die Deutschen also ihr Krafttier, das sie durchs Leben begleiten soll. Irgendwann sehen sie immer einen Bison, Wolf oder Bär. Dann glauben sie wirklich, ›Das ist mein Krafttier.‹ Das sind alles Tiere, die es bei uns gar nicht mehr gibt! Wir haben Füchse und Marder, aber die sehen sie natürlich nicht. Dann bin ich boshaft und sage, ›Wenn ihr von einer Schnecke träumt, ist dann die Schnecke euer Krafttier?‹«

All das gibt Kwasny zu denken: Warum sind die Menschen hier so wild nach Spiritualität?

»Oft suchen sie eine Art Anleitung, wie sie eins mit der Natur sein können«, glaubt sie. »Die Indianer sagen, ›wieso das denn? Wir sind doch alle so oder so Teil der Natur.‹ Das ist ein ganz anderes Denken. Darüber habe ich mal mit einem Freund die ganze Nacht lang diskutiert. Er sagte, ›ihr Europäer steht da, als ob ihr gar nicht Teil des Planeten seid. Wovon redet ihr überhaupt?‹ Aber im Grunde ist es mehr. Zwischen dem, wonach sich ihre Seele sehnt und dem, was sie im Alltag tun müssen, ist eine wahnsinnige Diskrepanz, und um die zu überbrücken suchen sie Anregung bei den Indianern. Im Grunde suchen die Leute nach sich selbst.«

In ihrem Verein versucht Kwasny, Indianern so zu begegnen, wie sie einem Italiener oder Bulgaren begegnen würde: als realen Menschen statt als Phantasiefiguren. »Mit Leuten, die nur auf der Suche nach Spiritualität sind, ist kein echter Kulturaustausch möglich«, seufzte sie. »Da haben die Indianer keine Ruhe mehr, weil sie bloß noch Fragen über Spiritualität beantworten müssen und sie wollen eigentlich etwas über Deutschland lernen und erfahren gar nichts.«

»Wie stellen Sie sich denn einen echten Kulturaustausch vor?«, wollte ich wissen.

»Na, ganz einfach wie das so ist mit Menschen aus anderen Kulturen«, meinte sie. »Ich gebe Ihnen ein Beispiel. Eine Indianerin, die zum ersten Mal hier war, wunderte sich, dass es hier so viele junge Paare ohne Babys gibt. Ich machte einen Witz: ›Vielleicht sterben wir aus.‹ Da lachte sie und sagte, ›Irgendwann gibt's eine Vitrine und du stehst da drin und ich gehe vorbei und sage, ›ich habe sie gekannt, bevor sie ausstarb.‹ Doch jetzt habe ich fast nur über Deutsche geredet«, schloss sie selbstkritisch. »Sie sollten wirklich mal einen Native sprechen.«

Sie gab mir die Nummer von Jim Poitras.

Jim ist ein sanfter, offener Mann in den 50ern, ein kanadischer Cree-Indianer, der vorwiegend in Deutschland lebt – im »Schwabenland«, wie er sagt. Er referiert in Schulklassen und tanzt auf Shows, doch hauptberuflich ist er Maler und stellt recht erfolgreich auf beiden Seiten des Atlantiks aus. Wenn er über Indianer spricht, benutzt er meist den Begriff »First Nations«.

Ich fragte ihn geradeheraus, ob denn Indianer Deutsche so sehr lieben wie Deutsche Indianer.

»Ehrlich gesagt – ja«, sagte er. »Wenn wir uns daheim über andere Kulturen unterhalten, kommen wir immer auf

Deutschland zu sprechen, weil man hier sehr intellektuell und offen für andere Kulturen ist. Das ist zu Hause anders.«

»Warum bleiben dann so wenige Indianer hier?«

»Viele würden gern hier bleiben«, meinte er, »aber sie bekommen Heimweh. Die meisten halten es bloß vierzehn Tage aus. Sie sehnen sich nach ihrem Volk. Sie vermissen die Familie, das Lachen, das Singen, das Trommeln, die Kameradschaft ... Das ging mir anfangs auch so. Hier ist alles anders. Die Straßen, die Häuser, die Sprache, alles. Du musst lernen, dich anzupassen. Das braucht Zeit. Wer bleiben will, muss stark sein. Als ich das erste Mal herkam, hielt ich die Deutschen für rüde – sind sie aber gar nicht: Sie sagen nur klar und deutlich, was sie meinen. Diese Art von Sprache musst du erst einmal verstehen! Dann beginnst du langsam, auch die alltäglichen Scherze und Gespräche zu hören – genau wie zu Hause.«

Überraschenderweise entdeckte Jim immer mehr Ähnlichkeiten zwischen seinem Volk und seiner neuen Heimat, je länger er hier blieb. »Die Deutschen versuchen, von ihrer Vergangenheit, ihrem Stigma zu genesen. Wir Indianer versuchen uns von den Vorurteilen zu kurieren, unter denen wir leiden: dass wir alle antriebsschwach und alkoholkrank sind, zum Beispiel. Beide haben wir einiges aus unserer Vergangenheit aufzuarbeiten, das ist eine Art Verbindung zwischen den Völkern.«

Jim kann sich gut vorstellen, bis zum Ende seines Lebens hierzubleiben. »Europa hat mir die Augen geöffnet und das Herz. Achtzig Prozent der Nordamerikaner, die von einem Vorhaben reden, werden es nie ausführen. Achtzig Prozent der Deutschen, die ankündigen, etwas zu tun, tun es dann auch tatsächlich. Die letzten vier Male in Kanada waren schwerer und schwerer zu ertragen. *Ich liebe Deutschland*«, sagte er dann auf Deutsch in seiner weichen Aussprache. Er mochte den Satz und flocht ihn öfters ein.

»Aber nervt es nicht, dass die Leute von Ihnen ständig irgendwelche spirituellen Weisheiten hören wollen?«

»Ach was, das finde ich toll«, sagte er freimütig. »Hier sind die Leute tatsächlich spirituell interessiert. Und ich bin ein spiritueller Mensch, ich tanze und organisiere auch Sweat Lodges.«

Ich musste an Kwasnys Kommentare denken und erzählte ihm davon. Er lachte.

»Ich bin weder Medizinmann noch Schamane. Aber ich bin über fünfzig und ein Ältester, und die Ältesten sind die Bewahrer der Weisheit, die Geschichtenerzähler und Heiler. In der Funktion bin ich hier und versuche, so positiv wie möglich zu sein – für mich selbst, für meine Leute und mein Land zu Hause, und um den Menschen hier dabei zu helfen, zu finden, was immer sie suchen.«

Es war schon ein bisschen merkwürdig. Hier war ein Mann, der offenbar seine ethnische Herkunft zu seinem Beruf machte – und es toll fand.

»Ab und zu muss ich sie schon erinnern, ›ich bin nicht Winnetou‹«, gab er zu. Dann brachte er es auf den Punkt.

»In meinem Leben war ich noch nie von so viel Respekt umgeben wie hier. In Kanada werde ich wie ein Niemand behandelt. Es gibt da immer noch eine Menge Vorurteile. Indianer stellen vierzehn Prozent der kanadischen Bevölkerung, aber achtzig Prozent der Gefängnisinsassen! In manchen Reservaten findet man die Ärmsten der Armen, Drogensucht, Alkoholismus, alles da. Hier werden meine Werke in Museumsausstellungen geehrt. Aber zu Hause – egal, wie gepflegt ich mich kleide – ernte ich noch immer diese Blicke auf der Straße: *Oh, you fucking Indian, you're just a fucking Indian.* (Du verdammter Indianer, du bist nichts als ein verdammter Indianer.) Ich danke dem Schöpfer jeden Tag, hier zu sein und gute Arbeit machen zu dürfen. Ich bin schon ein Glückspilz. Manchmal hebe ich die Arme zum Himmel und rufe: ›Vielen Dank, Karl May!‹ Da lachen die Leute, das kann ich Ihnen sagen.«

Antwort:

B. Die Indianer sind damit zufrieden, Indianer zu sein – scheinen aber die Deutschen wirklich zu mögen.

SCHÖNE
TÜRKINNEN

Wie imponiere ich einer türkischen Frau?

Ⓐ Mit einem goldenen Handy

Ⓑ Mit getrennten Rechnungen, um ihr meinen Respekt als unabhängiger, moderner Frau zu erweisen

Ⓒ Indem ich einen Bauchtanzkurs belege.

Ⓓ Mit total unglaubwürdigen Komplimenten

Inzwischen ist es kein Geheimnis mehr, dass ein Großteil der schönsten Frauen Deutschlands türkischer Abstammung ist. Das mag am südländischen Teint liegen oder daran, dass sie die Kunst der prächtigen Frisur noch nicht verlernt haben. Vielleicht liegt es auch am Stolz in ihren Augen: Wer auf unnahbare Frauen steht, kann all die schönen Türkinnen ringsumher kaum übersehen haben.

Nur, unsereins hat ein fast unlösbares Problem: Wie nähere ich mich ihnen?

Für all diejenigen, die sich mit der obigen Frage herumschlagen, habe ich ein wenig Feldforschung betrieben. Ich rief eine deutsche Türkin an, die ich sehr verehre, seit ich ihr witziges Buch *Einmal Hans mit scharfer Soße* gelesen habe, und fragte sie, was ihre Landsmänninnen wirklich beeindruckt.

Hatice Akyün war skeptisch.

»Bist du mit dem Fahrrad gekommen?«, fragte sie prüfend, als wir uns später gegenübersaßen.

»Aber klar«, sagte ich etwas aus der Puste und nahm meinen Fahrradhelm ab. »Man braucht doch in Berlin kein Auto.«

Sie machte ein Gesicht, als hätte sie Zahnweh. »Wie oft hast du einen türkischen Mann auf einem Fahrrad gesehen?«, wollte sie wissen. »Oder gar mit einem Fahrradhelm? Das ist dieses deutsche Sicherheitsding. Das sieht so doof aus. Der deutsche Mann mit Fahrradhelm sieht aus wie eine Schildkröte. Da habe ich keine Lust mehr. Kannst du tanzen?«

»Na ja«, druckste ich. »Ich bin lernfähig ...« Das war ein wenig übertrieben.

»Du musst tanzen wie ein Türke. Ganz typisch ist das Antanzen in den Discos. Wenn ein Mann eine Frau kennenlernen will, nähert er sich ihr tanzend auf der Tanzfläche und achtet darauf, wie sie reagiert. Die Deutschen stehen in der Ecke oder gehen auf die Tanzfläche und tanzen für sich. Und wenn du mit einer Frau weggehst, wer zahlt: du oder die Frau?«, fragte Hatice streng.

»Na, ich denke, die Frau von heute verdient ihr eigenes Geld und ist auch stolz darauf …«

»Bei einem Date gibt es keine Diskussion darüber, wer zahlt«, schnaubte Hatice. »Der Mann darf nicht einen Gedanken daran verschwenden. Das ist so selbstverständlich, dass eine türkische Frau, wenn sie mit einem Mann ausgeht, nicht mal daran denkt, ihr Portemonnaie mitzunehmen. Wenn der Mann beim ersten Date auf getrennten Rechnungen besteht, ist es aus. Es ist eine Beleidigung höchsten Grades, wenn der Mann nicht zahlt. Auch unter türkischen Freunden spielt Geld eine geringe Rolle. Wenn man abends unterwegs ist, sagt oft ein Freund zum anderen, ›Dein Geld zählt hier nicht‹.«

Ihr Freund Erkan Arikan, ebenfalls Journalist, ergänzte: »Sollte allerdings eine türkische Frau, mit der du gerade ausgehst, so was zu dir sagen, dann sollten bei dir alle Alarmglocken klingeln.«

»Gehst du gern ins Kino?«, fragte Hatice Akyün weiter.

»Klar, ich weiß auch, welche Filme Frauen mögen: Godard, Rohmer, Bergman …«

»Türken sind absolute Bollywoodfilm-Liebhaber«, unterbrach sie mich. »Da steht nämlich wie in den türkischen Filmen immer die Familie im Mittelpunkt. Die Mutter ist immer dabei. Und dann der ganze Herzschmerz, das Tanzen und Singen, die Liebesschwüre und die Lieder, das ist wie in der Türkei. Diese Familienstorys findet man in Hollywood oder im deutschen Film nicht. So unterschiedlich die Kultur ist, die Türken fühlen sich Bollywood näher als Hollywood.«

Ich rutschte schon unruhig auf meinem Stuhl hin und her.

»Wie viel Türkisch kannst du eigentlich?«

»Ich kann ›Döner‹ sagen.«

»Wenn du nicht zwei, drei Wörter kannst, hast du keine Chance«, meinte sie. Dann schien sie Mitleid mit mir zu bekommen: »Merk dir diese: ›Selam‹ bedeutet ›Hallo‹, und ist lässig dazu. Wenn du eine Türkin nach dem Weg fragst, bedanke dich mit ›Teschekur‹. Und sag nicht ›Tschüss‹, sondern ›Hadi tschüss‹. Das bedeutet so was wie ›Okay, dann tschüss‹«, erklärte sie. »Ich höre diese Abschiedsformel immer öfter auch bei nichttürkischen Kids.«

»Und lerne ruhig ein paar türkische Namen«, warf ihr Freund ein. »Türkische Namen bedeuten etwas. Mein Vorname Erkan heißt ›Heldenhaftes Blut‹. Wenn du weißt, was ihr Name bedeutet, macht das Eindruck.«

»Würde es nicht reichen, einfach einen Porsche zu fahren?«

»Hast du einen Porsche?«

»Ich meinte das bildlich gesprochen.«

»Du könntest dich ruhig anstrengen«, mischte sich Hatice ein. »Sie strengt sich auch für dich an. Türkische Frauen machen sich vor dem ersten Date komplett von Kopf bis Fuß zurecht, lassen sich maniküren und pediküren. Und wenn sie gestern beim Friseur waren, gehen sie morgen nochmal hin. Türkische Frauen sind nicht wie die deutschen, die nur alle paar Wochen zum Friseur gehen – wir gehen alle paar Tage hin. Auch ohne Date.«

»Aber was machen sie denn da die ganze Zeit, um Himmels willen?«

»Na, sie lassen sich die Haare waschen und föhnen. Der Friseur schafft das einfach besser. Wer eine schöne Frisur hat und sie zu Hause nicht so hinkriegt, geht zum Friseur, damit die Frisur aussieht wie frisch. Ich habe es schon erlebt, dass ich in einen deutschen Salon gegangen bin und um einmal Waschen und Föhnen gebeten habe, und sie haben mich nur blöd angeschaut.«

Ich seufzte. »Und wenn ich all das tue – die Bedeutung ihres Namens herausfinde, kein Fahrrad fahre, tanzen lerne, all das – ist sie dann von mir beeindruckt?«

»Noch lange nicht«, lachte sie. »Das sind erst mal die Grundvoraussetzungen. Wenn du sie wirklich beeindrucken willst, gibt es nur drei Worte: Komplimente, Komplimente,

Komplimente. Das wollen türkische Frauen hören und die Komplimente können gar nicht schmalzig genug sein. Der höchste Liebesschwur, den ein deutscher Mann einer Frau macht, ist: ›Ich will mit dir alt werden.‹ Reicht nicht, mein Lieber. Damit kann man einer türkischen Frau nicht kommen. Das ist eine Beleidigung. Überhaupt, das Wort ›alt‹ zu verwenden ist eine Beleidigung«, redete sie sich in Fahrt. »Den deutschen Männern fehlt die Kreativität. ›Hast du dir wehgetan, als du vom Himmel gefallen bist?‹ Das ist ein Kompliment. Ich fragte mal einen türkischen Mann, wann wir uns wiedersehen, und er sagte: ›Sobald die Milch rahmt.‹ Das war ein Kompliment.«

»Ich kenne nur H-Milch«, sagte ich etwas eingeschüchtert.

Sie seufzte nur. »Milch rahmt sehr schnell.«

Als Hatice gegangen war, nahm mich ihr Freund »Heldenhaftes Blut« beiseite. Er hatte noch einen Tipp.

»Wenn man intim wird«, klärte er mich auf, »ist es wichtig, dass da keine Haare an den entsprechenden Stellen sind.«

»Ja, ja«, lachte ich. »Es soll deutsche Frauen geben, die sich noch immer nicht die Beine rasieren.«

»Ja …«, meinte er zögerlich. »Ja, die Beine sind wichtig, zumindest in den ersten Wochen, aber danach …«

»Na gut, die Achselhaare auch.«

»Ja, ja, die Hauptstellen, sie sind wichtig in den ersten zwei, drei Wochen, aber was ich meine … später dann, wenn es wirklich intim wird, den Rest …«

»Was bleibt da übrig?«, fragte ich.

»Na ja, der Rest halt.«

»Du meinst … türkische Frauen sind … da unten …«

»Nicht nur die Frauen«, meinte er.

»Wie bitte?«

»Männer auch«, sagte er. »Bei Männern ist das wie bei Frauen.«

»Moment mal, du meinst … all diese türkischen Kerle mit dem starken Bartwuchs und die Frauen mit ihren langen Haaren … alles andere ist … rasiert?«

»Vom Rasieren habe ich nichts gesagt«, stellte er klar.
Da begriff ich, dass er seinen Namen nicht umsonst trug.
»Äh ... hör mal, ich hab mir das anders überlegt«, sagte ich und griff nach meinem Fahrradhelm. »Ich weiß nicht, ob ich den türkischen Frauen gewachsen bin.«

Antwort:

D. Komplimente, Komplimente, Komplimente.
Übrigens, für diejenigen, die es trotzdem wagen wollen: Hier ein paar der häufigsten weiblichen türkischen Vornamen in Deutschland:

Vorname	*Bedeutung*
Arzu	Verlangen
Aysche	Lebhaft (und der Name von Mohammeds dritter Ehefrau)
Eda	Schönheit bzw. Koketterie
Fatma	Von der Hölle verschont
Gül	Rose
Ipek	Seide
Lale	Tulpe
Nilgün	Romantitel: Ein Tag am Nil
Özlem	Sehnsucht
Sevim	Liebevoll bzw. sympathisch
Yildiz	Stern

Haben Sie es gewusst?

Frage	☺	☹	Frage	☺	☹	Frage	☺	☹
1			23			45		
2			24			46		
3			25			47		
4			26			48*	✓	
5			27			49*		
6			28			50		
7			29			51		
8			30			52		
9			31			53		
10			32			54*	✓	
11			33			55		
12			34			56		
13			35			57		
14			36			58		
15			37			59		
16			38			60		
17			39			61		
18			40			62		
19			41			63		
20			42			64		
21			43			65		
22			44			66		

Gesamt richtig: ________

* Auf diese Fragen gibt's keine Antworten – also sind sie geschenkt!

Wie viele Antworten habe ich gewusst?

Ⓐ Keine Ahnung – ich habe nicht mitgezählt

Ⓑ 1–2: Ich habe nur ein Drittel der Fragen gelesen, aber alle Antworten!

Ⓒ 23–44: Meist habe ich richtig getippt – wusste aber manchmal nicht so genau, wie ich darauf kam …

Ⓓ 45–66: Also ich komme zur nächsten Live-Quizshow des Autors und staube richtig ab!

Dank

Astrid Ule und ich möchten uns bei den zahlreichen Experten und Freunden, die uns bei der Recherche zu diesem Buch geholfen haben, herzlich bedanken:

Den vielen Experten, die uns so großzügig ihre Zeit gewidmet haben: Hatice Akyün, Journalistin; Tilman Allert, Soziologe an der Johann Wolfgang Goethe-Universität in Frankfurt/Main; Erkan Arikan, Journalist; Klaus J. Bade, Historiker am Institut für Migrationsforschung und Interkulturelle Studien (IMIS), Universität Osnabrück; Andreas Barth, Silberbüchse, Karl May Haus; Michael Bommes, Soziologe an der IMIS, Universität Osnabrück; Paul Egon Breitfeld, Metzger, Solingen; Christoph Buchheim, Wirtschaftshistoriker an der Universität Mannheim; Franz Dormayer, Metzger, Langenzersdorf, Österreich; Hansjörg Dräger, Pressestelle des Polizeipräsidenten in Berlin; Knut Elstermann, Journalist; Michael Feldkamp, Historiker; Dr. Bärbel Fest, Leiterin der Polizeihistorischen Sammlung Berlin; Klaus Fischer, Historiker an der Universität Trier; Andreas Geitl, Chefkoch des Paulaners in München; Thomas Grafenberg, Karl-May-Stiftung; Roderich Haug, Karl-May-Verlag; Hans-Martin Hinz, Geschäftsführung, Deutsches Historisches Museum, Berlin; Tatjana Hörnle, Professorin für Strafrecht und Rechtsphilosophie an der Universität Bochum; Dr. Peter Junge, Ethnologisches Museum, Berlin; Hermann Kurzke, Historiker und Hymnologe an der Universität Mainz; Carmen Kwasny, Chairwoman, Native American Association of Germany; Heinrich Oberreuter, Historiker an der Universität Passau; Jochen Oltmer, Professor für Neueste Geschichte, IMIS, Universität Osnabrück; Berndt Ostendorf,

Professor der Nordamerikanischen Kulturgeschichte, Universität München; Niko Oswald vom Institut für Judaistik an der Freien Universität Berlin; Ludolf Pelizaeus, Historiker an der Universität Mainz; Jim Poitras, Künstler; Henry Quah, General Manager, und sein Team des Paulaners Singapur; Chefkoch Torsten Reiser und dem gesamten Team vom Restaurant Seidls in Berlin; Diethard Reps, Indianer- und Karl May-Experte; Stefan Ruge von der Hochschule für Forstwirtschaft in Rottenburg; Kurt Starke, Leiter der Forschungsstelle Partner- und Sexualforschung Leipzig; Alfons Söllner, Professor für politische Wissenschaft, Technische Universität Chemnitz; Ralf Stelter, Graphiker und Fahnenexperte; Gerd-Christian Weniger, Direktor des Neanderthal Museums; Johannes Zeilinger, Vorsitzender des Freundeskreises Karl May Berlin-Brandenburg und Kurator sowie den hilfreichen und humorvollen Teams von den Werbeagenturen Grabarz & Partner, Grey Worldwide, KNSK, Ogilvy and Mathers und Scholz & Friends.

Auch den Leitern, Mitarbeitern, Lehrern, Praktikanten und Experten der Goethe-Institute rund um die Welt gilt unser Dank: Regina Anhut-Frahm, Kiew, Ukraine; Franz Xaver Augustin in Hanoi, Vietnam; Maria Bäckström in Stockholm, Schweden; Georg Blochmann in Tel Aviv, Israel; Ulrich Braeß in Barcelona, Spanien; Ursula Bünger, Italien; Rudolf de Baey in Riga, Lettland; Fernando Bielza Díaz-Caneja, Journalist in Spanien; Hetty Droog, Journalistin in Australien; Bruni Erker in Mexiko; Maria Giovanna Guedes Farias in Curitiba, Brasilien; Rita Felder in Gympie, Australien; Elke Frank in Yinnar, Australien; Mikko Fritze in Montevideo, Uruguay; Ulrich Gmünder in Caracas, Venezuela; Cathleen Haff in Rotterdam, Holland; Gabriele Harb in Abu Dhabi, Vereinigte Arabische Emirate; Margareta Hauschild in Brüssel, Belgien; Sabine Hentzsch in Bukarest, Rumänien; Ricarda Howe in Wellington, New Zealand; Evelin Hust in Bangalore, Indien; Andrea Jacob-Sow in Dakar, Senegal; Herwig Kempf in Lomé, Togo; Anke Kessler in Santiago, Chile; Klaus Krischok in Sydney, Australien; Milica Lalic in Belgrad, Serbien; Gabriele Landwehr in Channai, Indien; Richard Lang in Colombo, Sri Lanka; Almut Liebler, Journalistin, London, UK; Dik Linthout in Amsterdam, Holland; Björn Luley in Kyoto, Japan; Uwe Mohr in Boston, USA; Maria Carmen Morese in Neapel, Italien; Michael Nentwich in Atlanta, USA; Torsten Oertel in Dhaka, Bangladesch; Katrin Ostwald-Richter in Minsk, Weißrussland; Verena Passig-Olaï in Abidjan, Elfenbeinküste; Andrea Pfeil, DAAD-Lektorin an der University of Strathclyde in Glasgow, Schottland; Bernd Pirrung in Johannesburg, Südafrika; Beby Soa Raminosoa in Antananarivo, Madagaskar; Uwe Rieken in Tbilissi, Georgien; Astrid Rüdiger in Karachi, Pakistan; Ulrich Sacker in Berlin; Sigrid Savelsberg in São Paulo, Brasilien; Peter Schabert in Mumbai, Indien; Arne Schneider in Lagos, Nigeria; Iris Schneller in Triest, Italien; Walter Schorlies in Lima, Peru; Michael Schroen in Sarajevo, Bosnien-Herzegowina; Eva Schulz in Australien; Eva Schwemmer in Adelaide, Australien; Bettina Senff in Helsinki, Finnland; Arpad Sölter in Toronto, Kanada; Barbara Sölter in Santiago, Chile; Dieter Strauss in Casablanca, Marokko; Rüdiger van den Boom in Chicago, USA; Lara Theresa Weber in Lomé, Togo; Diana Weiland in Boston, USA; Wilfried Eckstein in Bangkok, Thailand; Raimund Wördemann in Shanghai, China; Volker Wolf in Kuala Lumpur, Malaysia; Eva Wolf-Manfre in Pune, Indien; Kristiane Zappel in Bogota, Kolumbien und Katharina Zimmermann in Tschechien.

Ein besonderer Dank geht an die exzellente Autorin Elisabeth Bartels, die uns bei der Recherche geholfen hat. Auch an die vielen Freunde, die mit Vorschlägen, Meinungen und Witzen zur Seite standen: Jan und Britta Blume-Werry, Ralf Ilgenfritz und Tanja Schotola, Andi Rupprecht, Georg Kleinegees, Georg Procakis, Deborah Cole, Freddi Stegemann und Christoph Scheding. Wir möchten uns auch bei den zahlreichen Experten bedanken, die uns bei den vielen Themen geholfen haben, die es nicht in das Buch geschafft haben; diese werden hier nicht namentlich genannt, in der Hoffnung, es wird eine andere Gelegenheit kommen. Nicht zu vergessen auch unsere langmütigen Lektoren, Hersteller und unermüdlichen Setzer!

Vielen Dank! Ohne euch alle hätten wir es nicht geschafft.

Eric T. Hansen
Deutschland-Quiz
Alles, was Sie über dieses Land wissen sollten
und nie zu fragen wagten
Band 17684

Deutschland-Quiz spielt mit Fragen, die in Schulen garantiert nie thematisiert werden: Ist Deutschland Ausgangspunkt einer geheimen Weltverschwörung? Gibt es ein Nazi-Gen? War Shakespeare besser als Goethe? Kommt die Weißwurst wirklich aus Bayern?

66 ungewöhnliche Fragen und Antworten überraschen als kleine, feine Mini-Reportagen – mal politisch brisant, mal skurril, stets jedoch verblüffend. Hansen hebelt typisch deutsche Klischees aus, enthüllt bizarre Geheimnisse und erschließt neue, aufregende Blickwinkel auf unsere exotische Heimat.

Fischer Taschenbuch Verlag

fi 17684 / 1

Bernhard Finkbeiner, Hans-Jörg Brekle

Frag Mutti

Das Handbuch nicht nur für Junggesellen

Band 16937

Irgendwann erwischt es dich: Du fliegst aus dem »Hotel Mama«. Knallhart siehst du dich plötzlich dem schonungslosen Alltag ausgesetzt. Waschen, putzen, kochen – was früher im Wunder-Mutterland wie ein weit entfernter Fluch klang, musst du jetzt ganz alleine bewältigen. Zwei Junggesellen, die diese schwere Schule durchlitten haben, helfen mit wertvollen Tipps und Tricks, die erste Zeit im K(r)ampf mit den alltäglichen Tätigkeiten zu meistern. Alles ist garantiert alltagserprobt – und nach intensiver Lektüre ist der Anruf bei »Mutti« bald überflüssig ...

»Auch erfahrene Hausfrauen können noch dazu lernen.«
brigitte.de

Das Buch zur »mit Abstand nützlichsten
Website der Welt«
Sat.1

Fischer Taschenbuch Verlag

fi 16937 / 1

Bernhard Finkbeiner
Hans-Jörg Brekle
Frag Vati
Das Nachschlagewerk für alle Lebenslagen
Band 17474

Das Erfolgsduo Bernhard Finkbeiner und Hans-Jörg Brekle hilft bei allen Fragen rund um Heimwerken, Auto und Job mit Tipps und Tricks, wie sie nur von Vati kommen können. Hier werden Fragen wie: Welche Grillkohle brauche ich für mein Fünf-Sterne-Würstchen?, Woher kommt der Seemannsknoten in meiner Krawatte? oder Gibt es einen Einerdübel und wenn ja, wie kommt er dann am besten in meine Wand? beantwortet. Die unentbehrliche Fortsetzung des Bestsellers »Frag Mutti« – wieder mit Komplettlösungen für alle Alltagsfallen. Alles garantiert praxiserprobt!

»Zwei Studenten, die den Eindruck erwecken,
Deutschlands perfekteste Hausmänner zu sein.«
Günther Jauch, stern TV

Fischer Taschenbuch Verlag

fi 17474 / 1

Peter Lückemeier

Männer verstehen

Wie frau das seltsame Wesen durchschaut

Band 16952

Warum findet er ein Paar Manolos für 399 Euro überteuert, kauft sich aber selbst ohne mit der Wimper zu zucken ein Surfbrett für 1850 Euro? Peter Lückemeier schaut seinen Geschlechtsgenossen über die Schulter, lässt Frauen tief in ihre Seele blicken und zeigt, was dran ist am Mann. Er erklärt, was Männer immer wieder in den Baumarkt zieht, warum Sie seine Mutter möglichst bald kennenlernen sollten und warum er vorm Grill zum Urmenschen mutiert. Sein Fazit: Frauen, lasst euch nicht aus der Ruhe bringen und nehmt seine Macken nicht allzu ernst!

Fischer Taschenbuch Verlag

fi 16952 / 1

Jürgen von der Lippe
Monica Cleves
Sie und Er
Botschaften aus parallelen Universen
Band 17471

Wieso nur erzählen Männer und Frauen, die dasselbe erleben, immer zwei total verschiedene Geschichten? Hat das was mit den Augen zu tun? Oder wird das Erlebte unterschiedlich verarbeitet? Jürgen von der Lippe und Monika Cleves machen hier ein für alle Mal klar, warum Männer und Frauen bei den großen Themen der Menschheit auf keinen gemeinsamen Nenner kommen können – wunderbar ungerecht und herzergreifend wahr!

Fischer Taschenbuch Verlag

fi 17471 / 1